#상위권_정복
#신유형_서술형_고난도

**일등전략**

Chunjae
Makes
Chunjae

▼

# [ 일등전략 ] 중학 역사 ①

| | |
|---|---|
| **개발총괄** | 김덕유 |
| **편집개발** | 오세중, 김세훈 |
| **디자인총괄** | 김희정 |
| **표지디자인** | 윤순미, 권오현 |
| **내지디자인** | 박희춘, 우혜림 |
| **제작** | 황성진, 조규영 |
| **조판** | 어시스트하모니 |

| | |
|---|---|
| **발행일** | 2022년 1월 15일 초판 2022년 1월 15일 1쇄 |
| **발행인** | (주)천재교육 |
| **주소** | 서울시 금천구 가산로9길 54 |
| **신고번호** | 제2001-000018호 |
| **고객센터** | 1577-0902 |
| **교재 내용문의** | 02)3282-8843 |

시험 점수 올려주는
핵심 문제 체크

특목고 대비
일등전략

---

천재교육

중학 역사 ①
BOOK 1

시험 점수 올려주는
핵심 공략 일등 문제 체크 시리즈

특목고 대비
일등전략

# 중학 역사①

# BOOK 1
학교시험대비

# 이 책의 구성과 활용

## 주 도입

이번 주에 배울 내용이 무엇인지 안내하는 부분입니다. 재미있는 만화를 통해 앞으로 배울 학습 요소를 미리 떠올려 봅니다.

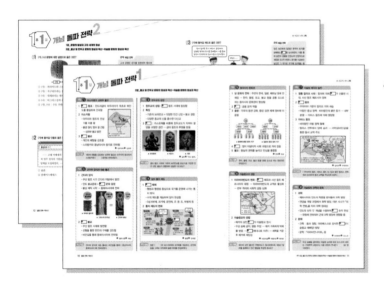

## 1일 · 개념 돌파 전략

성취기준별로 꼭 알아야 하는 핵심 개념을 익힌 뒤 문제를 풀며 개념을 잘 이해했는지 확인합니다.

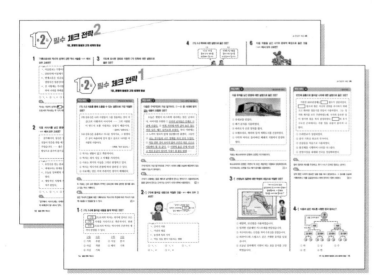

## 2일, 3일 · 필수 체크 전략

꼭 알아야 할 대표 유형 문제를 뽑아 유사 문제와 함께 풀어 보며 문제에 접근하는 과정과 방법을 체계적으로 익혀 봅니다.

## 주 마무리 코너

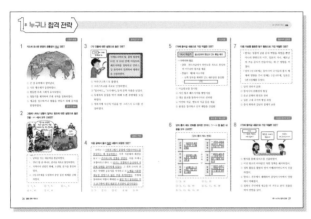

### 누구나 **합격 전략**

기초 이해력을 점검할 수 있는 종합 문제로 학습 자신감을 고취할 수 있습니다.

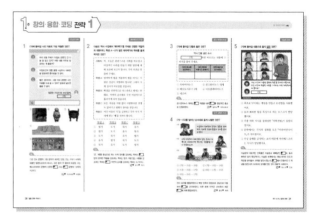

### 창의·융합·코딩 **전략**

융복합적 사고력과 문제 해결력을 길러 주는 문제로 구성하였습니다.

## 권 마무리 코너

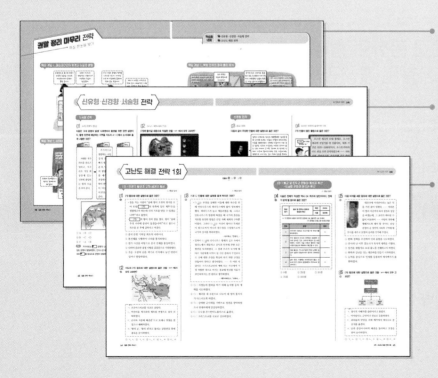

### 권말 정리 마무리 **전략**

학습 내용을 삽화로 정리하여 앞에서 공부한 내용을 한눈에 파악할 수 있습니다.

### 신유형·신경향·서술형 **전략**

신유형·서술형 문제를 집중적으로 풀며 문제 적응력을 높일 수 있습니다.

### 고난도 해결 **전략**

실제 시험에 대비할 수 있는 모의 실전 문제를 2회로 구성하였습니다.

# 이 책의 차례

## 01강_ 문명의 발생과 고대 세계의 형성

## 02강_ 불교 및 힌두교 문화의 형성과 확산~이슬람 문화의 형성과 확산

## 개념 ① 역사의 의미

1 **사실로서의 역사** : 과거에 있었던 ❶ 그 자체, 변함이 없고 객관적임

　예 1392년에 이성계는 조선을 건국하였다.

2 **기록으로서의 역사** : 역사가가 연구하여 남긴 과거 사실에 대한 ❷, 역사가의 관점에 따라 달라질 수 있으므로 주관적임

　예 신라의 삼국 통일은 대동강 이남 지역만을 통일 하였으므로 불완전하다.

❶ 사실 ❷ 기록

**확인 Q1** 역사의 두 가지 의미 중 역사가의 관점에 따라 달라질 수 있어 주관적인 것을 무엇이라고 하는가?

## 개념 ② 신석기 혁명

1 **구석기 시대 생활** : 뗀석기를 사용하고 사냥, 채집을 함 → 먹을 것이 풍부한 곳을 찾아 ❶ 생활함

2 **신석기 혁명**

- 신석기 시대에 ❷, 목축을 하게 되면서 자연을 통제하기 시작한 변화를 가리킴
- 농경을 하면서 강가, 바닷가에 정착하여 움집을 짓고 마을을 이룸
- 간석기를 사용하고 ❸ 를 만들어 수확한 곡식과 채집물을 저장하거나 조리함

▲ 스웨덴 토기

▲ 그리스 토기

❶ 이동 ❷ 농경(농사) ❸ 토기

**확인 Q2** (　　) 혁명은 신석기 시대에 농경과 목축을 하게 되면서 스스로 식량을 생산하여 자연을 통제하기 시작한 변화를 가리킨다.

## 개념 ③ 문명의 발생 과정

1 **농사의 시작** : 농경에 유리한 ❶ 주변에 모여 살 게 됨 → 자연재해에 대처하며 부족 간 협력 강화

2 **공동체 규모 확대**

- 생산력 향상, 사유 재산제 등장, 계급 발생
- 신전과 성벽을 갖춘 도시 국가 형성, 군대와 정치 조직 형성
- 통치와 교역에 활용할 문자 발명

3 **청동기 제작** : 정복 전쟁 전개, 제사 지냄

4 **고대 문명** : ❷ 문명(티그리스강, 유프라테스강), 이집트 문명(나일강), 인도 문명(인더스강, 갠지스강), 중국 문명(황허강)

❶ 큰 강 ❷ 메소포타미아

**확인 Q3** 문명의 발생 과정에서 세금을 징수하거나 법률을 만드는 등 통치와 교역을 위해 발명된 것은?

## 개념 ④ 고대 문명의 모습

| 문명 | 특징 | 문자 |
|---|---|---|
| 메소포타미아 문명 | 지구라트 건설, 현세 중시, 함무라비 법전 | ❶ |
| 이집트 문명 | 영혼 불멸과 내세를 믿음 | 상형 문자 |
| ❷ 문명 | 카스트제 형성 | 그림 문자 |
| 중국 문명 | 상 왕조의 신권 정치, 주 왕조의 봉건제 | 갑골문 |

❶ 쐐기 문자 ❷ 인도

**확인 Q4** 중국 문명 중 상 왕조에서는 국가의 중요한 일을 점을 쳐서 결정하였고, 그 결과를 (　　)문으로 기록하였다.

## 개념 ❺ 페르시아 제국

### 1 아시리아

• 기마 전술과 철제 무기를 앞세워 서아시아 지역을 최초로 통일

• 피지배 민족에 대한 강압적 통치로 곧 멸망

### 2 아케메네스 왕조 ❶

• 키루스 2세 : 서아시아 지역을 재통일하고 피정복민의 전통과 종교를 존중하는 ❷ 정책을 펼침

• 다리우스 1세 : 전성기, '왕의 눈'과 '왕의 귀'(감찰관 파견), '왕의 길'(교통망 정비) → 중앙 집권적 통치 체제 확립

나는 키루스(키루스 2세)이다. …… 내가 살아 있는 한 너희의 전통과 종교를 존중할 것이다. 나는 결코 전쟁으로 통치하지 않을 것이다. 그 누구도 다른 사람을 억압해서도 차별해서도 안 되며 …… 다른 사람의 자유와 권리를 침해해서도 안 되며 …….

▲ 키루스의 원통형 인장(영국박물관)

– 키루스의 칙령(제임스 B. 프리처드, 『고대 근동 문학 선집』) –

❶ 페르시아 ❷ 포용

확인 Q5 아케메네스 왕조 페르시아의 왕으로, 서아시아 지역을 다시 통일하고 피정복민에게 포용 정책을 펼친 인물은?

## 개념 ❻ 진 시황제와 한 무제

| 구분 | 진 시황제 | 한 무제 |
|---|---|---|
| 특징 | 전국 시대를 통일한 진의 왕, 처음으로 '황제'라는 칭호 사용 | 한의 전성기를 이룬 황제 |
| 공통점 | • ❶ 실시 : 전국을 군으로 나누고 그 밑에 현을 설치하여 관리 파견<br>• 대외 정책 : 흉노 공격 | |
| 기타 | • ❷ 사상 채택, 사상 통제(분서갱유)<br>• 문자, 화폐, 도량형 통일 | • 통치 이념으로 유교 채택<br>• 전매 제도 실시 |

❶ 군현제 ❷ 법가

확인 Q6 진 시황제와 한 무제가 실시한 제도로, 전국을 군으로 나누고 그 밑에 현을 두어 관리를 보내 다스리게 한 것은?

## 개념 ❼ 아테네 민주 정치

### 1 아테네 민주 정치의 발전 과정

| ❶ | 재산에 따라 참정권 부여 |
|---|---|
| 클레이스테네스 | ❷ 도입 |
| 페리클레스 | 민회 중심의 직접 민주 정치 시행 |

◀ 도편 : 참주(독재자)가 될 가능성이 있는 사람을 도편에 적어서 가장 많은 표를 받은 자를 국외로 추방함

### 2 아테네 민주 정치의 특징 : ❸ 민주주의

• 성인 남자 시민이 민회에 직접 참여하여 중요 사안을 논의하여 결정함

• 여성, 외국인, 노예는 정치에 참여할 수 없었음

❶ 솔론 ❷ 도편 추방제 ❸ 직접

확인 Q7 ( )는 참주의 출현을 막으려고 도편 추방제를 도입하는 등 다양한 개혁안을 펼쳐 아테네 민주 정치의 기틀을 마련하였다.

## 개념 ❽ 포에니 전쟁과 로마 공화정의 변화

1 ❶ 전쟁 : 카르타고와의 세 차례에 걸친 전쟁에서 승리 → 기원전 2세기 중엽 지중해 일대 장악

2 포에니 전쟁의 결과 : 공화정의 위기

• 귀족은 막대한 공유지 보유, 노예를 이용한 대농장 경영으로 많은 부 축적

• 평민(자영농)은 점령지에서 값싼 곡물이 유입되자 토지를 잃고 몰락

3 ❷ 형제의 개혁 : 공화정의 위기를 극복하고자 토지 재분배 등의 개혁 시도 → 귀족의 반대로 실패

4 제정 : 카이사르의 독재 정치 → 반대파의 카이사르 암살 → 카이사르의 후계자 옥타비아누스가 정권 장악, 제정 시작

❶ 포에니 ❷ 그라쿠스

확인 Q8 포에니 전쟁 이후 귀족은 대농장을 경영하며 부를 축적하였으나 점령지에서 값싼 곡물이 유입된 탓에 ( )은 몰락하였다.

## 개념 ❶ 아소카왕과 상좌부 불교

1 **❶** **왕조** : 찬드라굽타 마우리아가 최초로 북인도를 통일하며 건국함

2 **아소카왕**
- 마우리아 왕조의 전성기를 이룬 왕
- 불경 정리, 탑과 절 건립
  → 상좌부 불교 발전

3 **❷** **불교**
- 개인의 해탈을 강조함
- 스리랑카와 동남아시아 등지로 전파됨

❶ 마우리아 ❷ 상좌부

(지도)
히말라야산맥
인더스강
산치 대탑
파탈리푸트라
마우리아 왕조
아라비아해
벵골만
▨ 마우리아 왕조의 최대 영역
⚑ 아소카왕의 석주

> **확인 Q1** 개인의 해탈을 강조하는 상좌부 불교는 마우리아 왕조에서 스리랑카와 ( ) 등지로 전파되었다.

## 개념 ❷ 간다라 양식과 대승 불교

1 **간다라 양식**
- 쿠샨 왕조 시기 간다라 지방에서 발전
- 인도 불교문화 + **❶** 문화 융합
- 불상 제작 시작 → 동북아시아에 전파

▲ 부처의 발자국

▲ 그리스의 조각상

▲ 간다라 불상

인도의 불교문화 + 헬레니즘 문화 = 간다라 양식

2 **❷** **불교**
- 쿠샨 왕조 시대에 발전함
- 선행을 통한 만인의 구제를 강조함
- 비단길을 통해 동북아시아에 전파됨

❶ 헬레니즘 ❷ 대승

> **확인 Q2** 간다라 양식과 대승 불교는 비단길을 통해 ( 동남아시아, 동북아시아 )에 전파되었다.

## 개념 ❸ 힌두교의 성장

1 **힌두교의 성립** : **❶** 왕조 시대에 등장함

2 **특징**
- 기존의 브라만교 + 다양한 민간 신앙 + 불교 결합
- 다양한 종교의 신을 흡수한 다신교

3 **❷** : 카스트제를 비롯해 힌두교도가 지켜야 할 법을 규정한 경전 → 굽타 왕조의 후원을 받음

▲ 브라흐마

▲ 비슈누

▲ 시바

❶ 굽타 ❷ 『마누 법전』

> **확인 Q3** 굽타 왕조 시대에 기존의 브라만교를 중심으로 다양한 민간 신앙, 불교가 결합되어 성립된 다신교는?

## 개념 ❹ 당의 통치 제도

1 **❶** **체제**
- 형법과 행정법 중심으로 국가를 운영해 나가는 통치 방식
- 수의 제도를 계승하여 당이 완성함
- 3성 6부제, 과거제, 균전제, 조·용·조, 부병제 등

2 **통치 제도의 변화**

균전제
농민에게 일정한 면적의 토지를 분배하였다.
(안정적으로 농사를 지을 수 있어.)

조·용·조
농민에게 조(곡물), 용(노동력), 조(특산물)를 내게 하였다.

부병제
농민이 농한기에 훈련을 받고, 전쟁 시 병사로 복무하였다.

안사의 난

장원제
귀족이 장원을 확대하자 농민은 소작농으로 전락하였다.
(농사지을 땅을 잃었어.)

양세법
농민은 실제 재산 소유에 따라 여름과 가을에 세금을 냈다.

모병제
급료를 받고 복무하는 직업 군인을 고용하였다.

❶ 율령 ❷ 양세법

> **확인 Q4** 당은 ( )의 3성 6부제와 과거제를 계승하고, 균전제 등을 그대로 유지하며 율령 체제를 완성하였다.

## 개념 **5** 동아시아 문화권

1 **당 문화의 전파** : 주변의 한국, 일본, 베트남 등에 전해짐 → 한자, 율령, 유교, 불교 등을 공통 요소로 하는 동아시아 문화권이 형성됨
2 **❶** : 공용 문자 역할
3 **율령** : 각국의 왕권 강화, 중앙 집권 체제 정비에 이용됨

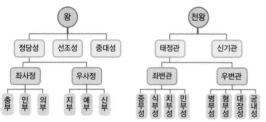

▲ 발해의 중앙 정치 기구　　▲ 일본의 중앙 정치 기구

4 **❷** : 정치 이념이자 사회 규범으로 자리 잡음
5 **불교** : 왕실의 권위를 높이고 민심을 통합함

**❶** 한자 **❷** 유교

**확인 Q5** 한자, 율령, 유교, 불교 등을 공통 요소로 하는 문화권은 무엇인가?

## 개념 **6** 이슬람교의 성립

1 **아라비아반도의 변화** : **❶** 제국과 사산 왕조 페르시아의 대립 → 아라비아반도의 교역로 활성화 → 빈부 격차와 사회적 갈등 심화

2 **이슬람교의 성립**
• 메카의 상인 **❷** 가 이슬람교 창시
• 우상 숭배 금지, 평등 주장 → 메카 귀족에게 박해를 받음 → **❸** (메디나로 이주) → 세력을 키운 후 메카에 재입성

**❶** 비잔티움 **❷** 무함마드 **❸** 헤지라

**확인 Q6** 메카의 상인 출신인 무함마드가 창시하였으며, 유일신 알라를 숭배하고 인간 평등을 주장한 종교는?

## 개념 **7** 이슬람 제국의 발전

1 **정통 칼리프 시대** : 합의에 의해 **❶** 가 선출된 시대, 사산 왕조 페르시아 정복
2 **❷** 왕조
• 우마이야 가문이 칼리프 지위 세습
• 아랍인 중심 정책 : 비아랍인의 불만 증가 → 내부 분열 → 아바스 왕조에 의해 멸망함
3 **아바스 왕조**
• 비아랍인 차별 정책 철폐
• 탈라스 전투에서 당에 승리 → 사막길(비단길)을 통한 동서 교역 주도

**❶** 칼리프 **❷** 우마이야

**확인 Q7** ( 우마이야 왕조, 아바스 왕조 )는 당과 벌인 탈라스 전투에서 승리하여 동서 교역을 주도하게 되었다.

## 개념 **8** 이슬람의 과학과 문화

1 **과학**
• 페르시아와 인도의 학문을 받아들여 과학 발달
• 연금술 개발 과정에서 화학 발달, 이븐 시나가 『의학 전범』을 지어 의학 집대성
• 인도의 숫자 '0' 개념을 수용하여 **❶** 숫자 완성 → 유럽에 전파되어 근대 과학 발달에 영향을 줌
2 **문화**
• 건축 : 돔과 첨탑, 아라베스크로 장식한 **❷** (이슬람교 예배당) 발달
• 문학 : 『아라비안나이트』 등

**❶** 아라비아 **❷** 모스크

**확인 Q8** 우상 숭배를 금지하는 이슬람 교리에 따라 모스크의 내부는 기하학적 모양이나 식물 모양의 무늬인 (　　　)로 장식되었다.

**1강_문명의 발생과 고대 세계의 형성**
**2강_불교 및 힌두교 문화의 형성과 확산~이슬람 문화의 형성과 확산**

## 01 (가), (나) 문명에 대한 설명으로 옳은 것은?

▲ (가) 의 쐐기 문자

▲ (나) 의 상형 문자

① (가) : 피라미드와 스핑크스를 조성하였다.

② (가) : 지구라트라는 신전을 지어 수호신을 섬겼다.

③ (나) : 내세보다는 현세를 중시하였다.

④ (나) : 티그리스강과 유프라테스강 사이에서 발생하였다.

⑤ (가), (나) : 수도 주변은 왕이 다스리고 나머지 지역은 제후가 다스렸다.

**문제 해결 전략**

고대 문명은 문자를 발명하여 통치에 활용하였다는 공통점이 있다. 메소포타미아 문명은 ❶ 문자를, 이집트 문명은 상형 문자를 고안하였다. 인도 문명의 모헨조다로에서는 그림 문자가 새겨진 인장이 발견되었다. 중국 문명의 상 왕조는 국가의 중요한 일을 점을 쳐서 결정하고 그 결과를 ❷ 으로 남겼다.

답 ❶ 쐐기 ❷ 갑골문

## 02 (가)에 들어갈 인물로 옳은 것은?

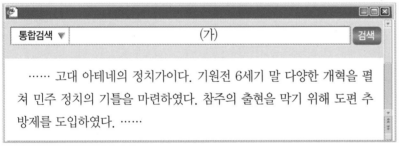

| 통합검색 ▼ | (가) | 검색 |

…… 고대 아테네의 정치가이다. 기원전 6세기 말 다양한 개혁을 펼쳐 민주 정치의 기틀을 마련하였다. 참주의 출현을 막기 위해 도편 추방제를 도입하였다. ……

① 솔론　　　　② 카이사르　　　　③ 페리클레스

④ 클레이스테네스　　　⑤ 옥타비아누스

**문제 해결 전략**

❶ 는 페이시스트라토스와 같은 참주(독재자)가 다시 등장하는 것을 막고자 도편 추방제를 도입하였다. 도편 추방제는 참주가 될 가능성이 있는 인물을 ❷ 에 적어서 가장 많은 표를 받은 사람을 10년간 국외로 추방한 제도이다.

답 ❶ 클레이스테네스 ❷ 도편(도자기 파편)

## 03 (가)에 들어갈 제도로 옳은 것은?

당이 실시한 토지 제도야. 농민에게 일정한 면적의 토지를 분배했어. 이를 통해 농민이 안정적으로 농사지을 수 있게 했지.

정답은……

(가)

① 균전제　　　　② 조·용·조　　　　③ 부병제
④ 양세법　　　　⑤ 모병제

## 04 다음과 같은 정책을 실시한 나라는?

○ 아랍인 중심 정책, 폐지하겠습니다!
 – 비아랍인도 중요한 관직에 오를 수 있도록 허용하겠습니다.
 – 아랍인이 아닌 이슬람교도에게 차별적으로 부과하던 세금을 없애겠습니다.

① 쿠샨 왕조　　　　② 굽타 왕조　　　　③ 우마이야 왕조
④ 아바스 왕조　　　　⑤ 파티마 왕조

## 핵심 예제 ❶ | 역사의 두 가지 의미 |

(가), (나) 자료를 통해 도출할 수 있는 결론으로 가장 적절한 것은?

> (가) 김유신은 나라 사람들이 그를 칭송하는 것이 지금(고려 시대)까지 이어지며 …… 그의 사람됨이 반드시 보통 사람과는 달랐기 때문이다.
> – 김부식, 『삼국사기』 –
>
> (나) 김유신은 음흉하고 사나운 정치가요, 그 평생의 큰 공이 싸움터에 있지 않고 음모로 나라를 어지럽힌 사람이다.
> – 신채호, 『조선 상고사』 –

① 역사는 변함이 없고 객관적이다.
② 역사는 과거 사실 그 자체를 가리킨다.
③ 사료는 과거의 사실을 그대로 반영하고 있다.
④ 역사는 역사가의 관점에 따라 달라질 수 있다.
⑤ 사료에는 만든 이의 주관적인 생각이 배제된다.

**Tip**

두 자료는 신라 삼국 통일의 주역인 김유신에 대해 상반된 평가를 내리고 있는 역사 기록이다.

**풀이**

같은 역사적 인물에 대한 기록이라도 역사가의 주관에 따라 역사가 다르게 서술될 수 있음을 알 수 있다. **답** ④

### 1-1 (가), (나)에 들어갈 내용을 옳게 짝지은 것은?

> (가) (으)로서의 역사는 과거에 일어난 모든 (가) 자체를 가리키므로 객관적이다. 한편 (나) (으)로서의 역사는 역사가의 주관적인 생각이 반영될 수 있다.

|  | (가) | (나) |  | (가) | (나) |
|---|---|---|---|---|---|
| ① | 기록 | 주관 | ② | 사실 | 문서 |
| ③ | 사실 | 객관 | ④ | 해석 | 기록 |
| ⑤ | 사실 | 기록 |  |  |  |

## 핵심 예제 ❷ | 선사 시대의 생활 모습 |

다음은 구석기인의 가상 일기이다. ①~⑤ 중 시대에 맞지 않는 내용이 포함된 것은?

> 오늘은 햇빛이 따스하게 내리쬐는 맑은 날씨이다. 아버지를 포함한 ① 부족의 남자들은 단체로 사냥에 나섰다. ② 어제 저녁에 바짝 갈아 놓은 돌도끼의 날은 매우 날카로워 보였다. 부디 이번에는 그 노력이 헛되지 않게 성공했으면 좋겠다. 그동안 ③ 나는 친구들과 나무 열매를 따서 모아 두었다. ④ 먹을 만한 것이 보이지 않아 조만간 다른 곳으로 이동해야 할 것 같다. ⑤ 이번에 옮길 곳에 아늑하고 멋진 동굴이 있다면 지내기 참 좋을 텐데 ……

**Tip**

구석기인의 가상 일기이므로 구석기 시대의 생활 모습에 해당하지 않는 내용이 있는지 찾아본다.

**풀이**

구석기 시대에는 돌을 깨뜨려 날카롭게 만드는 뗀석기가 사용되었으며, 돌을 갈아서 만드는 간석기는 신석기 시대 이후에 사용되었다. **답** ②

### 2-1 (가)에 들어갈 내용으로 적절한 것을 |보기|에서 모두 고르면?

"구석기 시대와 달리 신석기 시대에는 (가) 와/과 같은 변화가 나타났어."

> |보기|
> ㄱ. 간석기 사용
> ㄴ. 사냥과 채집
> ㄷ. 농경과 목축 시작
> ㄹ. 먹을 것을 찾아 이동하는 생활

① ㄱ, ㄴ  ② ㄱ, ㄷ  ③ ㄴ, ㄷ
④ ㄴ, ㄹ  ⑤ ㄷ, ㄹ

## 핵심 예제 **3** | 메소포타미아 문명 |

**다음 유적을 남긴 문명에 대한 설명으로 옳은 것은?**

① 유대교를 믿었다.

② 쐐기 문자를 사용하였다.

③ 파라오가 신권 정치를 폈다.

④ 모헨조다로, 하라파 등의 계획도시를 건설하였다.

⑤ 사막과 바다로 둘러싸인 폐쇄적 지형에서 발생하였다.

**Tip**

자료는 메소포타미아 문명의 신전인 지구라트이다.

**풀이**

메소포타미아 문명은 주변이 탁 트인 개방적인 지형에서 발생하였으며, 지구라트라는 신전을 짓고 쐐기 문자를 사용하였다.　　답 ②

**3-1** 선생님의 질문에 대한 학생의 대답으로 적절한 것은?

"여기 티그리스강과 유프라테스강 사이에서 문명이 발생했어요. 이 문명의 특징을 이야기해 볼까요?"

① 태양력, 10진법을 사용하였습니다.

② 엄격한 신분제인 카스트제를 만들었습니다.

③ 지구라트라는 신전을 지어 수호신을 섬겼습니다.

④ 피라미드와 스핑크스 같은 거대한 유적을 남겼습니다.

⑤ 오늘날 알파벳의 기원이 되는 표음 문자를 고안하였습니다.

## 핵심 예제 **4** | 중국 문명 |

**빈칸에 공통으로 들어갈 나라에 대한 설명으로 옳은 것은?**

기원전 1600년경에는 ☐☐ 왕조가 성립되었다. ☐☐ 왕조의 왕은 자신의 권위를 과시하기 위해 크고 화려한 청동기를 만들어 사용하였다. 그는 정치와 제사를 모두 주관하였는데, 국가의 중요한 일이 생기면 점을 쳐서 결정하였다. ☐☐의 후기 수도인 은허에서는 각종 청동 유물이 쏟아져 나왔다.

① 브라만교가 성립되었다.

② 중국 기록상 최초의 국가이다.

③ 갑골문을 처음으로 사용하였다.

④ 봉건제를 시행하여 나라를 다스렸다.

⑤ 천명사상을 내세워 건국을 정당화하였다.

**Tip**

왕이 정치와 제사를 주관하고, 후기 수도가 은허인 왕조는 상이다.

**풀이**

상의 왕은 나라의 중요한 일을 점을 쳐서 결정하였고, 그 결과를 갑골에 기록하였다. 이를 갑골문이라고 하며 한자의 기원이 되었다.　　답 ③

**4-1** 다음과 같은 제도를 시행한 중국 왕조는?

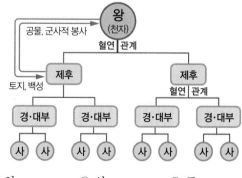

① 하　　　② 상　　　③ 주

④ 진　　　⑤ 한

## 핵심 예제 **5** | 아케메네스 왕조 페르시아 |

지도와 같은 영역을 차지한 나라에 대한 설명으로 옳은 것을
| 보기 |에서 모두 고르면?

┌─ 보기 ─────────────────────────
ㄱ. 알렉산드로스에 의해 멸망하였다.
ㄴ. 피정복민을 강압적으로 통치하였다.
ㄷ. 다리우스 1세 때 전성기를 맞이하였다.
ㄹ. 비잔티움 제국과의 전쟁으로 국력이 약해졌다.
└───────────────────────────────

① ㄱ, ㄴ ② ㄱ, ㄷ ③ ㄴ, ㄷ ④ ㄴ, ㄹ ⑤ ㄷ, ㄹ

**Tip**

지도에 표시된 나라는 아케메네스 왕조 페르시아이다.

**풀이**

아케메네스 왕조 페르시아는 피지배 민족에게 관용 정책을 펼쳐 약 200
년간 통일 왕조를 유지하며 번영할 수 있었다. 다리우스 1세 때 전성기를
맞이하였으나 그리스·페르시아 전쟁에서 패하며 국력이 점차 약해졌고,
결국 알렉산드로스에게 정복당하였다. **답** ②

**5**-1 다음 비문을 남긴 왕조에 대한 설명으로 옳은 것은?

┌──────────────────────────────
나는 키루스(키루스 2세)이다. …… 내가 살아
있는 한 너희의 전통과 종교를 존중할 것이다. 나
는 결코 전쟁으로 통치하지 않을 것이다. ……
└──────────────────────────────

① 조로아스터교를 국교로 삼았다.
② 함무라비 법전을 새겨 통치 체제를 정비하였다.
③ 우수한 기마 전술을 앞세워 서아시아 세계를 최
  초로 통일하였다.
④ 가혹한 통치에 반발한 피정복민이 반란을 일으
  켜 곧 멸망하였다.
⑤ '왕의 길'을 건설하여 왕의 명령을 지방에까지 효
  과적으로 전달하였다.

## 핵심 예제 **6** | 진 시황제의 중앙 집권 정책 |

(가)에 들어갈 내용으로 적절한 것은?

┌──────────────────────────────
기자 : 오늘은 전국을 통일한 왕 중의 왕! 진의 시황
  제 폐하를 모셨습니다. 안녕하세요?
시황제 : 네, 안녕하세요.
기자 : 폐하께서는 늘어난 영토와 백성을 다스리기
  위해 중앙 집권 정책을 추진하셨는데요. 구체적
  으로 어떤 정책을 실시하셨나요?
시황제 : [        (가)        ]
└──────────────────────────────

① 봉건제를 시행하여 나라를 다스렸습니다.
② 태학이라는 유교 교육 기관을 설치하였습니다.
③ 유교를 국가의 기본 통치 사상으로 삼았습니다.
④ 소금과 철, 술의 판매를 국가가 독점하였습니다.
⑤ 전국을 군으로 나누고 그 밑에 현을 두어 관리를
  보냈습니다.

**Tip**

진 시황제의 중앙 집권 정책으로는 군현제 실시, 도로 건설, 문자·화폐·
도량형 통일 등이 있다.

**풀이**

① 주에 해당하는 내용이고, ②, ③, ④ 한에 대한 설명이다. **답** ⑤

**6**-1 (가) 인물에 대한 설명으로 옳은 것을 | 보기 |에서 모두 고
르면?

┌─ 보기 ─────────────────────────
ㄱ. 군국제를 처음으로 시행하였다.
ㄴ. 분서갱유 등 사상 탄압을 하였다.
ㄷ. 유교를 국가 통치 이념으로 삼았다.
ㄹ. 소금, 철, 술을 대상으로 전매 제도를 실시하였다.
└───────────────────────────────

① ㄱ, ㄴ ② ㄱ, ㄷ ③ ㄴ, ㄷ ④ ㄴ, ㄹ ⑤ ㄷ, ㄹ

## 핵심 예제 ❼ | 솔론의 개혁 |

(가)에 들어갈 내용으로 적절한 것은?

① 도편 추방제를 도입하겠습니다.
② 재산에 따라 정치에 참여하게 하겠습니다.
③ 평민에게도 귀족과 동일한 참정권을 보장하겠습니다.
④ 민회에서 토론과 투표로 국가의 주요 정책을 결정하겠습니다.
⑤ 참정권은 귀족 고유의 권한이므로 평민은 정치에 참여할 수 없습니다.

### Tip

부유해진 평민이 스스로 무장을 하고 전쟁에 참여하면서 참정권을 요구하게 되자 귀족과 갈등을 빚었다. 솔론은 평민과 귀족의 의견을 절충하였다.

### 풀이

솔론은 시민들이 가진 재산에 따라 참정권과 군사적 의무를 부여하는 개혁을 추진하였다. 이를 통해 부유한 평민도 정치에 참여할 수 있게 되었다. 답 ②

## 7-1 고대 그리스 세계를 배경으로 역사 신문 기사를 구성하였다. (가)~(다)를 일어난 순서대로 옳게 나열한 것은?

> (가) 페르시아의 다리우스 1세가 그리스 세계를 침공하다!
> (나) 독재자의 등장을 막아라, 도편 추방제가 처음 실시되다!
> (다) 28년간 이어진 펠로폰네소스 전쟁, 스파르타의 승리로 끝나다!

① (가) - (나) - (다)  ② (가) - (다) - (나)
③ (나) - (가) - (다)  ④ (나) - (다) - (가)
⑤ (다) - (나) - (가)

## 핵심 예제 ❽ | 로마 공화정의 위기 |

(가)에 들어갈 역사적 사건으로 적절한 것을 ㅣ보기ㅣ에서 모두 고르면?

포에니 전쟁 ➡ (가) ➡ 아우구스투스의 집권

> ㅣ보기ㅣ
> ㄱ. 로마가 이탈리아반도를 통일하였다.
> ㄴ. 그라쿠스 형제가 개혁을 시도하였다.
> ㄷ. 카이사르가 군사력을 앞세워 정권을 장악하였다.
> ㄹ. 콘스탄티누스 대제가 수도를 비잔티움으로 옮겼다.

① ㄱ, ㄴ ② ㄱ, ㄷ ③ ㄴ, ㄷ ④ ㄴ, ㄹ ⑤ ㄷ, ㄹ

### Tip

포에니 전쟁 이후 로마에서는 귀족과 평민의 갈등이 심해지고 자영농이 몰락하는 등 공화정이 흔들렸다. 이를 극복하기 위한 개혁이 시도되었으며, 혼란을 틈타 독재 정권이 들어서기도 하였다.

### 풀이

포에니 전쟁 이후 귀족은 막대한 공유지를 보유하고 노예를 이용한 대농장 경영으로 많은 부를 축적하였다. 그러나 평민은 전쟁에 대한 보상을 제대로 받지 못하고 점령지에서 값싼 곡물이 유입되어 몰락하였다. 이를 극복하고자 그라쿠스 형제가 개혁을 시도하였으나 실패하였고, 귀족과 평민의 갈등 속에서 카이사르가 독재를 하기도 하였다. 답 ③

## 8-1 다음 스무고개의 정답은?

> 첫째 고개 : 나는 고대 로마의 정치가입니다.
> 둘째 고개 : 나는 행정권과 군 통수권을 모두 장악하여 사실상 황제로 등극했어요.
> 셋째 고개 : 원로원은 나에게 '아우구스투스'라는 칭호를 부여했어요.

① 페리클레스  ② 티베리우스 그라쿠스
③ 카이사르  ④ 옥타비아누스
⑤ 콘스탄티누스 대제

## 1

'기록으로서의 역사'의 성격이 강한 역사 서술을 I 보기 I에서 모두 고르면?

┌ 보기 ┐
ㄱ. 이슬람교는 무함마드가 창시하였다.
ㄴ. 1392년에 이성계가 조선을 건국하였다.
ㄷ. 연개소문은 임금을 죽인 역적이며 고구려를 멸망시킨 장본인이다.
ㄹ. 진 시황제는 무리한 토목 공사로 재정을 낭비하여 나라를 위태롭게 하였다.

① ㄱ, ㄴ ② ㄱ, ㄷ ③ ㄴ, ㄷ ④ ㄴ, ㄹ ⑤ ㄷ, ㄹ

**Tip**

역사는 객관적 성격의 **❶** 로서의 역사와 주관적 성격의 **❷** 으로서의 역사라는 두 가지 의미를 가진다.  답 ❶ 사실 ❷ 기록

## 2

다음 서사시를 남긴 문명에 대한 설명으로 옳은 것을 I 보기 I에서 모두 고르면?

> 길가메시여, 당신은 생명을 찾지 못할 것입니다. 신들이 인간을 만들 때 인간에게 죽음도 함께 붙여 주었습니다. …… 좋은 음식으로 배를 채우십시오. 밤낮으로 춤추며 즐기십시오.
>
> – 「길가메시 서사시」 –

┌ 보기 ┐
ㄱ. 유일신을 믿는 종교를 창시하였다.
ㄴ. 내세보다는 현세를 강조하는 세계관을 가졌다.
ㄷ. 오늘날 알파벳의 기원이 되는 문자를 고안하였다.
ㄹ. 개방적인 지형에 자리하여 이민족의 침입을 자주 받았다.

① ㄱ, ㄴ ② ㄱ, ㄷ ③ ㄴ, ㄷ ④ ㄴ, ㄹ ⑤ ㄷ, ㄹ

**Tip**

「길가메시 서사시」에는 내세보다 **❶** 를 강조하는 **❷** 문명의 세계관이 잘 나타나 있다.  답 ❶ 현세 ❷ 메소포타미아

## 3

지도에 표시된 경로로 이동한 (가) 민족에 대한 설명으로 옳은 것은?

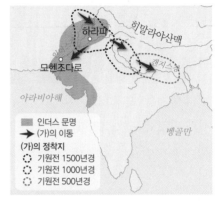

① 쐐기 문자를 썼다.
② 계획도시인 모헨조다로를 건설하였다.
③ 원주민을 지배하기 위해 카스트제를 만들었다.
④ 아프리카 북부에 카르타고라는 식민 도시를 건설하였다.
⑤ 철제 무기와 전차를 이용하여 소아시아 지역을 정복하였다.

**Tip**

지도에서 초록색으로 표시된 곳은 **❶** 강 유역에 위치한 인더스 문명이다. 이후 철기를 사용하는 **❷** 이 이주해 와 동쪽의 갠지스강까지 진출하였다.  답 ❶ 인더스 ❷ 아리아인

**4** (가), (나) 학파에 대한 설명으로 옳은 것은?

(가)
'인'과 '예'를 통해 도덕 정치를 회복해야 합니다.

(나)
엄격한 법 적용을 통해 사회 질서를 바로잡아야 합니다.

① (가) : 묵가이다.
② (가) : 공자와 맹자가 대표적인 사상가이다.
③ (가) : 진이 이 학파의 사상을 받아들였다.
④ (나) : 이후 도교로 발전하였다.
⑤ (나) : 한이 국가의 기본 통치 이념으로 삼았다.

**Tip**

(가)는 '인'과 '예'를 중심으로 한 도덕 정치를 강조하는 **❶** 이다.
(나)는 엄격한 법 적용을 강조하는 **❷** 이다. **답** ❶ 유가 ❷ 법가

**5** (가) 인물에 대한 설명으로 옳은 것은?

수도 주변은 군현을 설치하여 짐이 직접 다스릴 것이다. 나머지 지역은 제후에게 맡기도록 하겠다.

(가)

군국제 실시
중앙 군현제
지방 봉건제

① 주가 멸망한 후 한을 세웠다.
② 초의 항우를 물리치고 중국을 다시 통일하였다.
③ 동중서의 건의를 받아들여 유교를 통치 이념으로 삼았다.
④ 진이 멸망한 후 만리장성 이북의 초원 지대를 통합하였다.
⑤ 각지에서 다양하게 사용되던 문자, 화폐, 도량형을 통일하였다.

**Tip**

수도 주변은 군현을 설치하여 황제가 다스리는 **❶** 와 지방은 제후가 독립적으로 다스리는 **❷** 를 결합한 것이 군국제이다.
**답** ❶ 군현제 ❷ 봉건제

**6** 다음 작품을 남긴 시기의 문화적 특징으로 옳은 것을 보기에서 모두 고르면?

┌ 보기 ┐
ㄱ. 세계 시민주의와 개인주의가 등장하였다.
ㄴ. 콜로세움, 수도교 등 실용적인 건축물이 발달하였다.
ㄷ. 인체의 아름다움을 생동감 있게 표현한 작품이 제작되었다.
ㄹ. 소크라테스, 아리스토텔레스 등의 많은 철학자가 활약하였다.

① ㄱ, ㄴ ② ㄱ, ㄷ ③ ㄴ, ㄷ ④ ㄴ, ㄹ ⑤ ㄷ, ㄹ

**Tip**

제시된 작품은 「**❶** 군상」으로, **❷** 시대의 대표적인 조각이다. 인체의 아름다움을 생동감 있게 표현하였다.
**답** ❶ 라오콘 ❷ 헬레니즘

**7** 로마의 영토가 다음과 같았던 시기를 연표에서 옳게 고른 것은?

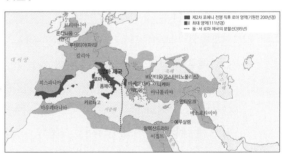

| ① | ② | ③ | ④ | ⑤ |
|---|---|---|---|---|
| 포에니 전쟁 승리 | 그라쿠스 형제의 개혁 | 옥타비아누스 집권 | 비잔티움 천도 | |

**Tip**

지도에 표시된 영토는 로마의 최대 영역이다. 로마는 계속된 정복 활동으로 대제국을 건설하고 정치·경제적으로 번영을 누렸는데, 이 시기를 **❶** (Pax Romana)라고 한다. **답** ❶ 로마의 평화

## 핵심 예제 ❶ | 불교의 등장 |

**학생이 떠올리고 있는 인물은?**

> 원래는 인도 한 작은 왕국의 왕자였어.
>
> 깨달음을 얻기 위해 모든 것을 버리고 고된 수행을 했다니 정말 대단해!
>
> 마침내 깨달음을 얻어 자비와 평등을 강조하는 종교를 창시했지.

① 고타마 싯다르타   ② 찬드라굽타 마우리아

③ 아소카   ④ 카니슈카

⑤ 찬드라굽타 2세

### Tip

인도에서 등장하였으며, 자비와 평등을 강조하는 종교는 불교이다.

### 풀이

기원전 7세기경 인도에서는 영향력이 커진 바이샤와 크샤트리아가 엄격한 카스트제를 강조하는 브라만교에 불만을 가졌다. 이러한 사회 분위기에서 크샤트리아 신분인 고타마 싯다르타는 신분 차별을 반대하고 자비와 평등을 강조하는 불교를 창시하였다.   **답** ①

### 1-1 다음 기록을 남긴 왕에 대한 설명으로 옳은 것을 | 보기 |에서 모두 고르면?

> 칼링가 전투가 끝난 후 나의 마음속에는 많은 갈등과 부처님의 법을 향한 갈망이 싹텄다. 정복에 대한 후회도 생겼다. 자유민을 정복한다는 것은 사람을 죽이고 학살하고 노예로 만든다는 것이다. 나는 이제 이런 일에 고뇌를 느낀다.

| 보기 |

ㄱ. 출가한 후 불교를 창시하였다.

ㄴ. 쿠샨 왕조의 전성기를 이루었다.

ㄷ. 전국 각지에 사원과 탑을 세웠다.

ㄹ. 남부를 제외한 인도 대부분을 통일하였다.

① ㄱ, ㄴ   ② ㄱ, ㄷ   ③ ㄴ, ㄷ

④ ㄴ, ㄹ   ⑤ ㄷ, ㄹ

## 핵심 예제 ❷ | 간다라 양식의 발전 |

**선생님의 질문에 대한 학생의 대답으로 가장 적절한 것은?**

> 부처를 표현하는 방식이 보리수와 수레바퀴에서 불상으로 바뀌게 된 계기는 무엇일까요?

① 우상 숭배를 금지하는 교리 때문입니다.

② 비단길을 통해 중국의 문물을 수용했기 때문입니다.

③ 왕의 위엄을 부처에 빗대어 강조했기 때문입니다.

④ 개인의 해탈을 강조하는 상좌부 불교가 발전했기 때문입니다.

⑤ 신을 조각하여 표현한 헬레니즘 문화의 영향을 받았기 때문입니다.

### 풀이

그리스인이 신을 인간의 모습으로 조각하는 것을 보고 부처의 모습을 형상화하기 시작하였다.   **답** ⑤

### 2-1 지도의 (가) 불교 종파에 대한 설명으로 옳은 것을 | 보기 |에서 모두 고르면?

| 보기 |

ㄱ. 개인의 해탈을 강조하였다.

ㄴ. 쿠샨 왕조 시대에 발전하였다.

ㄷ. 선행을 통한 만인의 구제를 강조하였다.

ㄹ. 스리랑카, 동남아시아 등지로 전파되었다.

① ㄱ, ㄴ   ② ㄱ, ㄷ   ③ ㄴ, ㄷ

④ ㄴ, ㄹ   ⑤ ㄷ, ㄹ

## 핵심 예제 ❸ | 힌두교의 등장 |

다음 신들을 믿는 종교에 대한 설명으로 옳은 것을 ⎡보기⎤에서 모두 고르면?

▲ 브라흐마

▲ 비슈누

▲ 시바

⎡보기⎤
ㄱ. 마우리아 왕조 시대에 등장한 종교이다.
ㄴ. 불을 신의 상징으로 여겨 신성시하였다.
ㄷ. 카스트제를 옹호하여 왕실의 보호를 받았다.
ㄹ. 브라만교와 민간 신앙, 불교가 융합하여 형성되었다.

① ㄱ, ㄴ  ② ㄱ, ㄷ  ③ ㄴ, ㄷ  ④ ㄴ, ㄹ  ⑤ ㄷ, ㄹ

**Tip**

브라흐마, 비슈누, 시바는 힌두교의 대표적인 신이다.

**풀이**

ㄱ. 힌두교는 굽타 왕조 시대에 등장하였다. ㄴ. 조로아스터교에 대한 설명이다. **답** ⑤

## 3-1

이번 수업 시간에 다룰 내용으로 적절한 것을 ⎡보기⎤에서 모두 고르면?

지난 시간에는 힌두교가 등장했던 인도의 왕조를 배웠습니다. 이번 시간에는 이 왕조의 문화를 다뤄 보겠습니다.

⎡보기⎤
ㄱ. 산치 대탑              ㄴ. 간다라 불상
ㄷ. 굽타 양식              ㄹ. 『마하바라타』
ㅁ. 아잔타 석굴 사원의 벽화

① ㄱ, ㄴ, ㄷ  ② ㄱ, ㄷ, ㄹ  ③ ㄴ, ㄷ, ㄹ
④ ㄴ, ㄹ, ㅁ  ⑤ ㄷ, ㄹ, ㅁ

## 핵심 예제 ❹ | 위진 남북조 시대 |

(가) 나라에 대한 설명으로 옳은 것은?

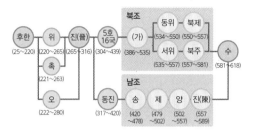

① 한족이 세운 나라이다.
② 강남 지방을 통일하였다.
③ 적극적인 한화 정책을 실시하였다.
④ 남북을 잇는 대운하를 건설하였다.
⑤ 3성 6부제를 도입하여 중앙 집권 체제를 강화하였다.

**Tip**

5호 16국을 통일하였으나 이후 서위와 동위로 분열된 나라는 북위이다.

**풀이**

북위는 선비족이 세운 나라로, 화북 지방을 통일하여 5호 16국 시대를 종결시켰다. 효문제는 적극적인 한화 정책을 실시하여 선비족과 한족의 융합을 추구하였다. **답** ③

## 4-1

지도의 운하를 건설한 중국 왕조에 대한 설명으로 옳은 것을 ⎡보기⎤에서 모두 고르면?

⎡보기⎤
ㄱ. 남북조를 통일하였다.
ㄴ. 과거제를 시행하였다.
ㄷ. 황건적의 난을 계기로 멸망하였다.
ㄹ. 선비족과 한족의 결혼을 장려하였다.

① ㄱ, ㄴ      ② ㄱ, ㄷ      ③ ㄴ, ㄷ
④ ㄴ, ㄹ      ⑤ ㄷ, ㄹ

## 핵심 예제 **5**

| 당의 통치 제도 변화 |

밑줄 친 '변화'에 해당하는 사례로 옳은 것을 ㅣ보기ㅣ에서 모두 고르면?

> 8세기 중엽 안사의 난 이후 당은 위기를 맞게 되었다. 수년 간의 전란으로 화북 지방은 황폐해지고 백성의 생활은 피폐해졌다. 같은 시기 통치 제도 역시 변화가 생겼다.

ㅣ보기ㅣ
ㄱ. 3성 6부를 중심으로 중앙 행정을 개편하였다.
ㄴ. 급료를 받고 복무하는 직업 군인을 고용하였다.
ㄷ. 토지를 받은 농민이 조·용·조를 납부하도록 하였다.
ㄹ. 실제 재산 소유에 따라 여름과 가을에 세금을 내도록 하였다.

① ㄱ, ㄴ ② ㄱ, ㄷ ③ ㄴ, ㄷ ④ ㄴ, ㄹ ⑤ ㄷ, ㄹ

**Tip**

안사의 난 이후 균전제가 붕괴되어 장원제가 성행하였고, 조·용·조는 양세법으로, 부병제는 모병제로 변화하였다.

**풀이**

ㄴ. 모병제, ㄹ. 양세법에 대한 설명이다. 균전제가 붕괴되며 토지 지급의 대가로 거둔 조·용·조를 유지할 수 없어 양세법으로 바꾸었고, 농민에게 군역을 부과하던 것도 직업 군인제인 모병제로 대체하였다. **답** ④

## **5**-1 빈칸에 공통으로 들어갈 내용으로 옳은 것은?

> 당은 ▢▢▢에 기초하여 통치 체제를 마련했습니다. 중앙 행정은 3성 6부를 중심으로 운영하고, 지방은 주현제를 실시했죠. 농민에게 토지를 지급하고 조·용·조와 군역도 부과했습니다. 이러한 ▢▢▢ 체제는 동아시아 여러 나라에 영향을 주어 동아시아 문화권의 공통 요소를 이루게 됩니다.

① 한자 ② 법가 ③ 유교 ④ 불교 ⑤ 율령

## 핵심 예제 **6**

| 일본 고대 국가의 성립 |

일본의 고대 국가 성립 과정을 역사 카드로 만들었다. (가)~(다)를 일어난 순서대로 옳게 나열한 것은?

| (가) | (나) | (다) |
|---|---|---|
| 견당사 파견이 중단되면서 국풍 문화가 발달하였다. | 당의 율령 체제를 모방한 개혁이 추진되었다. | 헤이조쿄를 건설하여 이곳으로 수도를 옮겼다. |

① (가) - (나) - (다)  ② (가) - (다) - (나)
③ (나) - (가) - (다)  ④ (나) - (다) - (가)
⑤ (다) - (나) - (가)

**Tip**

(가)는 헤이안 시대에 발달한 국풍 문화, (나)는 다이카 개신, (다)는 헤이조쿄 천도를 가리킨다.

**풀이**

(나) 7세기 중반 일본에서는 왕과 당 유학생 출신이 중심이 되어 귀족 세력을 제거하고 국왕 중심의 정치 체제를 지향하는 개혁이 이루어졌다. 이를 다이카 개신이라고 한다. (다) 8세기 초 일본은 당의 장안을 모방한 헤이조쿄를 건설하고 수도를 나라로 옮겼다. 이로써 나라 시대가 시작되었다. (가) 9세기 말 당이 쇠퇴하여 견당사 파견이 중단되면서 일본의 독자적 문화인 국풍 문화가 발달하였다. **답** ④

## **6**-1 다음 글의 배경이 된 시기를 연표에서 옳게 고른 것은?

> 견당사 파견이 중단되면서 일본의 독자적 문화인 국풍 문화가 발달하였다. 일본 고유의 문자인 '가나 문자'가 사용되고, 주택이나 관복에도 일본의 특색이 나타났다.

| ① | ② | ③ | ④ | ⑤ |
|---|---|---|---|---|
| 야마토 정권 등장 | 다이카 개신 | 나라 천도 | 헤이안 천도 | |

## 핵심 예제 7 | 이슬람교의 성립 |

'이슬람교의 성립'을 주제로 한 역사 수업을 듣고 정리한 내용이다. ㉠~㉤ 중 옳지 않은 내용이 포함된 것은?

◎ 이슬람교의 성립
- ㉠ 메카의 상인 출신인 무함마드가 창시함
- 교리 : ㉡ 우상 숭배를 배격하고 유일신 알라를 숭배하며 ㉢ 신 앞에 모든 인간이 평등하다고 주장함 → 많은 사람이 호응하였으나 ㉣ 메카의 귀족에게는 박해를 받음
- 발전 : 메카 귀족의 탄압을 피해 메디나로 근거지 옮김 → 메디나에서 세력 키워 ㉤ 메카에 재입성함(이를 '헤지라'라고 함)

① ㉠   ② ㉡   ③ ㉢   ④ ㉣   ⑤ ㉤

### Tip

헤지라는 무함마드가 메카 귀족의 탄압을 피해 메디나로 이동한 사건을 가리킨다.

### 풀이

이슬람교는 메카의 상인 출신인 무함마드가 창시한 종교로, 우상 숭배를 배격하고 모든 인간이 평등하다는 교리를 내세웠다. 이는 상업을 통해 부를 독점하던 귀족들의 반발을 불러일으켰다. 무함마드는 귀족의 박해를 피해 메디나로 거처를 옮겼는데, 이를 '헤지라'라고 하며 이슬람의 원년이 되었다.

답 ⑤

### 7-1 다음은 '이슬람 제국의 성립과 발전'을 주제로 한 역사 신문의 기사 제목이다. (가)~(다)를 일어난 순서대로 옳게 나열한 것은?

(가) 무함마드의 후계자, 칼리프 선출 현장에 찾아가다!
(나) 아바스 왕조, 세금 제도에서 비아랍인에 대한 차별을 없애다!
(다) 「속보」 4대 칼리프 알리, 우마이야 가문과 대립 중 살해당하다!

① (가) - (나) - (다)   ② (가) - (다) - (나)
③ (나) - (가) - (다)   ④ (나) - (다) - (가)
⑤ (다) - (가) - (나)

## 핵심 예제 8 | 로마 공화정의 위기 |

탈라스 전투에 대한 질문의 답변으로 (가)에 들어갈 적절한 내용을 | 보기 |에서 모두 고르면?

당과 아바스 왕조가 충돌한 사건입니다.

751년에 탈라스 강가에서 전개된 전투입니다.

(가)

| 보기 |
ㄱ. 당이 승리하였습니다.
ㄴ. 이 과정에서 시아파와 수니파가 분열되었습니다.
ㄷ. 이슬람 제국이 동서 교역로를 장악하는 계기가 되었습니다.
ㄹ. 이슬람 세계에 중국의 제지술이 전파되는 계기가 되었습니다.

① ㄱ, ㄴ   ② ㄱ, ㄷ   ③ ㄴ, ㄷ
④ ㄴ, ㄹ   ⑤ ㄷ, ㄹ

### Tip

탈라스 전투는 당과 아바스 왕조가 중앙아시아의 패권을 두고 벌인 전투이다.

### 풀이

탈라스 전투에서 아바스 왕조가 승리하여 동서 교역로를 장악하였고, 이후 이슬람 상인들이 교역을 주도하였다. 또 당군 포로를 통해 중국의 제지술이 이슬람 세계에 전파되는 계기가 되었다. ㄴ. 우마이야 왕조가 성립되는 과정에서 시아파와 수니파가 분열되었다.

답 ⑤

### 8-1 '이슬람의 학문과 예술'을 주제로 발표하려고 할 때, 소개할 수 있는 내용으로 거리가 가장 먼 것은?

① 모스크
② 아라베스크
③ 『샤쿤탈라』
④ 『아라비안나이트』
⑤ 이븐 바투타의 『여행기』

**1** (가), (나) 왕조에 대한 설명으로 옳은 것은?

① (가) : 힌두교를 후원하였다.

② (가) : 카니슈카왕 때 전성기를 맞이하였다.

③ (가) : 알렉산드로스에 의해 멸망하였다.

④ (나) : 찬드라굽타 2세 때 최대 영토를 차지하였다.

⑤ (나) : 후한, 서아시아, 로마를 연결하는 중계 무역으로 번성하였다.

> **Tip**
>
> (가)는 **①** 왕조, (나)는 **②** 왕조이다.  **답 ①** 마우리아 **②** 쿠샨

**2** (가) 왕조에 대한 설명으로 옳은 것을 | 보기 |에서 모두 고르면?

지금 보시는 아잔타 석굴 벽화처럼 [ (가) ] 시대에는 인도 고유의 특징이 잘 나타난 건축 및 미술 양식이 등장했어요.

┌─ 보기 ─
ㄱ. 숫자 0, 10진법 등의 개념이 등장하였다.

ㄴ. 만인의 구제를 강조하는 불교가 발전하였다.

ㄷ. 브라만교를 바탕으로 여러 민간 신앙, 불교가 혼합된 종교가 나타났다.

ㄹ. 인도의 불교문화와 헬레니즘 문화가 융합된 미술 양식이 등장하였다.
└──

① ㄱ, ㄴ ② ㄱ, ㄷ ③ ㄴ, ㄷ ④ ㄴ, ㄹ ⑤ ㄷ, ㄹ

> **Tip**
>
> 아잔타 석굴 벽화는 인도 고유의 양식과 **①** 양식이 융합된 **②** 양식의 대표적인 사례이다.  **답 ①** 간다라 **②** 굽타

**3** (가)에 들어갈 내용으로 옳은 것을 | 보기 |에서 모두 고르면?

| 위·촉·오 삼국으로 분열되다. | → | (가) | → | 북위가 화북 지방을 통일하다. |

┌─ 보기 ─
ㄱ. 후한이 멸망하다.

ㄴ. 수가 중국을 통일하다.

ㄷ. 강남에 동진이 건국되다.

ㄹ. 5호 16국 시대가 시작되다.
└──

① ㄱ, ㄴ ② ㄱ, ㄷ ③ ㄴ, ㄷ ④ ㄴ, ㄹ ⑤ ㄷ, ㄹ

> **Tip**
>
> 위·촉·오로 분열된 삼국을 위를 이은 **①** 이 통일하였으나 북방의 유목 민족이 화북 지방 곳곳에 나라를 세우면서 **②** 시대가 시작되었다.  **답 ①** 진 **②** 5호 16국

**4** 빈칸에 들어갈 답변으로 적절한 것은?

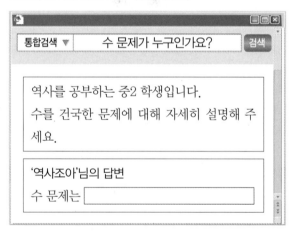

통합검색 ▼   수 문제가 누구인가요?   [검색]

역사를 공부하는 중2 학생입니다.
수를 건국한 문제에 대해 자세히 설명해 주세요.

'역사조아'님의 답변
수 문제는 [          ]

① 과거제를 실시하였습니다.

② 대운하를 완성하였습니다.

③ 한화 정책을 실시하였습니다.

④ 고구려 원정에 나섰으나 살수에서 패하였습니다.

⑤ 신라와의 연합으로 백제를 공격하여 멸망시켰습니다.

> **Tip**
>
> 수 문제는 **①** 를 실시하여 능력에 따른 인재 등용을 꾀하였다. 이후 즉위한 수 양제는 무리하게 **②** 를 건설하고 고구려 원정을 강행하여 백성의 원망을 샀다.  **답 ①** 과거제 **②** 대운하

**5** 다음 작품이 나온 시기의 문화적 특징으로 옳은 것을 | 보기 | 에서 모두 고르면?

> 무릇 세상이란 만물이 잠깐
> 들렀다 가는 여관일 뿐이고
> 시간이란 긴 세월에 잠깐
> 지나쳐 가는 나그네일 뿐이라네
> 뜬구름 같은 인생은 꿈과 같으니
> 즐거울 날이 얼마나 되겠는가
>
> – 이백, 「춘야연도리원서」 –

┌ 보기 ┐
ㄱ. 청담 사상이 유행하였다.
ㄴ. 국제적 문화가 발달하였다.
ㄷ. 화려한 도자기인 당삼채가 유행하였다.
ㄹ. 왕실 주도로 윈강 석굴이 조성되기 시작하였다.

① ㄱ, ㄴ ② ㄱ, ㄷ ③ ㄴ, ㄷ ④ ㄴ, ㄹ ⑤ ㄷ, ㄹ

**Tip**

이백은 당 현종 때 활약한 시인이다. 당대에는 **❶** 적인 성격의 시가 유행하였고, 다양한 나라와 교류하면서 **❷** 적인 성격의 문화가 발달하였다. **답** ❶ 귀족 ❷ 국제

**6** 밑줄 친 '시대'에 대한 설명으로 옳은 것을 | 보기 | 에서 모두 고르면?

당의 장안성을 모방한 헤이조쿄의 평면도입니다. 야마토 정권이 헤이조쿄로 수도를 옮기면서 이 시대가 시작되었습니다.

┌ 보기 ┐
ㄱ. 국풍 문화가 발달하였다.
ㄴ. 다이카 개신을 단행하였다.
ㄷ. 『고사기』, 『일본서기』 등의 역사서가 편찬되었다.
ㄹ. 견당사, 견신라사를 파견하여 중국, 한반도의 선진 문물을 수용하였다.

① ㄱ, ㄴ ② ㄱ, ㄷ ③ ㄱ, ㄹ ④ ㄴ, ㄹ ⑤ ㄷ, ㄹ

**Tip**

헤이조쿄로 천도하면서 **❶** 시대가 시작되었다. 이후 헤이안쿄로 수도를 옮기며 **❷** 시대가 시작되었다. **답** ❶ 나라 ❷ 헤이안

**7** 다음과 같은 영역을 차지한 (가) 이슬람 왕조에 대한 설명으로 옳은 것은?

① 정복지에서 세금을 더 거두었다.
② 몽골의 침입을 받아 멸망하였다.
③ 합의를 통해 칼리프를 선출하였다.
④ 시아파의 지지를 받아 건국되었다.
⑤ 비잔티움 제국과 사산 왕조 페르시아의 대립 속에 성장하였다.

**Tip**

지도는 **❶** 를 수도로 하는 우마이야 왕조의 영역을 나타낸 것이다. 우마이야 왕조는 **❷** 인 중심 정책을 펼쳤다.
**답** ❶ 다마스쿠스 ❷ 아랍

**8** 다음에서 말하는 종교에 대한 설명으로 옳지 <u>않은</u> 것은?

제가 믿는 종교는 매일 다섯 번 예배를 드려야 합니다. 특정 한 달 간은 해가 떠 있는 동안 단식하기도 하죠.

① 돼지고기를 금기시한다.
② 우상 숭배를 엄격히 금지하였다.
③ 자기 재산의 일부를 종교세로 납부해야 한다.
④ 농업에 비해 상업 활동을 상대적으로 천하게 여겼다.
⑤ 여성은 머리, 어깨 등 신체의 일부를 가리는 의상을 입어야 한다.

**Tip**

**❶** 를 믿는 사람은 하루에 다섯 번 예배를 드리며 **❷** 기간에는 해가 떠 있는 동안 단식한다. **답** ❶ 이슬람교 ❷ 라마단

문명의 발생

**1** 지도에 표시된 문명의 공통점이 <u>아닌</u> 것은?

① 큰 강 유역에서 생겨났다.

② 사유 재산제가 등장하였다.

③ 평등한 부족 사회가 유지되었다.

④ 청동기를 제작하여 주변 지역을 정복하였다.

⑤ 세금을 징수하거나 법률을 만들기 위해 문자를 발명하였다.

중국 진 왕조

**2** 그림에 나타난 상황이 일어난 왕조에 대한 설명으로 옳은 것을 | 보기 | 에서 모두 고르면?

**보기**

ㄱ. 남북을 잇는 대운하를 완공하였다.

ㄴ. 전국 7웅 중 하나로, 중국을 최초로 통일하였다.

ㄷ. 지역마다 달랐던 화폐, 도량형, 문자를 통일하였다.

ㄹ. 3성 6부제를 도입하여 중앙 집권 체제를 강화하였다.

① ㄱ, ㄴ  ② ㄱ, ㄷ  ③ ㄴ, ㄷ

④ ㄴ, ㄹ  ⑤ ㄷ, ㄹ

알렉산드로스

**3** (가) 인물에 대한 설명으로 옳은 것은?

(가) 에 대해 검색해 줘.

> 마케도니아의 왕, 동방 원정에 나선 지 10년 만에 이집트와 페르시아를 정복하고 인더스 강 유역까지 진격하여 대제국을 건설하였다.

① '아우구스투스'로 불렸다.

② 크리스트교를 국교로 인정하였다.

③ 『일리아드』, 『오디세이』 등의 문학 작품을 남겼다.

④ 독재자의 등장을 막기 위해 도편 추방제를 도입하였다.

⑤ 정복지에 자신의 이름을 딴 그리스식 도시를 건설하였다.

포에니 전쟁

**4** 다음 글에서 옳지 <u>않은</u> 내용이 포함된 것은?

> 로마는 ㉠ 기원전 3세기 중엽에 이탈리아반도를 통일하는 데 성공하였고, 이후 지중해의 패권을 놓고 ㉡ 카르타고와 전쟁을 벌였다. 이를 포에니 전쟁이라고 한다. ㉢ 로마는 전쟁에서 승리하여 지중해 일대를 장악하게 되었다. 그 결과 로마의 귀족은 막대한 공유지를 차지하고 ㉣ 노예를 이용한 대농장 경영으로 많은 부를 축적하였다. 전쟁에 참여하며 역할이 확대된 ㉤ 평민 역시 참정권을 적극 요구하여 평민 대표인 호민관이 설치되었다.

① ㉠  ② ㉡  ③ ㉢  ④ ㉣  ⑤ ㉤

아소카왕

**5** (가)에 들어갈 내용으로 가장 적절한 것은?

| 11차시 학습지 | 불교문화의 형성과 인도 통일 제국 |
| --- | --- |

(1) 마우리아 왕조
  • 건국 : 찬드라굽타가 북인도를 최초로 통일하
    며 마우리아 왕조를 세움
  • 전성기 : 제3대 아소카왕
    – 남쪽 일부를 제외한 인도 대부분을 통일함
    – ⎡           (가)           ⎤

① 이슬람교를 창시함
② 사산 왕조 페르시아를 멸망시킴
③ 대승 불교를 동북아시아로 전파함
④ 아잔타 석굴, 엘로라 석굴 등을 세움
⑤ 불경을 정리하고 산치 대탑을 건립함

당의 통치 제도 변화

**6** 당의 통치 제도 변화를 정리한 것이다. ㉠~㉻ 중 옳은 내용을 모두 고르면?

〈당의 통치 제도 변화〉

| 균전제 | ㉠ 농민에게 일정한 면적의 토지를 분배함 | | 장원제 | ㉣ 귀족이 장원을 확대하자 농민이 소작농으로 전락함 |
| --- | --- | --- | --- | --- |
| 조·용·조 | ㉡ 농민에게 곡물, 노동력, 특산물을 내게 함 | ⇨ 안사의 난 | 양세법 | ㉤ 농민이 실제 재산 소유에 따라 여름과 가을에 세금을 냄 |
| 부병제 | ㉢ 급료를 받고 복무하는 직업 군인을 고용함 | | 모병제 | ㉥ 농민이 농한기에 훈련을 받고 전쟁 시 병사로 복무함 |

① ㉠, ㉣
② ㉡, ㉤
③ ㉠, ㉡, ㉣, ㉤
④ ㉡, ㉢, ㉤, ㉥
⑤ ㉠, ㉢, ㉣, ㉤. ㉥

동아시아 문화권

**7** 다음 자료를 활용한 탐구 활동으로 가장 적절한 것은?

  • 한자는 일종의 공용 문자 역할을 하였을 뿐만
    아니라 한반도의 이두, 일본의 가나, 베트남
    의 쯔놈 문자가 만들어지는 데 큰 영향을 끼
    쳤다.
  • 당의 3성 6부제는 동아시아 국가들의 통치 체
    제에 영향을 주어 발해는 3성 6부제, 일본은
    2관 8성제를 두었다.

① 당의 귀족적 문화
② 동아시아 문화권의 형성
③ 유교 문화의 발전과 전파
④ 일본 고대 국가의 형성 과정
⑤ 중국 화북과 강남의 경제적 교류

이슬람 제국의 발전

**8** (가)에 들어갈 내용으로 가장 적절한 것은?

① 합의를 통해 칼리프를 선출하였어.
② 이전 왕조의 비아랍인 차별 정책을 폐지하였어.
③ 정복 활동을 활발히 벌여 이베리아반도까지 진출
   하였어.
④ 탈라스 전투에서 패배하여 중앙아시아에서 영향
   력이 약해졌어.
⑤ 정복지 주민에게 세금을 더 거두고 관직 진출을
   막아 반발을 샀어.

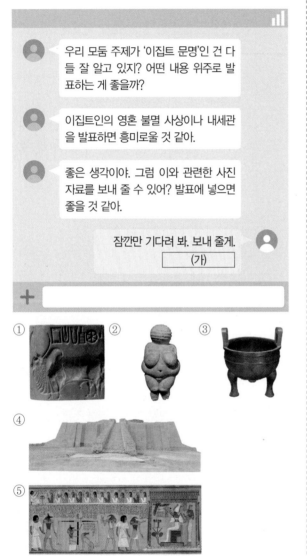

이집트 문명

**1** (가)에 들어갈 사진 자료로 가장 적절한 것은?

우리 모둠 주제가 '이집트 문명'인 건 다들 잘 알고 있지? 어떤 내용 위주로 발표하는 게 좋을까?

이집트인의 영혼 불멸 사상이나 내세관을 발표하면 흥미로울 것 같아.

좋은 생각이야. 그럼 이와 관련한 사진 자료를 보내 줄 수 있어? 발표에 넣으면 좋을 것 같아.

잠깐만 기다려 봐. 보내 줄게.

(가)

① ② ③

④

⑤

Tip

①은 인도 문명의 그림 문자가 새겨진 인장, ②는 구석기 시대의 유물인 빌렌도르프의 비너스, ③은 중국 주 왕조의 모공정, ④는 메소포타미아 문명의 신전인 **❶**, ⑤는 **❷** 문명의 「사자의 서」이다.

답 ❶ 지구라트 ❷ 이집트

제자백가의 주장

**2** 다음은 역사 수업에서 '제자백가'를 주제로 진행한 역할극의 대본이다. 학생 A～D가 맡은 제자백가의 학파를 옳게 짝지은 것은?

사회자 : 자, 오늘은 혼란스러운 사회를 바로잡고 이상적인 나라를 만들기 위한 방안에 대해 토론해 보고자 합니다. 각자 의견을 말씀해 주세요.

학생 A : 엄격하게 법을 적용하여 법을 어기는 사람은 칼같이 처벌해야 합니다! 그래야 사회 질서가 바로잡힐 것입니다.

학생 B : 백성을 인위적으로 다스리려고 해서는 안 돼요. 자연의 순리대로 두면 이상적으로 흘러가게 되어 있습니다.

학생 C : 모든 사람을 차별 없이 사랑한다면 전쟁도 없어지고 평화가 찾아올 것입니다.

학생 D : 어진 마음인 '인'을 실천하고 각자 자기 자리에 맞는 '예'를 지켜야 합니다.

| | 학생 A | 학생 B | 학생 C | 학생 D |
|---|---|---|---|---|
| ① | 법가 | 도가 | 묵가 | 유가 |
| ② | 법가 | 도가 | 유가 | 묵가 |
| ③ | 도가 | 묵가 | 유가 | 법가 |
| ④ | 유가 | 법가 | 묵가 | 도가 |
| ⑤ | 묵가 | 유가 | 도가 | 법가 |

Tip

'인', '예'를 중심으로 하는 도덕 정치를 강조하는 학파는 **❶**, 법의 엄격한 적용을 강조하는 학파는 법가, 차별 없는 사랑을 강조하는 학파는 **❷**, 자연의 순리를 강조하는 학파는 도가이다.

답 ❶ 유가 ❷ 묵가

로마 제국의 부흥

**3** (가)에 들어갈 인물로 옳은 것은?

| 역사 인물 설문 조사 |
| --- |

(가) 하면 떠오르는 내용에 스티커를 붙여 주세요.

| 크리스트교를 공인하였다. | 로마 제국을 부흥시킨 황제이다. | 비잔티움으로 천도하였다. |
| --- | --- | --- |
| | | |

① 옥타비아누스
② 콘스탄티누스 대제
③ 테오도시우스 1세
④ 디오클레티아누스
⑤ 네르바

**Tip**

콘스탄티누스 대제는 **①** 칙령을 내려 **②** 를 합법적인 종교로 인정하였다.
**답 ①** 밀라노 **②** 크리스트교

위진 남북조 시대

**4** (가)~(다)를 일어난 순서대로 옳게 나열한 것은?

(가)
북위의 효문제
지금부터 선비족과 한족의 결혼을 장려하고, 선비족 고유의 풍습과 언어를 금지하겠다!

(나)
동진의 초대황제 사마예
비록 오랑캐에 의해 원래 살던 곳에서 남쪽으로 내려와야만 했지만, 진(晉)을 다시 건국하노라!

(다)
촉 위 오

① (가) − (나) − (다)
② (가) − (다) − (나)
③ (나) − (다) − (가)
④ (다) − (가) − (나)
⑤ (다) − (나) − (가)

**Tip**

진이 삼국을 통일하였으나 북방 민족의 침입으로 강남으로 이동하여 **①** 을 건국하였다. 이후 화북 지역은 선비족이 세운 **②** 에 의해 통일되었다.
**답 ①** 동진 **②** 북위

이슬람 문화

**5** (가)에 들어갈 내용으로 옳지 <u>않은</u> 것은?

지난 시간에 '이슬람 문화와 학문'을 주제로 다뤘지요. 수업 시간에 학습한 내용을 기억나는 대로 채팅창에 써 볼까요?

(가)

① 최초로 '0'이라는 개념을 만들고 10진법을 사용했어요.
② 돔과 뾰족한 탑을 특징으로 하는 모스크가 발달했어요.
③ 각종 의학 지식을 집대성한 『의학전범』이 집필되었어요.
④ 문학에서는 각지의 설화를 모은 『아라비안나이트』가 지어졌어요.
⑤ 우상 숭배를 금지하는 교리 때문에 아라베스크라는 무늬가 발달했지요.

**Tip**

이슬람의 대표적인 건축물은 이슬람교 예배당인 **①** 로, 돔과 뾰족한 탑이 특징적이다. 이슬람 세계에서는 페르시아와 인도의 학문을 받아들여 과학을 발전시켰는데, **②** 에서 만들어진 0 개념을 발전시켜 아라비아 숫자를 만든 것이 대표적 사례이다.
**답 ①** 모스크 **②** 인도

**6** 다이아몬드맵의 (가)~(라)에 들어갈 지역을 옳게 짝지은 것은?

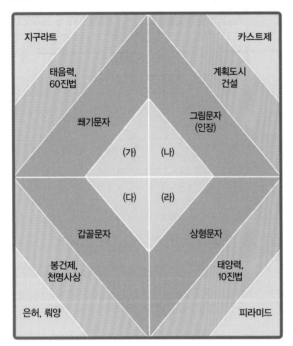

|   | (가) | (나) | (다) | (라) |
|---|---|---|---|---|
| ① | 메소포타미아 | 중국 | 이집트 | 인도 |
| ② | 메소포타미아 | 인도 | 중국 | 이집트 |
| ③ | 이집트 | 인도 | 중국 | 메소포타미아 |
| ④ | 이집트 | 중국 | 메소포타미아 | 인도 |
| ⑤ | 인도 | 이집트 | 메소포타미아 | 중국 |

**Tip**

피라미드는 **①** 의 왕인 **②** 와 왕족들의 무덤이다.

답 **①** 이집트 **②** 파라오

**7** (가), (나)에 해당하는 국가를 옳게 짝지은 것은?

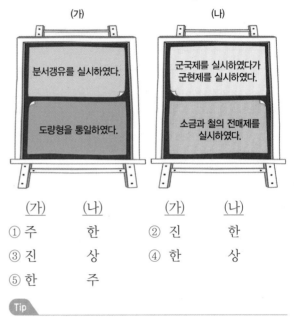

|   | (가) | (나) |   | (가) | (나) |
|---|---|---|---|---|---|
| ① | 주 | 한 | ② | 진 | 한 |
| ③ | 진 | 상 | ④ | 한 | 상 |
| ⑤ | 한 | 주 |   |   |   |

**Tip**

분서갱유는 **①** 가 법가 이외의 사상을 탄압한 정책이며, 군국제는 **②** 가 군현제와 봉건제를 혼합하여 적용한 통치 제도이다.

답 **①** 진 시황제 **②** 한 고조

**8** (가)~(다)를 일어난 순서대로 옳게 나열한 것은?

| (가) | ID : 카니슈카왕<br>간다라를 중심으로 중앙아시아까지 영토를 넓혔어. 후한과 로마를 연결하는 중계 무역도 했지. |
|---|---|
| (나) | ID : 찬드라굽타 2세<br>브라만교를 힌두교로 발전시켰어. 그 과정에서 카스트제를 정착시키고 마누 법전을 정비하기도 했어. |
| (다) | ID : 아소카왕<br>남부를 제외한 인도 전 지역을 차지했어. 불교를 후원하면서 산치 대탑도 세웠지. |

① (가) – (나) – (다)    ② (가) – (다) – (나)
③ (나) – (가) – (다)    ④ (나) – (다) – (가)
⑤ (다) – (가) – (나)

**Tip**

마우리아 왕조의 **①** 이 불교를 장려하였으며, 쿠산 왕조 시대에 헬레니즘 문화와 인도 문화가 결합한 **②** 양식이 발달하였다.

답 **①** 아소카왕 **②** 간다라

## 고대 그리스의 민주 정치

**9** (가) 인물에 대한 설명으로 옳은 것은?

재산에 따라 참정권을 주자고 주장한 아테네의 인물은?

페 스 리 론
레 솔 클 네

지우고 남는 글자로 만들 수 있는 (가) 인물은 누구일까요?

① 크리스트교를 공인하였다.
② 도편 추방제를 도입하였다.
③ 제국을 4분할하여 통치하였다.
④ 추첨제와 수당제를 실시하였다.
⑤ 정복지에 알렉산드리아를 건설하였다.

**Tip**

클레이스테네스는 **❶** 를 실시하여 독재자가 될 가능성이 있는 인물을 추방하였으며, 페리클레스는 관직과 배심원을 추첨으로 선출하는 **❷** 를 실시하였다.

답 ❶ 도편 추방제 ❷ 추첨제

## 수의 통치

**10** 잠금 해제를 위해 입력할 비밀번호로 옳은 것은?

수의 통치 정책과 관련된 내용은?
★ ★ ★ ★
① ② ③
④ ⑤ ⑥

1 : 돌궐 정복
2 : 남북조 통일
3 : 과거제 실시
4 : 한화 정책 실시
5 : 3성 6부제 실시
6 : 토지, 조세, 군사 제도 정비

① 1234  ② 1245  ③ 1346
④ 2356  ⑤ 3456

**Tip**

북위 **❶** 은 한화 정책을 실시하였으며, **❷** 은 중앙아시아와 돌궐을 정복하여 동서 교역로를 확보하였다.

답 ❶ 효문제 ❷ 당 태종

## 이슬람 세계의 형성과 발전

**11** (가)에 들어갈 내용으로 옳은 것은?

주제 : 이슬람 문화의 형성과 확산
Q. 같은 나라의 내용을 찾아 빙고를 만드세요.

탈라스 전투에서 당에 승리
(가)
수도는 바그다드

① 민족 차별 정책을 폐지하였다.
② 아랍인 우대 정책을 실시하였다.
③ 사산 왕조 페르시아를 정복하였다.
④ 이베리아반도까지 영토를 확장하였다.
⑤ 메카를 정복하고 아라비아반도를 통일하였다.

**Tip**

무함마드 사후에 선출된 **❶** 가 이슬람을 이끈 시기를 정통 칼리프 시대라고 하며, **❷** 를 멸망시켰다. 아바스 왕조는 아랍인 중심의 민족 차별 정책을 추진하는 **❸** 를 무너뜨리고 세운 나라이다.

답 ❶ 칼리프 ❷ 사산 왕조 페르시아 ❸ 우마이야 왕조

### 03강_ 크리스트교 문화의 형성과 확산~몽골 제국과 문화 교류

## 04강_ 동아시아 지역 질서의 변화~신항로 개척과 유럽 지역 질서의 변화

## 개념 ❶ 중세 서유럽 봉건 사회의 성립

1 **배경** : 프랑크 왕국 분열, 이민족(바이킹, 마자르족, 이슬람 세력 등) 침입으로 서유럽 사회 혼란 → 힘을 가진 사람들이 성 쌓고 무장하여 기사층 형성

2 **봉건제의 구조**

| | |
|---|---|
| 주종 관계 | • 기사 계급(주군과 봉신) 간에 맺은 계약<br>• ❶은 봉신에게 토지(봉토) 수여, 봉신은 주군에게 충성 맹세<br>• 쌍무적 계약 관계 |
| 장원제 | • 영주(봉신)가 장원(봉토) 내 농노(농민)와 맺는 관계<br>• 영주는 주군의 간섭 없이 장원을 다스림 → 지방 분권적인 봉건 사회 형성<br>• ❷ : 장원에 예속된 농민, 마음대로 이사할 수 없음, 영주의 직영지에서 일하고 세금을 납부해야 함, 약간의 재산 소유 가능 |

❶ 주군 ❷ 농노

**확인 Q1** 서유럽에서는 주군과 봉신 사이의 주종 관계, 영주가 토지와 농노를 지배하는 (　　)를 바탕으로 지방 분권적인 봉건제가 형성되었다.

## 개념 ❷ 비잔티움 제국

1 **비잔티움 제국** : 서로마 제국 멸망 이후에도 약 천 년간 유지됨

2 **전성기** : ❶　　 황제(6세기 전반)
   • 활발한 정복 활동 : 옛 로마 제국의 영토 대부분 회복
   • 『유스티니아누스 법전』 완성 : 로마법 집대성
   • 성 소피아 대성당 건설 : 비잔티움 양식의 대표적인 건축물(돔 + 모자이크 벽화)

3 **동서 교회의 분열** : 비잔티움 제국 황제 레오 3세의 성상 숭배 금지령 발표를 계기로 동서 교회 대립 → 로마 가톨릭(서유럽)과 ❷　　(비잔티움 제국)로 분리

❶ 유스티니아누스 ❷ 그리스 정교

**확인 Q2** 유스티니아누스 황제가 로마법을 체계적으로 정리하여 편찬한 법전으로, 『로마법 대전』이라고도 불리는 것은?

## 개념 ❸ 중세 유럽 사회의 변화

1 **십자군 전쟁** : ❶　　(이슬람 세력)와 서유럽의 충돌 → 성지 회복 실패로 교황의 권위 하락, 전쟁에 참여한 제후와 기사 몰락, 왕권 상대적 강화, 상공업 발달과 도시 성장

2 **장원의 붕괴**
   • 상업, 도시 발달 → 영주가 농노에게 화폐로 세금을 받음, 돈을 받고 농노를 해방시켜 줌
   • 14세기 중엽 ❷　　 유행 → 유럽 인구 감소로 영주가 농노의 처우 개선 → 자영농 증가, 장원 해체

❶ 셀주크 튀르크 ❷ 흑사병

**확인 Q3** 셀주크 튀르크의 예루살렘 점령을 계기로 서유럽의 크리스트교도들이 예루살렘을 되찾기 위해 일으킨 전쟁은?

## 개념 ❹ 르네상스와 종교 개혁

1 **르네상스** : 고대 그리스·로마의 인간 중심적 문화를 중시하는 문예 부흥 운동
   • ❶　　의 르네상스 : 인문주의, 인체의 아름다움 사실적 표현(미켈란젤로, 레오나르도 다빈치 등)
   • 알프스 이북 르네상스 : 현실 사회와 교회의 부패 비판 → 종교 개혁에 영향을 줌

2 **종교 개혁**
   • 독일의 루터, 스위스의 ❷　　, 영국의 영국 국교회 → 로마 가톨릭(구교)의 문제점 지적, 신교 형성
   • 구교와 신교 갈등 → 종교 전쟁(예 30년 전쟁)

❶ 이탈리아 ❷ 칼뱅

**확인 Q4** 독일의 성직자 (　　)는 「95개조 반박문」을 발표하여 교황 레오 10세의 면벌부 판매를 비판하였다.

## 개념 ❺ 송의 문치주의 정책

### 1 송 : 5대 10국의 혼란을 수습하고 중국을 다시 통일함(960년)

### 2 문치주의 정책

| 배경 | ❶ □□ 세력을 견제하기 위해 과거 출신 문인 관료를 우대함 |
|---|---|
| 내용 | • 과거제 개혁 : 황제가 직접 합격자의 순위를 결정하는 ❷ □□를 도입함<br>• 황제권 강화, 재상권 축소 |
| 결과 | • 새로운 지배층으로 사대부 성장<br>• 군사력 약화로 북방 민족의 공격 잦음 → 평화 유지의 대가로 막대한 물자 제공 → 송의 재정 악화 |

### 3 왕안석의 개혁 : 민생 안정, 부국강병을 위한 개혁 시도 → 보수파 관료들의 반발로 실패

❶ 절도사 ❷ 전시

**확인 Q5** 송은 ( ) 정책을 실시하여 문인 관료를 우대하고 황제권을 강화하였으나 군사력이 약화되어 북방 민족의 공격을 자주 받게 되었다.

## 개념 ❻ 북방 민족의 성장

### 1 북방 민족

| 거란 | • 10세기 초 야율아보기가 거란족을 통합한 후 ❶ □□로 나라 이름을 바꿈<br>• 발해 멸망, 고려 공격, 송 압박 |
|---|---|
| 서하 | • 탕구트족이 건국, 동서 무역로 장악, 송 압박 |
| ❷ □□ | • 12세기 초 아구타가 금 건국<br>• 송과 연합하여 요를 멸망시킨 후 송 공격 → 화북 지방 장악, 강남으로 송을 몰아냄(남송) |

### 2 이중적인 통치 방식

• 한족을 효율적으로 다스리고자 이중적인 통치 방식 채택(북방 민족은 부족제, 한족은 군현제)

• 고유 문자(거란 문자, 서하 문자, 여진 문자)를 만드는 등 한족 문화에 동화되지 않고 고유 문화를 지키려고 함

❶ 요 ❷ 여진

**확인 Q6** 여진족의 아구타가 세웠으며, 송과 연합하여 요를 멸망시킨 후 송을 공격하여 강남 지방으로 몰아내고 화북 지방을 지배한 나라는?

## 개념 ❼ 원의 몽골 제일주의

### (1) 원의 등장

• ❶ □□ 칸이 대도(베이징)로 수도를 옮긴 후 국호를 원으로 고침

• 남송을 멸망시키고 북방 민족 최초로 전 중국 지배

### (2) 몽골 제일주의

• 소수의 몽골인이 주요 관직 독점

• 정복 과정에서 협조적이었던 민족 우대

• ❷ □□ : 서역 출신, 재정과 행정 담당

• 한인, 남인 : 정치적 진출, 사회적 지위 등에서 차별, 특히 남인(남송 지배하 한족) 차별

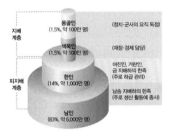

❶ 쿠빌라이 ❷ 색목인

**확인 Q7** 몽골 제일주의 정책에 따라 가장 차별받았던 민족으로, 마지막까지 원에 저항하였던 남송 지배하의 한족을 부르는 말은?

## 개념 ❽ 동서 교류 확대

### 1 송대의 교역 : 경제 발전, 과학 기술(조선술, 항해술) 발전에 따른 해상 교역 활발 → ❶ □□를 설치하여 대외 무역 관리

### 2 몽골 제국의 동서 교류 확대

| 교통로 정비 | • ❷ □□ 정비 : 수도를 중심으로 도로망 정비, 역참을 설치하여 숙식과 말 제공<br>• 대운하 및 해상 운송로 정비 → 수도인 대도를 중심으로 초원길, 사막길(비단길), 바닷길 연결 → 동서 교류 활발 |
|---|---|
| 교류 내용 | • 전파 : 화약, 나침반, 인쇄술 등<br>• 수용 : 이슬람교, 크리스트교, 이슬람 역법 등 |

❶ 시박사 ❷ 역참제

**확인 Q8** 몽골 제국 시대 동서 교류가 확대되면서 이슬람 세계를 거쳐 유럽에 전해진 송의 발명품으로, 원거리 무역 발달과 신항로 개척에 영향을 준 것은?

**4강_동아시아 지역 질서의 변화~신항로 개척과 유럽 지역 질서의 변화**

---

### 개념 ❶ 명 중심의 국제 질서

1 **명** : 홍건적 출신의 주원장(홍무제)이 난징에서 명 건국, 원을 몰아내고 중국 지배

2 **명 중심의 국제 질서 형성**
- 영락제의 대외 팽창 정책 : [❶] 천도, 몽골 공격, 베트남 일시 정복
- [❷]의 항해 : 동남아시아, 인도, 아프리카 동해안 진출 → 명 중심의 국제 질서 확대

3 **명 중심 국제 질서의 변화**
- 몽골 침입, 왜구 약탈, 임진왜란 출병 등으로 재정 악화 → 가혹한 세금 징수, 농민 반란 → 명 멸망
- 명·청 교체로 화이론 변화 : 조선, 청, 일본 모두 자신들을 중화로 인식하는 소중화주의 정립

❶ 베이징 ❷ 정화

> **확인 Q1** 명이 청으로 교체되면서 조선, 청, 일본 모두 자신들을 ( )로 인식하는 새로운 화이사상이 정립되었다.

---

### 개념 ❷ 청의 중국 지배

1 **청의 중국 지배**
- 소수의 만주족이 다수의 한족을 다스리기 위해 강압책과 회유책 병행
- 강압책 : 청 비판과 한족 중심의 중화사상 금지, 한족에게 만주족 풍습 강요(변발, 호복) 등
- 회유책 : 고위 관직에 만주족과 한족을 함께 등용, [❶] 등의 편찬 사업에 한족 동원

2 **청의 주변부 지배 및 대외 관계**
- 몽골, 티베트, 신장 : 토착 지배자 이용, 간접 지배
- 조선, 베트남 : 조공·책봉 관계 유지
- 서양 국가 : [❷]을 통한 제한적인 무역 허용

❶ 『사고전서』 ❷ 공행

> **확인 Q2** 청은 만주와 옛 ( )의 영토는 직접 지배하였고, 몽골, 티베트, 신장 등 주변부는 토착 지배자를 이용하여 간접 지배하였다.

---

### 개념 ❸ 명·청 시대의 사회와 대외 교류

1 **명·청 시대의 사회와 경제**
- 해외 교역 발달 : 명·청 시대에 대규모 은 유입 → 은이 화폐로 널리 사용, 은으로 세금 납부
- 새로운 지배층으로 [❶] 등장 : 학생, 전현직 관료 등 유교적 소양을 지닌 계층, 향촌 질서 유지 역할 담당
- 학문 : 양명학 등장, 고증학 발달
- 서민 문화 발달 : 소설, 경극 등 유행

2 **명·청 시대의 대외 교류**
- 크리스트교 선교사 유입, 서양 학문 소개([❷]의 「곤여만국전도」, 아담 샬의 역법 개정 등)
- 청화 백자, 유교, 과거제 등 중국 문물의 서양 전래

❶ 신사 ❷ 마테오 리치

> **확인 Q3** 명·청 시대에 해외 교역이 발달하면서 대규모로 중국에 유입된 것으로, 화폐나 세금 납부 수단으로 쓰인 금속은?

---

### 개념 ❹ 일본의 막부 정권

1 [❶] **막부** : 12세기 말 미나모토노 요리토모가 세운 최초의 무사 정권(천황은 형식적인 지위 유지, 쇼군이 실질적인 통치자)

2 **무로마치 막부** : 14세기 중엽 아시카가 다카우지가 수립 → 명과 조공·책봉 관계 체결, 감합 무역 시작 → 쇼군 계승 분쟁으로 쇠퇴 → 전국 시대 지속

3 **에도 막부**
- 전국 시대를 통일한 도요토미 히데요시 정권 붕괴 후 도쿠가와 이에야스가 수립한 막부
- [❷] 제도 : 지방의 다이묘에게 정기적으로 에도에 머무르도록 하여 중앙의 막부가 지방의 다이묘 통제 → 중앙 집권적 봉건 체제 강화

❶ 가마쿠라 ❷ 산킨고타이

> **확인 Q4** 도요토미 히데요시가 죽은 후 도쿠가와 이에야스가 세운 막부는?

---

## 개념 5 오스만 제국의 발전

1. **건국** : 13세기 후반 셀주크 튀르크가 약화되자 오스만족이 소아시아에서 오스만 제국 건설
2. **메흐메트 2세** : 비잔티움 제국을 멸망시키고 이스탄불(콘스탄티노폴리스)을 수도로 삼음
3. **❶**(전성기) : 헝가리 정복, 오스트리아 수도 빈 공격, 유럽의 연합 함대 격파, 지중해 해상권 장악
4. **통치 방식**
   - 술탄·칼리프 : 오스만 제국의 지배자는 술탄(정치적 통치자)과 칼리프(종교적 지배자)를 겸함
   - 관용 정책 : 비이슬람교도에게 인두세(지즈야)만 내면 자치 공동체(밀레트) 허용, 정복지의 크리스트교도 소년을 이슬람으로 개종시켜 술탄의 친위부대인 **❷**로 양성

**❶ 술레이만 1세 ❷ 예니체리**

**확인 Q5** 오스만 제국의 지배자를 부르는 칭호로, 정치적 통치자와 종교적 최고 권위자를 겸하는 것은?

## 개념 6 무굴 제국의 발전

1. **무굴 제국의 발전**

| ❶ | • 북인도 전체 통일, 아프가니스탄까지 영토 확장<br>• 관용 정책 : 신앙의 자유 허용, 비이슬람교도에 대한 인두세 폐지 → 이슬람교와 힌두교의 화합 추진 |
|---|---|
| 아우랑제브 | • 남인도를 정복하여 무굴 제국 최대의 영토 확보<br>• ❷ 제일주의 : 인두세 부활, 힌두교와 시크교 탄압, 비이슬람교 사원 파괴 → 각지에서 반란 발생 |

2. **힌두·이슬람 문화**
   - 특징 : 인도 문화 + 이슬람 문화
   - 대표적 사례 : 타지마할, 시크교, 무굴 회화 등

◀ 타지마할

**❶ 아크바르 ❷ 이슬람**

**확인 Q6** 샤 자한이 황후 뭄타즈 마할을 추모하고자 만든 묘당으로, 힌두 양식과 이슬람 양식이 융합된 건축물은?

## 개념 7 신항로 개척

1. **배경** : 동방에 대한 호기심 증가(마르코 폴로의 『동방견문록』), 동방 산물(향신료, 비단 등)의 수요 증가, 지리학과 천문학, 조선술, 항해술 등 발달
2. **전개**

3. **결과**
   - 무역 중심지의 변화 : 지중해 → **❶**
   - 가혹한 노동, 전염병 유입으로 아메리카 원주민 인구 급감 → 아메리카에서 흑인 노예 유입 → 유럽, 아메리카, 아프리카를 잇는 **❷** 무역 성립
   - 가격 혁명, 상업 혁명 발생

**❶ 대서양 ❷ 삼각**

**확인 Q7** ( )이 지휘한 에스파냐 함대는 아메리카 남단을 돌아 태평양과 인도양을 거쳐 귀국하면서 최초의 세계 일주에 성공하였다.

## 개념 8 절대 왕정

1. **절대 왕정의 구조**
   - 왕권신수설
   - 관료제와 상비군
   - **❶** 정책 : 정부의 경제 활동 개입, 수출 장려, 수입 억제(관세 강화), 국내 산업 보호·육성 등

2. **각국의 절대 군주** : 펠리페 2세(에스파냐), 엘리자베스 1세(영국), 루이 14세(**❷** ), 프리드리히 2세(프로이센), 표트르 대제(러시아)

**❶ 중상주의 ❷ 프랑스**

**확인 Q8** 절대 왕정의 군주는 국왕의 권력은 신으로부터 받았다는 ( )을 이용하여 왕권을 정당화하였다.

**3강_크리스트교 문화의 형성과 확산~몽골 제국과 문화 교류**

**4강_동아시아 지역 질서의 변화~신항로 개척과 유럽 지역 질서의 변화**

**01** 다음 자료를 활용한 탐구 활동의 주제로 가장 적절한 것은?

> 9세기 서유럽 세계는 프랑크 왕국의 분열과 함께 바이킹, 마자르족, 이슬람 세력 등 이민족의 침입으로 혼란을 겪었다. 이러한 가운데 각 지역에서는 힘을 가진 사람들이 성을 쌓고 무장하여 스스로 생명과 재산을 지키고자 하였다. 이들 기사는 자신보다 강한 기사에게 충성을 맹세하고 그 대가로 땅을 받았다.

① 십자군 전쟁의 배경

② 게르만족 이동의 결과

③ 크리스트교의 확산 과정

④ 장원의 구조와 농노의 생활

⑤ 중세 서유럽 봉건제의 형성

**문제 해결 전략**

9세기를 전후한 서유럽의 혼란 속에서 각 지방의 힘 있는 사람들은 스스로 무장하면서 기사 계급을 형성하였다. 중세 서유럽 봉건제에서 기사는 자신보다 세력이 강한 기사를 주군으로 삼았고, 주군은 충성과 봉사를 서약한 기사에게 토지(봉토)를 주어 봉신으로 삼았다. 이와 같이 주군과 봉신이 맺은 계약을 **❶** 라고 한다. 봉신이 주군에게 받은 봉토는 **❷** 으로 운영되었다.

**답 ❶** 주종 관계 **❷** 장원

**02** 탐구 활동 보고서를 쓰기 위해 다음과 같이 개요를 작성하였다. (가)~(다)에 들어갈 내용으로 옳지 <u>않은</u> 것은?

> 주제 : 송의 문치주의 정책과 과거제 개혁
>
> 1. 목표 : _____(가)_____
>
> 2. 구체적 내용 : _____(나)_____
>
> 3. 결과 : _____(다)_____

① (가) : 절도사 세력 견제

② (나) : 문인 관리 우대

③ (나) : 과거제에 전시 도입

④ (다) : 황제권 강화

⑤ (다) : 군사권 강화

**문제 해결 전략**

당 멸망의 원인 중 하나는 지방에서 **❶** 가 독립적인 세력을 형성하였기 때문이다. 따라서 송은 남아 있는 이들을 견제할 필요가 있었다. 이를 위해 문인 관료를 우대하는 문치주의 정책을 실시하였다. 또 과거제에 황제가 직접 주관하는 **❷** 를 도입하여 황제의 권한을 강화시키고자 하였다. 그러나 지나친 문치주의 정책은 송의 국방력을 약화시키는 결과를 가져왔다.

**답 ❶** 절도사 **❷** 전시

>> 정답과 해설 13쪽

## 03 (가) 왕조에 대한 설명으로 옳은 것을 「보기」에서 모두 고르면?

〈중국 왕조의 변천 과정〉

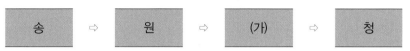

송 ⇨ 원 ⇨ (가) ⇨ 청

> ┌ 보기 ┐
> ㄱ. 조닌 문화가 발달하였다.
> ㄴ. 향촌 통치를 위해 이갑제를 실시하였다.
> ㄷ. 몽골 제일주의를 내세워 여러 민족을 지배하였다.
> ㄹ. 임진왜란 당시 조선에 지원군을 보낸 후 재정 위기에 빠졌다.

① ㄱ, ㄴ　　　　② ㄱ, ㄷ　　　　③ ㄴ, ㄷ

④ ㄴ, ㄹ　　　　⑤ ㄷ, ㄹ

### 문제 해결 전략

원 말기에 홍건적 출신 **❶** (홍무제)이 난징을 수도로 삼고 명을 건국하였다. 그는 원을 만리장성 북쪽으로 몰아내고 중국을 차지하였다. 향촌을 통치하기 위해 110호를 1리로 묶고 이장호와 갑수호를 나누어 이장이 향촌의 세금을 징수하고 치안을 유지하도록 한 제도인 **❷** 를 실시하였다. 한편 명 중기 이후 몽골과 왜구의 침입, 임진왜란 출병, 여진족과의 전쟁 등으로 재정이 악화되었다. 이를 해결하기 위해 세금을 가혹하게 징수하자 전국 각지에서 농민 봉기가 일어났다.

**답** ❶ 주원장 ❷ 이갑제

## 04 다음 퀴즈의 정답으로 옳은 인물은?

 무굴 제국을 세운 바부르의 손자로, 북인도 전체와 아프가니스탄에 이르는 대제국을 건설하였다. 비이슬람교도에게 거두던 인두세를 폐지하는 등 관용 정책을 펼쳤다. 이 인물은 누구일까?

① 티무르　　　　② 아크바르　　　　③ 아우랑제브

④ 메흐메트 2세　　　⑤ 술레이만 1세

### 문제 해결 전략

16세기 초에 티무르의 후손을 자처한 바부르가 북인도를 정복하고 델리를 중심으로 **❶** 을 세웠다. 그의 손자인 **❷** 는 북인도 전체와 아프가니스탄에 이르는 대제국을 건설하였으며, 이슬람교 이외의 종교에 대해서도 신앙의 자유를 허용하였다. 그는 힌두교도 왕비를 맞아들이고 이슬람교와 힌두교의 화합을 추진하였다.

**답** ❶ 무굴 제국 ❷ 아크바르

## 핵심 예제 ❶
| 중세 서유럽 농노의 특징 |

중세 서유럽의 '농노'를 주제로 학생들이 대화를 나누었다. 옳은 내용을 말한 학생을 모두 고르면?

> 승현 : 장원의 농민은 대부분 농노였어.
>
> 윤아 : 농노는 영주의 토지를 경작하고 각종 세금을 부담해야 했지.
>
> 주원 : 농노는 집을 소유할 수도, 결혼할 수도 없었어.
>
> 지훈 : 다만 영주의 허락 없이 거주지를 옮길 수 있었어.

① 승현, 윤아    ② 승현, 주원    ③ 윤아, 주원
④ 윤아, 지훈    ⑤ 주원, 지훈

### Tip

농노는 고대의 노예와는 달리 집을 소유하고 결혼도 할 수 있었지만, 영주에게 예속되었기 때문에 허락 없이 거주지를 함부로 옮길 수 없었다.

### 풀이

서유럽의 봉건제에서 봉신이 충성의 대가로 주군에게 받은 토지는 장원으로 운영되었다. 장원에 속한 대부분의 농민은 농노였는데, 이들은 일주일에 2~4일을 영주 직영지에서 일하고 장원 내 여러 시설물의 사용료를 포함한 각종 세금을 부담해야 하였다. 　답 ①

## 1-1 ㉠~㉤ 중 옳지 않은 내용이 포함된 것은?

> 기사는 자신보다 더 강한 기사를 주군으로 받들었으며, ㉠주군은 충성을 맹세한 기사에게 토지를 주어 신하(봉신)로 삼았다. ㉡주군과 봉신은 서로 의무를 성실하게 지킨다는 계약을 맺고 주종 관계를 형성하였다. 따라서 ㉢어느 한쪽이 의무를 다하지 않으면 그 계약은 언제든 파기될 수 있었다. ㉣주군이 봉신에게 준 토지는 장원으로 운영되었다. ㉤주군은 봉신에게 준 영토에서 일어나는 재판에 간섭할 권리가 있었으며, 세금의 일부를 징수할 수 있었다.

① ㉠    ② ㉡    ③ ㉢    ④ ㉣    ⑤ ㉤

## 핵심 예제 ❷
| 유스티니아누스 황제의 업적 |

(가)에 들어갈 내용으로 옳은 것을 | 보기 |에서 모두 고르면?

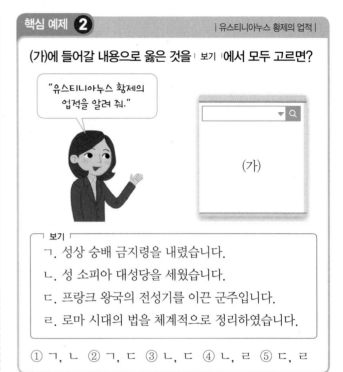

"유스티니아누스 황제의 업적을 알려 줘."

(가)

> **보기**
>
> ㄱ. 성상 숭배 금지령을 내렸습니다.
>
> ㄴ. 성 소피아 대성당을 세웠습니다.
>
> ㄷ. 프랑크 왕국의 전성기를 이끈 군주입니다.
>
> ㄹ. 로마 시대의 법을 체계적으로 정리하였습니다.

① ㄱ, ㄴ    ② ㄱ, ㄷ    ③ ㄴ, ㄷ    ④ ㄴ, ㄹ    ⑤ ㄷ, ㄹ

### Tip

유스티니아누스 황제는 비잔티움 제국의 전성기를 이끈 황제로, 옛 로마 제국의 영토를 상당 부분 회복하였다.

### 풀이

유스티니아누스 황제는 로마 시대의 법을 체계적으로 정리하여 『유스티니아누스 법전』을 편찬하였으며, 비잔티움 양식의 대표적 건축물인 성 소피아 대성당을 세웠다. 　답 ④

## 2-1 그림에 묘사된 사건의 결과로 가장 적절한 것은?

① 카노사의 굴욕이 발생하였다.

② 십자군 전쟁이 일어나게 되었다.

③ 인간 중심적인 문화가 등장하였다.

④ 비잔티움 제국이 멸망하는 계기가 되었다.

⑤ 동서 교회의 갈등이 심해져 분열에 이르렀다.

## 핵심 예제 ❸ | 십자군 전쟁 |

지도에 표시된 경로로 진행된 전쟁에 대한 설명으로 옳은 것을 | 보기 |에서 모두 고르면?

로마 가톨릭교 세력권
그리스 정교 세력권
이슬람교 세력권
→ 제1차(1096~1099)
→ 제3차(1189~1192)
→ 제4차(1202~1204)
→ 제5차(1270)

⌐ 보기 ⌐
ㄱ. 교황의 주도로 서유럽의 기사, 상인, 농민들이 호응하며 시작되었다.
ㄴ. 프랑스의 왕위 계승 문제를 둘러싸고 프랑스와 영국이 벌인 전쟁이었다.
ㄷ. 이 전쟁의 결과 교황의 권위가 추락하고 기사는 몰락하였다.
ㄹ. 이 전쟁을 계기로 동방과 연결된 교역로가 막혀 상공업이 침체되었다.

① ㄱ, ㄴ  ② ㄱ, ㄷ  ③ ㄴ, ㄷ  ④ ㄴ, ㄹ  ⑤ ㄷ, ㄹ

### Tip

자료는 십자군 전쟁의 전개 과정을 나타낸 지도이다.

### 풀이

십자군 전쟁은 셀주크 튀르크가 예루살렘을 점령한 후 비잔티움 제국을 위협하자, 비잔티움 제국의 황제가 로마 교황에게 도움을 청한 것을 계기로 시작되었다. 전쟁이 실패로 돌아가자 전쟁을 주도한 교황의 권위는 추락하였다. 답 ②

## 3-1 다음 스무고개의 정답으로 옳은 것은?

첫째 고개 : 프랑스와 영국 간의 전쟁이었어요.

둘째 고개 : 잔 다르크가 활약했어요.

셋째 고개 : 이 전쟁에서 승리한 프랑스는 중앙 집권 국가로 성장할 수 있었어요.

① 백년 전쟁  ② 장미 전쟁  ③ 30년 전쟁
④ 십자군 전쟁  ⑤ 포에니 전쟁

## 핵심 예제 ❹ | 르네상스의 시작 |

선생님의 질문에 대한 학생의 대답으로 적절한 것을 | 보기 |에서 모두 고르면?

르네상스가 이탈리아에서 가장 먼저 일어난 배경을 이야기해 볼까요?

⌐ 보기 ⌐
ㄱ. 지중해 무역으로 경제적 번영을 누렸기 때문입니다.
ㄴ. 고대 로마의 문화 유산이 많이 남아 있었기 때문입니다.
ㄷ. 장미 전쟁이 일어나 중앙 집권 국가로 성장하였기 때문입니다.
ㄹ. 활판 인쇄술이 발명된 곳으로 지식의 보급이 쉬웠기 때문입니다.

① ㄱ, ㄴ  ② ㄱ, ㄷ  ③ ㄴ, ㄷ  ④ ㄴ, ㄹ  ⑤ ㄷ, ㄹ

### Tip

이탈리아는 고대 로마의 중심지이자 지중해 무역의 중심지였다.

### 풀이

14세기 중엽 지중해 무역이 발달하면서 이탈리아에서는 상공업과 도시가 발달하였다. 이러한 경제적 번영을 바탕으로 그리스·로마의 고전을 중시하는 문예 부흥 운동이 일어났는데, 이를 르네상스라고 한다. 답 ①

## 4-1 다음과 같은 주장을 펼친 인물은?

• 인간의 구원은 미리 정해져 있으므로 구원될 것이라고 믿고 성서에 따라 경건히 생활하도록 하라.
• 부자가 되는 것은 신의 은혜이다.

① 루터  ② 칼뱅  ③ 헨리 8세
④ 레오 10세  ⑤ 잔 다르크

### 핵심 예제 5 | 왕안석의 개혁 배경 |

**(가)에 들어갈 내용으로 가장 적절한 것은?**

> 송은 국방력이 약화되자 북방 민족에게 막대한 양의 은과 비단을 주어 평화를 유지했습니다. 이에 (가)

① 세금을 은으로 걷어 재정을 안정시켰습니다.

② 재상권을 축소하고 황제권을 강화하였습니다.

③ 절도사가 지방에서 독립적인 세력을 형성하였습니다.

④ 재정 악화를 극복하기 위해 왕안석이 개혁을 시도하였습니다.

⑤ 북방 민족을 견제하기 위해 장건을 대월지에 보내 동맹을 시도하였습니다.

**Tip**

송은 북방 민족에게 많은 물자를 제공하고 평화를 얻었으나 결과적으로 재정이 악화되었다.

**풀이**

송은 절도사 세력을 견제하기 위해 문치주의 정책을 실시하였으나 국방력이 약화되는 결과를 가져왔다. 이를 틈타 북방 민족이 침입해 왔고, 송은 평화를 유지하기 위해 그들에게 매년 막대한 물자를 제공하였다. 이로 인해 재정이 악화되자 왕안석이 개혁을 시도하였다. **답** ④

### 5-1 (가) 왕조에 대한 설명으로 옳은 것은?

> **(가)의 과거제**
> 처음으로 과거제에 전시가 도입되었다. 전시는 황제 앞에서 치르는 최종 시험으로, 이때 정해진 성적이 관료로서의 승진에 큰 영향을 주었다.

① 홍건적의 난이 일어나 쇠퇴하였다.

② 거란족의 야율아보기가 세운 왕조이다.

③ 이중적인 통치로 한족과 북방 민족을 다스렸다.

④ 성리학의 문제를 지적하며 양명학이 등장하였다.

⑤ 유교 지식을 갖춘 사대부가 새로운 지배층으로 등장하였다.

### 핵심 예제 6 | 금의 특징 |

**(가) 나라에 대한 설명으로 옳은 것을 보기에서 모두 고르면?**

**보기**

ㄱ. 거란족이 세운 나라이다.

ㄴ. 문치주의 정책을 실시하였다.

ㄷ. 송과 연합하여 요를 멸망시켰다.

ㄹ. 독자적인 문화를 유지하고자 고유 문자를 만들었다.

① ㄱ, ㄴ  ② ㄱ, ㄷ  ③ ㄴ, ㄷ  ④ ㄴ, ㄹ  ⑤ ㄷ, ㄹ

**Tip**

남송과 서하가 함께 존재하는 것으로 보아 (가)는 금이다.

**풀이**

금은 여진족이 세운 나라이다. 금은 송과 연합하여 요를 멸망시킨 후 송을 공격하여 남쪽으로 밀어냈다. 금은 한족을 효율적으로 다스리기 위해 이중적인 통치 방식을 채택하였으며, 그들에게 동화되지 않으려고 여진 문자를 사용하였다. **답** ⑤

### 6-1 다음 퀴즈의 정답으로 옳은 것은?

> 힌트 1 : 거란족의 야율아보기가 세운 나라
> 힌트 2 : 발해를 멸망시킨 나라
> 힌트 3 : 연운 16주를 차지하고 송을 압박한 나라

> 자, 힌트가 모두 공개되었습니다. 이 나라는 어디일까요?

① 요  ② 금  ③ 원  ④ 명  ⑤ 청

## 핵심 예제 ❼ | 원의 중국 지배 |

(가)에 들어갈 내용으로 적절하지 <u>않은</u> 것은?

> 기자 : 북방 민족으로서는 최초로 중국 전역을 지배하는 데 성공하셨어요. 다양한 민족을 어떤 방식으로 지배하셨는지 궁금합니다.
>
> 쿠빌라이 칸 : _____(가)_____

① 몽골인이 국가의 고위 관직을 독점하도록 했습니다.
② 서역 출신의 색목인에게 재정과 경제 분야의 실무를 맡겼습니다.
③ 마지막까지 저항했던 남송의 한족을 가장 심하게 차별했습니다.
④ 한화 정책을 통해 북방 민족과 한족이 융합될 수 있도록 힘썼습니다.
⑤ 몽골인, 색목인, 한인, 남인으로 나누어 민족에 따라 대우를 달리했습니다.

**Tip**

원은 몽골 제일주의 정책을 내세워 민족에 따라 대우를 달리하는 방식으로 중국을 지배하였다.

**풀이**

한화 정책은 선비족과 한족의 융합을 목적으로 북위 효문제가 실시한 정책이다. 답 ④

## 7-1 '칭기즈 칸'을 소개한 인물 카드를 만들려고 한다. (가)에 들어갈 내용으로 옳은 것을 | 보기 |에서 모두 고르면?

> 칭기즈 칸(테무친)
> 생몰 연도 : 1162~1227년
> 업적 : _____(가)_____

| 보기 |
ㄱ. 몽골 제국을 건국하였다.
ㄴ. 서하, 중앙아시아 등을 정복하였다.
ㄷ. 두 차례에 걸쳐 일본 원정을 시도하였다.
ㄹ. 남송을 멸망시킨 후 중국 전역을 지배하였다.

① ㄱ, ㄴ ② ㄱ, ㄷ ③ ㄴ, ㄷ ④ ㄴ, ㄹ ⑤ ㄷ, ㄹ

## 핵심 예제 ❽ | 동서 교류의 확대 |

다음은 역사 용어를 검색한 결과이다. 검색어로 적절한 것은?

> 통합검색 ▼ [                    ] 검색
>
> 중국에는 해상 무역을 관리하고 사무를 담당하는 관청이었다. 당에서 관명으로 등장하지만 실질적인 정비가 이루어진 것은 송 이후였다. 송은 원거리 항해가 가능해진 것에 힘입어 광저우, 취안저우 등 국제 무역항에 이것을 설치하였다.

① 교자 ② 역참 ③ 시박사
④ 상서성 ⑤ 군기처

**Tip**

송대에는 경제 발전과 과학 기술의 발달로 해상 교역이 활발하게 이루어져 광저우, 취안저우 등의 국제 무역항이 성장하였다.

**풀이**

시박사는 무역세 징수, 무역품 판매 허가증 발급 등 무역 관련 사무를 맡았던 관청이다. 원대에도 유지되었으나 명대에 해금 정책으로 축소되었다가 청대에 폐지되었다. 답 ③

## 8-1 다음 글의 배경이 된 시기에 있었던 역사적 사실로 옳은 것을 | 보기 |에서 모두 고르면?

> 각 지방으로 가는 주요 도로에는 25~30마일(약 40~48km)마다 역참이 설치되어 있다. 각 역참에서 전령들은 명령을 기다리고 ……
> – 마르코 폴로, 「동방견문록」 –

| 보기 |
ㄱ. 나침반, 화약이 발명되었다.
ㄴ. 주희가 성리학을 완성하였다.
ㄷ. 화폐의 사용이 늘어나 단일 지폐인 교초가 유통되었다.
ㄹ. 티베트 불교를 포함한 다양한 종교에 관용적인 정책을 실시하였다.

① ㄱ, ㄴ ② ㄱ, ㄷ ③ ㄴ, ㄷ ④ ㄴ, ㄹ ⑤ ㄷ, ㄹ

**1** (가)에 들어갈 내용으로 옳은 것을 | 보기 |에서 모두 고른 것은?

나
> 정아야. 역사 공부는 잘 돼?

> 아니, 프랑크 왕국의 카롤루스 대제를 공부하는 중인데, 너무 어려워. 이 사람에 대해 쉽게 설명해 줄 수 있어?

정아

나
> 카롤루스 대제는 ___(가)___

| 보기 |
ㄱ. 서로마 제국을 멸망시켰어.
ㄴ. 성상 숭배 금지령을 내렸어.
ㄷ. 프랑크 왕국의 전성기를 이루었어.
ㄹ. 로마 교황에게 서유럽 황제의 관을 받았어.

① ㄱ, ㄴ ② ㄱ, ㄷ ③ ㄴ, ㄷ ④ ㄴ, ㄹ ⑤ ㄷ, ㄹ

Tip

카롤루스 대제는 ❶ 왕국의 전성기를 이룬 인물로, 정복지에 ❷ 교를 적극적으로 전파하였다. 답 ❶ 프랑크 ❷ 크리스트

**2** (가)에 들어갈 건축물로 옳은 것은?

> 안녕! 나는 지금 터키 이스탄불에 있어. 오늘 세계사 시간에 배웠던 비잔티움 양식의 대표적 건축물인 ___(가)___ 을 보았어. 실제로 ___(가)___ 을 보니, 왜 유명한지 알겠더라고. 외부의 거대한 돔과 내부의 화려한 모자이크화에 압도당했어. 이걸 세운 유스티니아누스 황제가 새삼 대단한 인물임을 깨달았지. 그리고 주변의 첨탑 4개도 인상 깊었는데, 이 첨탑들은 오스만 제국의 지배하에 들어갔을 때 세워진 것이라고 해.

① 산치 대탑 ② 콜로세움
③ 아잔타 석굴 ④ 샤르트르 대성당
⑤ 성 소피아 대성당

Tip

성 소피아 대성당은 ❶ 양식을 대표하는 건축물로, 돔 형 지붕과 내부의 ❷ 화가 특징적이다. 답 ❶ 비잔티움 ❷ 모자이크

**3** (가)~(다)를 일어난 순서대로 옳게 나열한 것은?

> (가) 황제 하인리히 4세가 교황 그레고리우스 7세에 의해 파문당하였다.
> (나) 클뤼니 수도원 등 일부 수도원을 중심으로 교회 개혁 운동이 일어났다.
> (다) 교황 우르바누스 2세의 호소에 제후, 농민 등이 호응하여 십자군 전쟁이 일어났다.

① (가)-(나)-(다) ② (가)-(다)-(나)
③ (나)-(가)-(다) ④ (나)-(다)-(가)
⑤ (다)-(나)-(가)

Tip

교황권은 ❶ 의 굴욕 사건 이후 점차 강화되어 13세기에 절정에 달하였다. 하지만 이슬람 세력이 예루살렘을 점령하자, 이를 되찾기 위해 벌인 ❷ 전쟁의 실패로 크게 약화되었다.
답 ❶ 카노사 ❷ 십자군

**4** (가)~(라)에 들어갈 내용으로 옳지 않은 것은?

| 지역별 르네상스의 특징 비교 | | |
|---|---|---|
| 구분 | 이탈리아의 르네상스 | 알프스 이북의 르네상스 |
| 특징 | (가) | (나) |
| 대표작 | (다) | (라) |

① (가) : 르네상스가 가장 먼저 시작되었다.
② (가) : 신 중심의 문화가 발달하였다.
③ (나) : 현실 사회와 교회의 부패를 비판하였다.
④ (다) : 보카치오의 『데카메론』
⑤ (라) : 토머스 모어의 『유토피아』

Tip

르네상스는 고대 로마의 문화유산이 많이 남아 있는 ❶ 에서 시작되었고, 이후 ❷ 이북으로 확대되었다.
답 ❶ 이탈리아 ❷ 알프스

**5** (가) 왕조에 대한 설명으로 옳은 것을 ┃보기┃에서 모두 고르면?

그림은 황제 앞에서 전시를 치르는 모습입니다. 과거의 최종 단계인 전시는 (가) 왕조가 과거제를 개혁하면서 도입하였습니다.

┌ 보기 ┐
ㄱ. 문치주의 정책을 실시하였다.
ㄴ. 색목인에게 재정 분야의 실무를 맡겼다.
ㄷ. 재정 위기를 극복하기 위해 왕안석이 개혁을 시도하였다.
ㄹ. 한족의 문화에 동화되지 않기 위해 고유 문자를 만들었다.

① ㄱ, ㄴ ② ㄱ, ㄷ ③ ㄴ, ㄷ ④ ㄴ, ㄹ ⑤ ㄷ, ㄹ

**Tip**

송은 절도사의 권한을 빼앗고 문신을 우대하는 **❶** 정책을 펼쳤다. 그 결과 국방력이 약화되어 **❷** , 서하, 금 등 북방 민족의 공격을 받게 되었다 **답** ❶ 문치주의 ❷ 요

**6** 다음과 같은 문자를 발명한 나라들의 공통점으로 가장 적절한 것은?

▲ 거란 문자

▲ 여진 문자

① 몽골이 세운 원에 의해 멸망하였다.
② 티베트 계통의 탕구트족이 세운 나라이다.
③ 송을 공격하여 화북 지방 전역을 지배하였다.
④ 한족을 한인과 남인으로 나눠 철저히 차별하였다.
⑤ 한족을 효율적으로 다스리기 위해 이중적인 통치를 하였다.

**Tip**

요와 금은 한자를 바탕으로 고유 **❶** 를 제정하는 등 한족에게 동화되지 않으려고 노력하였다. **답** ❶ 문자

**7** 다음 질문에 대한 대답으로 적절한 것을 ┃보기┃에서 모두 고르면?

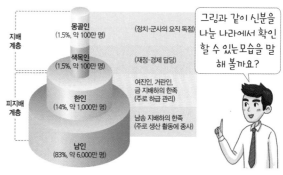

그림과 같이 신분을 나눈 나라에서 확인할 수 있는 모습을 말해 볼까요?

┌ 보기 ┐
ㄱ. 주희가 성리학을 완성했습니다.
ㄴ. 단일 화폐인 교초를 널리 사용했습니다.
ㄷ. 도시의 서민들을 중심으로 서민 문화가 발달했습니다.
ㄹ. 이슬람교, 크리스트교와 같은 외래 종교를 엄격히 금지했습니다.

① ㄱ, ㄴ ② ㄱ, ㄷ ③ ㄴ, ㄷ ④ ㄴ, ㄹ ⑤ ㄷ, ㄹ

**Tip**

원은 **❶** 제일주의를 내세워 몽골인을 가장 우대하고 서역 출신 **❷** 에게 재정과 행정을 맡겼으며, 한족은 철저히 차별하였다. **답** ❶ 몽골 ❷ 색목인

**8** 재민이는 역사 시간에 다음 자료를 활용하여 발표를 진행하였다. 재민이의 발표 주제로 가장 적절한 것은?

▲ 이슬람 묘비

▲ 패자

▲ 원의 도자기

① 칭기즈 칸의 업적 ② 북방 민족의 성장
③ 서민 문화의 발전 ④ 송대 과학 기술의 발달
⑤ 원대 동서 교류의 발달

**Tip**

몽골 제국에서는 관리나 사신에게 숙식과 말을 제공하는 **❶** 이 발달하면서 동서 교류가 더욱 활발해졌다. **답** ❶ 역참

### 핵심 예제 ❶　　　　　　　　　　　　　| 명 홍무제의 업적 |

다음 질문에 대한 답변으로 옳지 <u>않은</u> 것은?

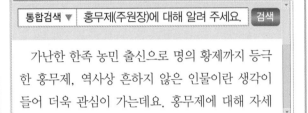

통합검색 ▼ | 홍무제(주원장)에 대해 알려 주세요. | 검색

　가난한 한족 농민 출신으로 명의 황제까지 등극한 홍무제, 역사상 흔하지 않은 인물이란 생각이 들어 더욱 관심이 가는데요. 홍무제에 대해 자세히 알려 주세요!

① 홍건적 출신이에요.
② 향촌을 통치하기 위해 이갑제를 실시했어요.
③ 정화의 함대를 동남아시아, 인도양에 파견했어요.
④ 몽골을 만리장성 북쪽으로 몰아내는 데 성공했어요.
⑤ 재상제를 폐지하고 황제에게 권력을 집중시켰어요.

**Tip**

홍무제(주원장)는 명을 건국한 인물로, 원을 북쪽으로 몰아내어 한족이 중국을 다시 지배하는 계기를 마련하였다.

**풀이**

③ 정화의 함대를 파견한 인물은 영락제이다.　　　　**답** ③

**1-1** 밑줄 친 '우리'에 해당하는 인물들이 항해를 한 결과로 가장 적절한 것은?

　<u>우리</u>는 야만 지역의 번국에 칙사로 가라는 황상(영락제)의 천명을 받들어 지금까지 7차례에 걸쳐 항해를 수행하였다. …… 그렇게 <u>우리</u>는 크고 작은 나라 3천 개를 찾아갔다.
　　　　　　　　　　　　－ 복건성 장락현 천비궁의 비문 －

① 조선에서 소중화주의가 등장하였다.
② 원을 만리장성 북쪽으로 몰아내었다.
③ 30여 국가와 조공·책봉 관계를 맺었다.
④ 재정이 급격히 악화되어 명이 멸망하였다.
⑤ 마테오 리치의 「곤여만국전도」가 전래되어 중국인의 세계관에 큰 영향을 주었다.

### 핵심 예제 ❷　　　　　　　　　　　　　| 청 왕조의 특징 |

(가) 왕조에 대한 설명으로 옳은 것을 | 보기 |에서 모두 고르면?

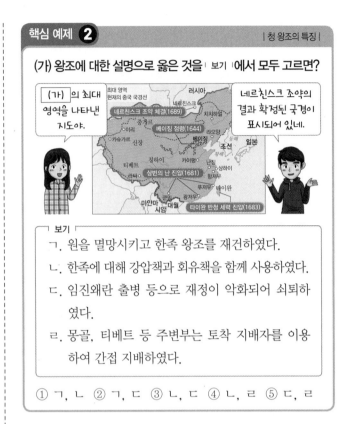

(가) 의 최대 영역을 나타낸 지도야.

네르친스크 조약의 결과 확정된 국경이 표시되어 있네.

| 보기 |
ㄱ. 원을 멸망시키고 한족 왕조를 재건하였다.
ㄴ. 한족에 대해 강압책과 회유책을 함께 사용하였다.
ㄷ. 임진왜란 출병 등으로 재정이 악화되어 쇠퇴하였다.
ㄹ. 몽골, 티베트 등 주변부는 토착 지배자를 이용하여 간접 지배하였다.

① ㄱ, ㄴ　② ㄱ, ㄷ　③ ㄴ, ㄷ　④ ㄴ, ㄹ　⑤ ㄷ, ㄹ

**Tip**

네르친스크 조약은 청 강희제가 러시아와 북방 국경을 확정하기 위해 맺은 조약이다.

**풀이**

지도에 나타난 영역, 네르친스크 조약 등을 통해 (가)가 청임을 알 수 있다. ㄱ, ㄷ은 명에 대한 설명이다.　　　　**답** ④

**2-1** (가)~(다)에 들어갈 내용을 옳게 짝지은 것은?

| 청 황제 | 업적 |
| --- | --- |
| 강희제 | (가) |
| 옹정제 | (나) |
| 건륭제 | (다) |

① (가) : 군기처를 설치하였다.
② (가) : 삼번의 난을 진압하였다.
③ (나) : 청의 최대 영역을 차지하였다.
④ (나) : 러시아와 네르친스크 조약을 체결하였다.
⑤ (다) : 타이완의 반청 세력을 제압하였다.

## 핵심 예제 ❸
| 명·청대의 지배층 |

### (가)에 들어갈 내용으로 가장 적절한 것은?

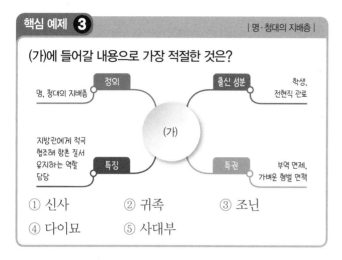

정의
명, 청대의 지배층

출신 성분
학생, 전현직 관료

(가)

지방관에게 적극 협조해 향촌 질서 유지하는 역할 담당
특징

특권
부역 면제, 가벼운 형벌 면책

① 신사　　② 귀족　　③ 조닌
④ 다이묘　　⑤ 사대부

**Tip**

명·청대에는 유교적 소양을 갖춘 지식인인 신사가 사회를 주도하였다.

**풀이**

명·청대에 사회를 주도한 지배층은 신사였다. 신사는 학생, 전현직 관료 등 유교적 소양을 갖춘 지식인으로, 지방관을 도와 향촌 사회의 안정과 질서 유지에 중요한 역할을 하였다. **탭 ①**

---

**3-1** 밑줄 친 '변화'에 해당하는 내용으로 가장 적절한 것은?

> 명·청대 초기에는 해금 정책을 실시하였으나 두 왕조 모두 중기 이후에는 해금 정책이 느슨해지면서 사무역이 크게 늘어났다. 유럽과 이슬람 세계에서는 중국의 차, 비단, 도자기가 인기 많은 수입품이었으며, 중국에서 은의 가치는 유럽보다 2배 정도 높아서 결제 대금을 은으로 내는 것이 유리하였다. 따라서 일본과 아메리카에서 생산된 은이 중국에 대량으로 유입되었고, 이는 중국에 새로운 <u>변화</u>를 가져오게 되었다.

① 신사가 사회를 주도하기 시작하였다.
② 나침반, 화약, 인쇄술 등이 발명되었다.
③ 은으로 세금을 내는 제도가 등장하였다.
④ 은을 대신하여 교초라는 지폐가 널리 유통되었다.
⑤ 유럽의 선교사가 대거 유입되어 크리스트교를 포교하였다.

---

## 핵심 예제 ❹
| 일본 막부의 형성 |

### (가)~(라)를 일어난 순서대로 옳게 나열한 것은?

> (가) 임진왜란이 발생하였다.
> (나) 무로마치 막부가 명과 조공·책봉 관계를 맺었다.
> (다) 미나모토노 요리토모가 가마쿠라 막부를 세웠다.
> (라) 도요토미 히데요시 정권이 무너지고 에도 막부가 들어섰다.

① (가) - (나) - (다) - (라)
② (나) - (가) - (라) - (다)
③ (다) - (가) - (라) - (나)
④ (다) - (나) - (가) - (라)
⑤ (라) - (다) - (나) - (가)

**Tip**

일본 막부는 가마쿠라 막부 - 무로마치 막부 - 전국 시대 - 에도 막부 순으로 전개되었다.

**풀이**

가마쿠라 막부가 원의 침략을 막아 낸 후 재정 부담으로 쇠퇴하자 무로마치 막부가 그 뒤를 이었다. 무로마치 막부 시대 다이묘의 다툼으로 전국 시대가 전개되었으며, 이를 통일한 도요토미 히데요시가 임진왜란을 일으켰다. 이후 도쿠가와 이에야스의 에도 막부가 성립되었다. **탭 ④**

---

**4-1** (가) 막부에 대한 설명으로 옳은 것을 | 보기 |에서 모두 고르면?

이것은 (가) 시대 문화의 대표적 사례입니다.

> **보기**
> ㄱ. 최초의 무사 정권이었다.
> ㄴ. 명과 조공·책봉 관계를 맺었다.
> ㄷ. 산킨코타이 제도를 실시하였다.
> ㄹ. 통신사를 통해 조선의 선진 문물을 받아들였다.

① ㄱ, ㄴ　② ㄱ, ㄷ　③ ㄴ, ㄷ　④ ㄴ, ㄹ　⑤ ㄷ, ㄹ

필수 체크 전략 1

**4강_동아시아 지역 질서의 변화~신항로 개척과 유럽 지역 질서의 변화**

---

### 핵심 예제 ❺

| 오스만 제국의 특징 |

다음과 같은 영역을 확보한 나라에 대한 설명으로 옳은 것을 l 보기 l에서 모두 고르면?

┌─ 보기 ─────────────────────────┐
ㄱ. 예루살렘을 점령하였다.
ㄴ. 비이슬람교도가 인두세를 내면 자치를 허용하였다.
ㄷ. 수도 사마르칸트를 중심으로 동서 무역을 활발히 하였다.
ㄹ. 정치적 지배자인 술탄이 종교적 지도자인 칼리프까지 겸하였다.
└──────────────────────────────┘

① ㄱ, ㄴ  ② ㄱ, ㄷ  ③ ㄴ, ㄷ  ④ ㄴ, ㄹ  ⑤ ㄷ, ㄹ

**Tip**

이스탄불을 수도로 하고 아시아, 유럽, 아프리카 세 대륙에 걸친 영토를 확보한 것을 통해 지도가 오스만 제국의 최대 영역을 표시한 것임을 알 수 있다.

**풀이**

ㄱ. 셀주크 튀르크, ㄷ. 티무르 왕조에 대한 설명이다.  **답** ④

---

**5-1** 다음은 어떤 역사적 인물을 검색한 결과이다. 검색어로 적절한 것은?

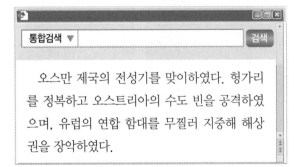

오스만 제국의 전성기를 맞이하였다. 헝가리를 정복하고 오스트리아의 수도 빈을 공격하였으며, 유럽의 연합 함대를 무찔러 지중해 해상권을 장악하였다.

① 술레이만 1세  ② 메흐메트 2세  ③ 아우랑제브
④ 아크바르  ⑤ 티무르

---

### 핵심 예제 ❻

| 아크바르의 업적 |

밑줄 친 '나'가 가리키는 무굴 제국의 황제에 대한 설명으로 옳은 것은?

┌──────────────────────────────┐
지금까지 나는 나와 신앙이 다른 사람들을 박해하여 개종시키고자 하였으며, 그것을 신에 대한 귀의라고 생각하였다. 그러나 지식을 쌓아 감에 따라 나는 후회하는 마음에 사로잡혔다. 강제로 개종시킨 사람에게서 어떻게 성실한 신앙을 기대할 수 있을까?

– 아불 파즐, 『아크바르나마』 –
└──────────────────────────────┘

① 무굴 제국을 세웠다.
② 시크교를 창시하였다.
③ 타지마할을 건축하였다.
④ 무굴 제국의 최대 영토를 차지하였다.
⑤ 비이슬람교도에게 거둔 인두세를 폐지하였다.

**Tip**

이슬람교도가 아닌 사람에게도 관용을 베풀고자 하는 내용으로 보아 '나'는 아크바르이다.

**풀이**

아크바르는 다른 종교를 존중하는 관용 정책을 펼쳐 비이슬람교도에게 거둔 인두세인 지즈야를 폐지하였다. 그는 신앙의 자유를 허용하고 힌두교도 왕비를 맞아들이는 등 이슬람교와 힌두교의 화합에 힘썼다.  **답** ⑤

---

**6-1** 다음 퀴즈의 정답으로 옳은 것은?

┌──────────────────────────────┐
힌트 1 : 무굴 제국의 대표적인 건축물입니다.
힌트 2 : 샤 자한이 황후의 넋을 기리려고 만들었습니다.
힌트 3 : 돔형 지붕, 아라베스크, 흰색 대리석 벽 등으로 장식되어 있습니다.
└──────────────────────────────┘

힌트가 모두 공개되었습니다. 정답은 무엇일까요?

① 산치 대탑  ② 성 소피아 대성당
③ 타지마할  ④ 술탄 아흐메트 사원
⑤ 엘로라 석굴

---

48 일등 전략·역사①

## 핵심 예제 7 | 신항로 개척의 결과 |

(가)에 들어갈 내용으로 적절한 것을 |보기|에서 모두 고르면?

> 지난 시간에 학습한 신항로 개척의 결과를 이야기해 볼까요?

> 무역의 중심지가 지중해에서 대서양으로 옮겨졌습니다.

> 아메리카 문명이 급속히 파괴되었습니다.

> (가)

┌ 보기 ┐
ㄱ. 가격 혁명과 상업 혁명이 일어났습니다.
ㄴ. 화약, 나침반 등이 유럽에 전파되었습니다.
ㄷ. 아메리카의 농작물이 유럽에 전해졌습니다.
ㄹ. 마르코 폴로의 『동방견문록』이 발간되어 큰 인기를 끌었습니다.
└

① ㄱ, ㄴ　② ㄱ, ㄷ　③ ㄴ, ㄷ　④ ㄴ, ㄹ　⑤ ㄷ, ㄹ

**Tip**

신항로 개척의 결과 아메리카의 농작물과 귀금속이 대량으로 유럽에 유입되었으며, 물가가 치솟고 상공업이 크게 발달하였다.

**풀이**

신항로 개척으로 아메리카 대륙과의 무역이 활발해져 담배, 옥수수, 감자 등 농작물이 전래되었다. 또 아메리카 대륙에서 대량의 금·은이 들어와 물가가 크게 올랐는데, 이를 가격 혁명이라고 한다. 이에 따라 상공업과 금융업이 크게 발달하고 주식회사와 같은 근대적 기업이 등장하였는데, 이를 상업 혁명이라고 한다.　**답** ②

### 7-1 밑줄 친 '나'에 해당하는 인물로 옳은 것은?

> 나는 이탈리아 출신의 탐험가예요. 나는 지구가 둥글다고 믿었기 때문에 대서양을 건너 인도로 가는 새 항로를 개척할 수 있다고 믿었어요. 마침 에스파냐 이사벨 여왕의 후원을 받아 항해를 떠나게 되었답니다.

① 콜럼버스　② 마젤란
③ 바스쿠 다 가마　④ 마르코 폴로
⑤ 바스톨로메우 디아스

## 핵심 예제 8 | 절대 왕정 |

다음은 프랑스 왕과의 가상 인터뷰 내용이다. (가)에 들어갈 인물로 적절한 것은?

> 기자 : '짐이 곧 국가이다.'라는 발언의 주인공! 드디어 모셨습니다. 안녕하세요. 콜베르를 등용하여 중상주의 정책을 펼치셨는데요. 그 결과 엄청난 재정 수입을 확보하셨죠.
>
> (가) : 그렇습니다. 이를 통해 강력한 상비군을 키우고 베르사유 궁전을 지을 수 있었죠.

① 펠리페 2세　② 표트르 대제
③ 프리드리히 2세　④ 엘리자베스 1세
⑤ 루이 14세

**Tip**

프랑스 절대 왕정은 루이 14세에 의해 확립되었다.

**풀이**

루이 14세는 절대 왕정을 대표하는 군주로, 왕권신수설을 바탕으로 중상주의 정책을 펼쳤다.　**답** ⑤

### 8-1 (가) 정치 체제에 대한 설명으로 옳은 것을 |보기|에서 모두 고르면?

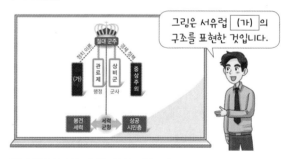

> 그림은 서유럽 (가) 의 구조를 표현한 것입니다.

┌ 보기 ┐
ㄱ. 상공 시민 계층이 재정을 지원하였다.
ㄴ. 주군과 봉신 간에 맺은 쌍무적 계약을 기반으로 하였다.
ㄷ. 왕권은 신으로부터 받았다는 주장을 통해 왕권을 정당화하였다.
ㄹ. 군주가 정치·군사뿐만 아니라 교회에도 막강한 영향력을 행사하였다.
└

① ㄱ, ㄴ　② ㄱ, ㄷ　③ ㄴ, ㄷ　④ ㄴ, ㄹ　⑤ ㄷ, ㄹ

**1** 다음과 같은 유교 윤리를 반포한 명 황제에 대한 설명으로 옳은 것을 ┤ 보기 ├에서 모두 고르면?

> 부모에게 효도하라 / 웃어른을 공경하라
> 이웃과 화목하라 / 자손들을 잘 교육하라
> 자신의 일에 최선을 다하라 / 나쁜 짓을 하지 마라

┤ 보기 ├
ㄱ. 몽골을 만리장성 북쪽으로 몰아냈다.
ㄴ. 이갑제를 실시하여 향촌을 지배하였다.
ㄷ. 자금성을 건설하여 베이징으로 수도를 옮겼다.
ㄹ. 정화의 함대를 동남아시아와 인도양에 파견하였다.

① ㄱ, ㄴ ② ㄱ, ㄷ ③ ㄴ, ㄷ ④ ㄴ, ㄹ ⑤ ㄷ, ㄹ

**Tip**

육유는 명을 건국한 **❶** 가 반포한 6가지 조항의 유교 윤리를 말한다.

**답 ❶** 홍무제(주원장)

**2** 한중일 삼국의 세계관이 다음과 같이 변하게 된 계기로 옳은 것은?

오직 우리나라만이 홀로 예를 간직한 나라가 되었으니, 공자께서 다시 태어나면 반드시 떼목을 타고 우리나라로 올 것이다!

한족과 이민족은 모두 한 가족이 되었다. 한족을 '화', 이민족을 '이'라고 하였던 화이관은 더 이상 의미가 없다!

우리는 이미 중화의 질서에서 벗어나고자 하였고, 중국의 정세가 바뀌었다고 하더라도 우리는 우리의 길을 갈 뿐이다!

① 명이 멸망하고 청이 성장하였다.
② 고려가 멸망하고 조선이 건국되었다.
③ 몽골에 의해 중국 전역이 통일되었다.
④ 일본에서 가마쿠라 막부가 형성되었다.
⑤ 정화의 원정으로 명 중심의 국제 질서가 확대되었다.

**Tip**

청이 중국을 지배하자 **❶** 로 불리던 이민족이 스스로 **❷** 라고 여기는 한족을 지배하게 되어 중국 중심의 세계관에 큰 변화를 가져왔다.

**답 ❶** 오랑캐 **❷** 중화

**3** (가)에 들어갈 내용으로 옳은 것은?

> 〈역사 인물 카드〉
> 강희제(재위 : 1661~1722)
> • 청의 제4대 황제
> • 국내의 반청 세력 진압
> • ＿＿＿(가)＿＿＿

① 베이징을 수도로 삼음
② 청 역사상 최대 영토를 확보함
③ 조선을 침략하여 병자호란을 일으킴
④ 네르친스크 조약을 체결하여 국경을 확정함
⑤ 군기처를 설치하여 황제 독재 체제를 구축함

**Tip**

청은 **❶** , 옹정제, **❷** 가 다스리는 동안 전성기를 맞이하였다.

**답 ❶** 강희제 **❷** 건륭제

**4** (가) 제도에 대한 설명으로 옳은 것을 ┤ 보기 ├에서 모두 고르면?

그림은 에도로 이동하는 다이묘의 행렬을 그린 것입니다. (가) 제도에 따라 다이묘는 정기적으로 에도와 자신의 영지에서 번갈아 생활해야 했습니다.

┤ 보기 ├
ㄱ. 무로마치 막부 시대에 실시되었다.
ㄴ. 상업과 교통의 발달에 영향을 주었다.
ㄷ. 지역 간 교류가 활발해져 난학이 발달하였다.
ㄹ. 다이묘에 대한 통제를 강화하려고 시행하였다.

① ㄱ, ㄴ ② ㄱ, ㄷ ③ ㄴ, ㄷ ④ ㄴ, ㄹ ⑤ ㄷ, ㄹ

**Tip**

에도 막부가 **❶** 의 힘을 약화하기 위해 그들을 일정 기간 동안 에도에 와서 머무르게 한 제도를 **❷** 제도라고 한다.

**답 ❶** 다이묘 **❷** 산킨코타이

**5** (가) 제국에 대한 탐구 활동으로 가장 적절한 것은?

> ▢(가)▢ 에서는 혈통이나 출신에 관계없이 유능한 사람들에게는 출세의 길이 열려 있었다. ▢(가)▢ 은/는 발칸반도의 크리스트교도 청소년을 강제로 징발하여 개종시킨 후, 군대나 관료로 충당하였다. 이들로 구성된 술탄의 친위 부대 예니체리는 ▢(가)▢ 의 팽창에 기여하였다.

① 십자군 전쟁이 일어난 원인을 조사한다.
② 술탄·칼리프제의 형성 배경을 알아본다.
③ 신항로 개척을 이끈 주요 인물을 조사한다.
④ 인도에서 등장한 이슬람 왕조의 특징을 분석한다.
⑤ 사마르칸트를 중심으로 한 동서 교역의 모습을 파악한다.

**Tip**

오스만 제국은 ❶(지즈야)만 내면 비이슬람교도의 종교와 자치를 허용하였다. 신분, 출신과 상관없이 유능한 자를 중요 관직에 임명하였는데, 대표적인 사례가 술탄의 친위 부대인 ❷였다.
**답** ❶ 인두세 ❷ 예니체리

**6** (가) 인물에 대한 설명으로 옳은 것은?

▢(가)▢ 은/는 무굴 제국의 제6대 황제야. 데칸고원을 넘어 인도 남부까지 정복했어.

그는 무굴 제국의 최대 영토를 획득했어. 그러나 힌두 사원을 파괴하는 등 반발을 살 만한 정책을 실시하기도 했지.

① 시크교를 창시하였다.
② 힌두교도와 결혼하였다.
③ 산치 대탑과 석주를 건립하였다.
④ 이슬람교와 힌두교의 화합에 힘썼다.
⑤ 비이슬람교도에 대한 인두세를 부활시켰다.

**Tip**

아우랑제브 황제는 남인도를 정복하여 ❶ 역사상 최대의 영토를 획득하였다. 그는 ❷라고 하는 인두세를 부활하고 힌두 사원을 파괴하는 등 다른 종교를 탄압하여 이교도들의 반발을 샀다.
**답** ❶ 무굴 제국 ❷ 지즈야

**7** 아메리카 원주민의 수가 다음 그래프와 같이 감소하게 된 원인으로 적절한 것은?

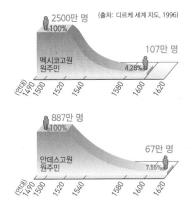

① 미국 혁명이 일어나 북아메리카 13개 주가 독립하였기 때문이다.
② 유럽 상인들이 아프리카 원주민을 아메리카에 끌고 왔기 때문이다.
③ 민족주의의 영향을 받아 라틴아메리카 각국이 독립하였기 때문이다.
④ 미국 내 남부와 북부의 대립으로 남북 전쟁이 발발하였기 때문이다.
⑤ 신항로 개척 이후 유럽인들이 전염병을 퍼뜨리는 등 아메리카 문명을 파괴하였기 때문이다.

**Tip**

신항로 개척 이후 아메리카 곳곳에 ❶이 들어와 아메리카 문명을 파괴하였다. 특히 천연두, 홍역 등 ❷을 퍼뜨려 원주민 인구가 급감하였다.
**답** ❶ 유럽인 ❷ 전염병

---

**1** (가) 왕조에서 있었던 일로 옳지 <u>않은</u> 것은?

〈중국 왕조의 변천 과정〉

| 송 | ⇨ | 원 | ⇨ | (가) | ⇨ | 청 |

① 양명학이 등장하였다.
② 『사고전서』가 편찬되었다.
③ 이갑제로 향촌을 지배하였다.
④ 신사층이 사회를 주도하였다.
⑤ 「곤여만국전도」가 제작되었다.

**2** (가)에 들어갈 왕조로 옳은 것은?

> [   (가)   ] 은/는 한족을 다스리기 위해 회유책과 강압책을 함께 실시하였다. 과거제를 실시하여 중요 관직에 한족을 등용하면서도 한족에게 변발과 호복을 강요하였다.

① 요　　② 금　　③ 원
④ 명　　⑤ 청

---

**3** ㉠~㉤ 중 옳지 <u>않은</u> 내용이 포함된 것은?

> **명·청 시대의 사회와 문화**
> • 지배층 : ㉠ <u>사대부(학생, 전현직 관료 출신 등)</u>, 지방관을 도와 향촌 사회의 안정과 질서 유지 담당
> • 양명학 제창 : ㉡ <u>명대에 등장</u>
> 　　　　　　　㉢ <u>성리학 비판, 지행합일 강조</u>
> • 고증학 등장 : 청대에 등장
> 　　　　　　　㉣ <u>경전을 실증적으로 연구</u>
> • 서민 문화 발달 : 『삼국지연의』, 『수호전』 등 소설 유행
> 　　　　　　　㉤ <u>경극 발달</u>

① ㉠　　② ㉡　　③ ㉢
④ ㉣　　⑤ ㉤

**4** (가)에 들어갈 내용을 ⌐보기⌐에서 순서대로 옳게 나열한 것은?

> **일본에 막부 정치가 전개되다**
> 1. 막부 : 쇼군을 수장으로 한 무사 정권
> 2. 등장 배경 : 헤이안 시대 후반 치안 악화로 무사 등장 → 쇼군과 무사 간에 토지를 매개로 한 주종 관계 성립
> 3. 일본의 역대 막부 정권
> [　　　　　(가)　　　　　]

> ⌐보기⌐
> ㄱ. 에도 막부　　　　　ㄴ. 가마쿠라 막부
> ㄷ. 무로마치 막부

① ㄱ-ㄴ-ㄷ　　　② ㄱ-ㄷ-ㄴ
③ ㄴ-ㄱ-ㄷ　　　④ ㄴ-ㄷ-ㄱ
⑤ ㄷ-ㄴ-ㄱ

임진왜란 이후 동아시아 질서의 변화

**5** (가)에 들어갈 내용으로 적절한 것을 | 보기 |에서 모두 고르면?

┌─ 보기 ┐
ㄱ. 명이 쇠약해지고 후금이 성장하였습니다.
ㄴ. 고려가 멸망하고 조선이 건국되었습니다.
ㄷ. 도쿠가와 이에야스가 에도 막부를 수립하였습니다.
ㄹ. 서양 선교사들이 중국에 서양 문물을 전파하였습니다.
└─────────────────────────────────┘

① ㄱ, ㄴ     ② ㄱ, ㄷ     ③ ㄴ, ㄷ
④ ㄴ, ㄹ     ⑤ ㄷ, ㄹ

오스만 제국의 특징

**6** (가)에 들어갈 나라로 옳은 것은?

┌─────────────────────────────────┐
　　　(가)　　에서는 튀르크의 전통을 바탕으로 페르시아, 이슬람, 비잔티움 문화 등이 융합되었다. 넓은 영토 안에 여러 민족과 종교가 공존하였기 때문이다. 　(가)　은/는 다양한 민족의 문화와 종교를 포용하는 관용 정책을 펼쳐서 인두세(지즈야)만 내면 피정복민의 종교, 언어, 풍습을 유지할 수 있도록 허용하였다. 이는 다양한 문화가 융합될 수 있는 바탕이 되었다. 비잔티움 양식과 이슬람의 전통이 융합된 술탄 아흐메트 사원이 대표적 사례이다.
└─────────────────────────────────┘

① 오스만 제국     ② 무굴 제국
③ 비잔티움 제국     ④ 셀주크 튀르크
⑤ 티무르 왕조

신항로 개척

**7** (가)에 들어갈 인물로 옳은 것은?

┌─────────────────────────────────┐
**세계사 영상 자료실**

상세 정보
　태평양을 가로질러 최초로 세계 일주에 성공한 　(가)　 함대의 여정을 다룬 영상이다. 남아메리카를 돌아 서쪽으로 항해하여 태평양을 지나는 과정, 필리핀 세부 막탄 섬의 부족과 싸우는 과정에서 　(가)　이/가 목숨을 잃은 경위, 남은 대원들이 에스파냐로 돌아오게 되는 과정이 생생히 묘사되어 있다.
└─────────────────────────────────┘

① 콜럼버스     ② 마젤란
③ 펠리페 2세     ④ 바스쿠 다 가마
⑤ 이븐 바투타

이슬람 제국의 발전

**8** 다음은 어떤 역사적 인물에 대한 연관 검색어 목록이다. 해당 인물로 옳은 것은?

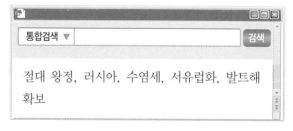

① 표트르 대제     ② 프리드리히 2세
③ 루이 14세     ④ 펠리페 2세
⑤ 엘리자베스 1세

프랑크 왕국

**1** (가) 인물에 대한 설명으로 옳은 것은?

지금 보고 계시는 이 동상은 프랑크 왕국의 전성기를 이룬 ___(가)___ 을/를 묘사한 것입니다. 서유럽 세계를 정치·문화적으로 통일한 그의 정신은 현재에도 계승되어 유럽 통합에 기여하고 있습니다.

① 성 소피아 대성당을 건축하였다.

② 로마 교황에게 서로마 황제의 관을 받았다.

③ 『신학대전』을 저술하여 스콜라 철학을 집대성하였다.

④ 성상 숭배 금지령을 내려 로마 교회와 갈등을 겪었다.

⑤ 교황에게 파문당한 이후 카노사에서 용서를 구하였다.

**Tip**

프랑크 왕국의 전성기를 이룬 **❶** 대제는 로마 고전 문화의 부활을 장려하고 로마 교회와의 제휴 관계를 공고히 함으로써 로마 문화와 **❷** 문화, 크리스트교 문화가 융합되는 계기를 마련하였다.

　　　　　　　　　　　　　답 ❶ 카롤루스 ❷ 게르만

---

종교 개혁

**2** 온라인 수업 중 어떤 역사적 인물을 설명하는 짧은 글을 게시하였다. (가)에 들어갈 내용으로 적절한 것은?

• 종교 개혁의 선구자이다.

• 「95개조 반박문」을 발표하였다.

• ___(가)___

① 예정설을 주장하였다.

② 독일 제후들에게 지지를 받았다.

③ 국왕이 영국 교회의 수장임을 주장하였다.

④ 예루살렘을 이슬람 세력으로부터 되찾자고 호소하였다.

⑤ 부자가 되는 것은 신의 은혜라고 주장하여 상공업자의 지지를 받았다.

**Tip**

독일의 **❶** 는 「95개조 반박문」을 발표하여 성 베드로 성당 증축 비용을 마련하고자 **❷** 를 판매한 교황과 교회를 비판하였다. 그는 인간의 구원은 오로지 믿음과 신의 은총을 통해서만 이루어진다고 주장하였다.

　　　　　　　　　　　　　답 ❶ 루터 ❷ 면벌부

**3** (가), (나) 사이의 시기에 있었던 사실로 옳은 것은?

(가) 과거제에 전시가 도입되었다는군. 이제 황제 폐하께서 합격자의 순위를 직접 정하신다네.

그게 정말인가? 합격하게 되면 황제 폐하에 대한 충성심이 더욱 높아지겠구먼.

(나) 몽골이 금을 멸망시켰다는군. 듣기로는 유럽쪽까지 공격하였다는구먼.

몽골의 위세가 매섭구먼. 다음엔 우리 송이 아닐까 내심 걱정이라네.

① 홍건적의 난이 일어나 중국이 혼란에 빠졌다.

② 쿠빌라이 칸이 수도를 대도(베이징)로 옮겼다.

③ 절도사들이 각 지방에서 독립적인 세력을 형성하였다.

④ 마르코 폴로가 중국을 다녀간 후 『동방견문록』을 남겼다.

⑤ 왕안석이 민생 안정, 부국강병 등을 목표로 개혁을 시도하였다.

**Tip**

송의 지나친 **❶** 정책은 국방력 약화로 이어져 이민족의 침입이 잦았다. 평화의 대가로 이민족에게 물자를 제공하면서 재정이 악화되자 **❷** 이 부국강병을 위한 개혁을 시도하였다.

**답** ❶ 문치주의 ❷ 왕안석

**4** (가), (나)에 들어갈 내용으로 옳은 것을 ┃보기┃에서 모두 고르면?

> **탐구 활동 보고서**
>
> 청의 한족 지배
>
> 1. 배경 : 소수의 만주족으로 다수의 한족을 다스려야 했던 청은 회유책과 강압책을 함께 사용하였다.
>
> 2. 구체적 사례
>
> | 구분 | 내용 |
> | --- | --- |
> | 회유책 | (가) |
> | 강압책 | (나) |

┌ **보기** ┐

ㄱ. (가) : 한족에게 만주족의 풍습인 변발과 호복을 강요하였다.

ㄴ. (가) : 과거 시험을 실시하여 만주족과 한족을 함께 등용하였다.

ㄷ. (나) : 청을 비판하는 서적을 금지하였다.

ㄹ. (나) : 색목인을 우대하고 한족을 차별하였다.

① ㄱ, ㄴ    ② ㄱ, ㄷ    ③ ㄴ, ㄷ
④ ㄴ, ㄹ    ⑤ ㄷ, ㄹ

**Tip**

소수의 **❶** 이 세운 청은 다수의 한족을 포함한 다양한 민족을 통치하기 위해 강압책과 **❷** 을 적절히 사용하였다.

**답** ❶ 만주족 ❷ 회유책

① (가) – (다) – (마)　　② (가) – (라) – (마)

③ (가) – (라) – (바)　　④ (나) – (다) – (바)

⑤ (나) – (라) – (마)

**Tip**

이중 통치 체제는 정복 왕조가 유목 민족의 지역에서 **❶**, 한족의 지역에서는 **❷** 를 적용한 지배 체제이다.

**답 ❶** 부족제 **❷** 주현제

---

중세 서유럽의 봉건 사회

**5** (가)에 들어갈 내용으로 옳은 것을 보기 에서 모두 고르면?

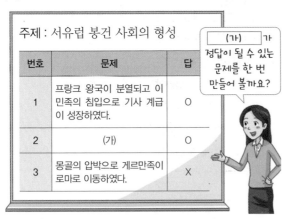

주제 : 서유럽 봉건 사회의 형성

(가) 가 정답이 될 수 있는 문제를 한 번 만들어 볼까요?

| 번호 | 문제 | 답 |
|---|---|---|
| 1 | 프랑크 왕국이 분열되고 이민족의 침입으로 기사 계급이 성장하였다. | O |
| 2 | (가) | O |
| 3 | 몽골의 압박으로 게르만족이 로마로 이동하였다. | X |

보기
ㄱ. 농노는 자유롭게 이사를 할 수 있었다.
ㄴ. 주군과 기사는 쌍무적 계약 관계를 맺었다.
ㄷ. 주군은 기사에게 땅을 주고 봉신으로 삼았다.
ㄹ. 영주는 주군의 간섭을 받으며 장원을 다스렸다.

① ㄱ, ㄴ　② ㄱ, ㄷ　③ ㄴ, ㄷ　④ ㄴ, ㄹ　⑤ ㄷ, ㄹ

**Tip**

게르만족은 **❶** 의 침입을 받아 서로마 제국으로 대이동을 하였다. 쌍무적 계약 관계는 기사가 주군에 충성을 하는 대가로 **❷** 를 받음으로써 맺어진 관계이다. **답 ❶** 훈족 **❷** 봉토(영지)

---

송의 통치

**6** 도착까지 무사히 건너갈 수 있는 경로로 옳은 것은?

미션 : 송에 대한 내용 유리판을 골라 도착 지점까지 건너가세요.

| (가) 문치주의 | (다) 연운 16주 차지 | (마) 과거제 전시 도입 |
|---|---|---|
| 출발 | | 도착 |
| (나) 부족제,주현제 이중 통치 체제 | (라) 성리학 발달 | (바) 파스타 문자 사용 |

---

비잔티움 제국

**7** (가) 인물에 대한 설명으로 옳은 것은?

문화재 사전

(가) 법전
공화정 시기의 법전과 제정 시기의 법전을 모두 정리하여 집대성한 로마법 대전으로, 비잔티움 제국 (가) 황제의 이름을 따서 부르고 있다.

① 성 소피아 대성당을 건설하였다.

② 성상 숭배 금지령을 발표하였다.

③ 이슬람 세력의 침입을 격퇴하였다.

④ 이탈리아 중부 지역을 교황령으로 넘겼다.

⑤ 로마 교황으로부터 서로마 황제로 임명되었다.

**Tip**

프랑크 왕국의 **❶** 은 이베리아반도에서 침입한 이슬람 세력을 격퇴하였다. 한편 동서 교회의 분열은 비잔티움 제국의 **❷** 가 발표한 성상 숭배 금지령이 배경이 되었다.

**답 ❶** 카롤루스 마르텔 **❷** 레오 3세

**8** (가) 황제가 재위한 시기에 일어난 사실로 옳은 것을

보기 에서 모두 고르면?

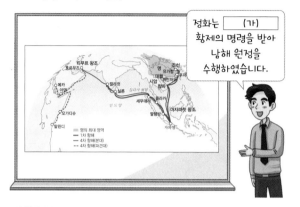

정화는 (가) 황제의 명령을 받아 남해 원정을 수행하였습니다.

보기

ㄱ. 재상제 폐지　　　ㄴ. 이갑제 실시

ㄷ. 베이징 천도　　　ㄹ. 자금성 건설

① ㄱ, ㄴ ② ㄱ, ㄷ ③ ㄴ, ㄷ ④ ㄴ, ㄹ ⑤ ㄷ, ㄹ

**Tip**

홍무제는 ❶ 을 수도로 삼아 명을 건국하였으며, 영락제는 ❷ 으로 수도를 옮겼다. 　답 ❶ 난징 ❷ 베이징

**9** 도미노퍼즐의 (가), (나)에 들어갈 내용으로 옳은 것은?

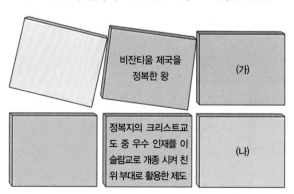

비잔티움 제국을 정복한 왕

(가)

정복지의 크리스트교도 중 우수 인재를 이슬람교로 개종 시켜 친위 부대로 활용한 제도

(나)

|  | (가) | (나) |
|---|---|---|
| ① | 메흐메트 2세 | 밀레트 |
| ② | 메흐메트 2세 | 예니체리 |
| ③ | 셀림 1세 | 밀레트 |
| ④ | 술레이만 1세 | 예니체리 |
| ⑤ | 술레이만 1세 | 밀레트 |

**Tip**

❶ 는 인두세를 내면 이슬람교로 개종하지 않고 종교적 공동체를 유지할 수 있도록 한 것이다. 메흐메트 2세는 콘스탄티노폴리스를 ❷ 로 개칭하고 수도로 삼았다.

답 ❶ 밀레트 ❷ 이스탄불

**10** (가)~(라)에 들어갈 국가를 옳게 짝지은 것은?

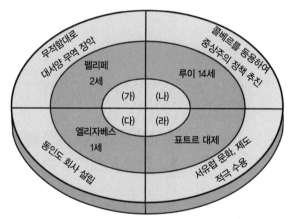

|  | (가) | (나) | (다) | (라) |
|---|---|---|---|---|
| ① | 영국 | 프로이센 | 러시아 | 프랑스 |
| ② | 프랑스 | 영국 | 러시아 | 프로이센 |
| ③ | 프랑스 | 프로이센 | 영국 | 러시아 |
| ④ | 에스파냐 | 프랑스 | 영국 | 러시아 |
| ⑤ | 에스파냐 | 영국 | 프랑스 | 프로이센 |

**Tip**

엘리자베스 1세는 에스파냐의 ❶ 를 격파하여 해상권을 장악하였으며, ❷ 를 확립하였다. 　답 ❶ 무적함대 ❷ 영국 국교회

## 핵심 개념 1_메소포타미아 문명과 이집트 문명

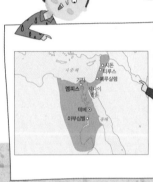

## 핵심 개념 2_아테네 민주 정치의 특징

## 핵심 개념 3_북방 민족의 중국 통치 방식

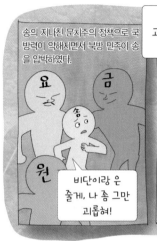

송의 지나친 문치주의 정책으로 국방력이 약해지면서 북방 민족이 송을 압박하였다.

우리 부족은 고유의 부족제로 다스리고!

비단이랑 은 줄게, 나 좀 그만 괴롭혀!

한족은 중국식 통치 방식인 군현제로 다스리고! 따로 따로!

정복 왕조로 발전한 요와 금은 한족에 동화되지 않기 위해 자신만의 고유 문자를 만들었습니다.

국가의 최고 고위직은 몽골인이 모두 독점한다! 마지막까지 저항했던 남송의 한족은 가장 심하게 차별한다!

반면 원은 몽골 제일주의를 내세워 여러 민족을 차별적으로 대우하는 방식으로 지배했습니다.

이는 소수의 몽골인이 다수의 한족을 다스리기 위한 방식이었으나 결국 불만이 쌓인 한족의 반란으로 원은 쇠퇴하게 되었습니다.

이처럼 한족 중심 중화에서 벗어나 각자 자국을 새로운 중화, 세계의 중심으로 두는 생각이 동아시아 삼국에 등장하였습니다.

## 핵심 개념 4_명·청 교체와 화이론의 변화

우리 한족은 우월해! 주변 오랑캐에 비할 바가 아니지. 우리가 바로 중화야!

이러한 인식이 바로 동아시아 세계 질서를 지탱하는 화이론이었어요. 그러나 한족 왕조인 명이 멸망하고 만주족의 청이 중국을 지배하면서 이러한 생각에도 변화가 생깁니다!

태어난 곳이 중원이냐 아니냐를 가지고 중화인과 오랑캐를 구별할 수 있겠는가?

명이 멸망한 지금, 오직 우리나라만이 홀로 예를 간직한 나라가 되었다! 공자께서 다시 태어나면 반드시 조선으로 올 것이다!

우리는 임진년에 이미 명을 정벌한다는 구호를 내세웠다. 즉 우리는 이미 한족 중심 중화의 질서에서 벗어나려 하였다! 우리는 우리만의 길을 갈 것이다.

# 신유형·신경향·서술형 전략

## 01 고대 문명의 발생

다음은 '고대 문명의 발생' 다큐멘터리 촬영을 위한 장면 설정이다. 촬영 장면에 해당하는 지역을 지도의 A~C에서 순서대로 옳게 나열한 것은?

#No. 1

거대한 지구라트를 클로즈업하고, 지구라트 가장 최상층에 있는 신전에 출입하는 왕의 모습을 보여 준다.

#No. 2

주기적으로 범람하는 나일강의 모습을 빠르게 보여 준 후, '나일 강의 범람 시기를 예측하는 과정에서 천문학이 발달하였다.'라는 내레이션을 넣어 준다.

#No. 3

모헨조다로의 대목욕장 유적을 드론으로 촬영한 후, 모헨조다로에서 출토된 인장을 오버랩하여 보여 준다.

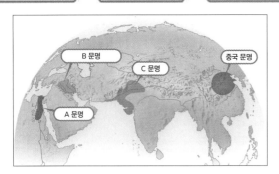

① A → B → C
② B → A → C
③ B → C → D
④ C → D → A
⑤ C → A → B

Tip 지구라트는 ❶ 문명의 신전이고, 나일강 주변을 중심으로 이집트 문명이 발달하였다. 인더스강 유역에서는 기원전 2500년경에 하라파와 ❷ 를 중심으로 문명이 발달하였다.

답 ❶ 메소포타미아 ❷ 모헨조다로

## 02 그리스·페르시아 전쟁

(가)에 들어갈 내용으로 적절한 것을 보기 에서 모두 고르면?

자료는 그리스 도기에 묘사된 페르시아 병사와 그리스 병사의 전투 모습이랍니다. 그리스·페르시아 전쟁을 나타낸 것이지요. 이 전쟁의 결과를 이야기해 볼까요?

보기
ㄱ. 사산 왕조 페르시아가 동서 무역을 독점하게 되었습니다.
ㄴ. 페르시아의 국력이 점차 쇠약해져 결국 알렉산드로스에 의해 정복당했습니다.
ㄷ. 아테네를 중심으로 페르시아의 재침입에 대비하기 위해 델로스 동맹을 형성했습니다.
ㄹ. 스파르타를 중심으로 하는 펠로폰네소스 동맹이 그리스의 주도권을 잡게 되었습니다.

① ㄱ, ㄴ
② ㄱ, ㄷ
③ ㄴ, ㄷ
④ ㄴ, ㄹ
⑤ ㄷ, ㄹ

Tip 서아시아 지역을 통일한 ❶ 왕조 페르시아가 그리스를 3차례 침입하여 그리스·페르시아 전쟁이 일어났다. 그 결과 페르시아가 패배하여 국력이 쇠퇴해졌으며, 그리스에서는 아테네를 중심으로 ❷ 동맹이 형성되었다.

답 ❶ 아케메네스 ❷ 델로스

## 03 종교 개혁

**다음과 같이 주장한 인물에 대한 설명으로 옳은 것은?**

> 일찍이 신께서는 당신의 영원불변한 섭리를 통해 구제해 주려는 자들과 파멸에 빠뜨리려는 자들을 결정하셨다. 선택된 자들에게 이와 같은 섭리는 인간의 자질과는 아무런 관계가 없는 신의 자비에 근거한 것이며, 또 반대로 신께서 지옥에 떨어뜨리려는 모든 자들에게는 생명으로 나아가는 길이 막혀 있음을 뜻하는 바이다.
> 이 모든 것이 은밀하고 알 수 없는 신의 심판에 의해 이루어지며, 그럼에도 불구하고 그것은 정당하고도 공평하다.

① 근면하고 검소한 직업 생활을 강조하였다.

② 자신의 이혼 문제를 계기로 교황과 대립하였다.

③ 『신학대전』을 저술하여 스콜라 철학을 집대성하였다.

④ 「95개조 반박문」을 발표하여 당시 교황과 교회를 비판하였다.

⑤ 성지 회복을 위해 셀주크 튀르크를 상대로 전쟁할 것을 호소하였다.

> **Tip** 자료는 **❶** 의 예정설이다. 그는 인간의 구원은 신에 의해 이미 정해져 있으므로 구원을 믿고 성서에 따라 생활해야 한다고 주장하였다. 그는 근면과 절약을 강조하고 부자가 되는 것을 신의 은혜라고 주장하여 **❷** 들의 지지를 받았다.
>
> **답** ❶ 칼뱅 ❷ 상공업자

## 04 오스만 제국의 술레이만 1세

**(가) 인물이 펼친 활동으로 옳은 것은?**

> "(가) 에 대해 검색해 줘."

> 오스만 제국의 10대 황제로, 오스만 제국의 전성기를 연 인물이다. 재위 기간은 1520~1566년이다. 오스트리아의 수도 빈을 포위 공격하였으며 …… 서아시아, 북아프리카, 동유럽에 걸친 광대한 대제국을 건설하였다.

① 동인도 회사를 세워 아시아로 진출하였다.

② 몽골 제국의 부활을 내걸고 대제국을 건설하였다.

③ 유럽의 연합 함대를 물리치고 지중해 해상권을 장악하였다.

④ 계몽사상을 받아들여 위로부터의 근대적 개혁을 추진하였다.

⑤ 비이슬람교도에게 인두세를 거두고 힌두 사원을 파괴하였다.

> **Tip** 오스만 제국의 전성기를 이룬 황제는 **❶** 이다. 그는 헝가리를 정복하고, 유럽의 연합 함대를 무찔러 **❷** 해상권을 장악하였다.
>
> **답** ❶ 술레이만 1세 ❷ 지중해

## 01 신석기 시대의 생활 모습

다음 상상화를 보고 물음에 답하시오.

(1) 위의 상상화는 구석기인과 신석기인 중 누구의 생활 모습을 묘사한 것인지 쓰시오.

➡ _____

(2) (1)과 같이 생각한 이유를 그림에서 두 가지 이상의 근거를 찾아 서술하시오.

➡ _____

## 02 로마 공화정의 위기

다음 연설을 한 인물이 누군지 쓰고, 밑줄 친 부분과 같은 상황이 나타나게 된 배경을 서술하시오.

> 병사들은 열심히 싸웠고, 용감하게 죽었습니다. 그들 자신을 위해서가 아니라 남의 재산과 행복을 지키기 위해서였습니다. 로마 시민은 승리자이고, 세계의 지배자입니다. 하지만 현실은 어떻습니까. 로마 시민은 흙 한 줌 가지고 있지 않습니다.
>
> – 플루타르코스, 『플루타르코스 영웅전 전집』 하권 –

## 03 대승 불교와 상좌부 불교

(가)와 (나) 불교 종파를 쓰고, 각 불교종파의 특징을 비교하여 서술하시오.

## 04 이슬람 제국의 발전

다음 대화를 보고 물음에 답하시오.

> ㉠ 이 왕조는 제4대 칼리프 알리가 암살된 이후 특정 가문이 칼리프 자리를 세습하면서 시작되었습니다. 661년부터 750년까지 존속하였으며, 수도는 다마스쿠스입니다. 아시아, 아프리카, 유럽의 세 대륙에 걸친 대제국으로 발전하였습니다.

> ㉡ 이 왕조는 철수가 설명하는 왕조에 불만을 가진 세력의 도움을 받아 세워졌습니다. 바그다드를 수도로 삼았으며, 750년부터 1258년까지 존속하였습니다. 당과 벌인 탈라스 전투에서 승리하여 중앙아시아의 동서 교역로를 장악하였습니다.

(1) ㉠과 ㉡에 해당하는 왕조를 쓰시오.

➡ _____

(2) ㉠ 왕조와 ㉡ 왕조의 비이슬람교도에 대한 통치 정책을 비교하여 서술하시오.

➡ _____

## 05 흑사병이 유럽 사회에 미친 영향

(가)에 해당하는 병명을 적고, 이 병이 유럽 사회에 미친 영향을 제시된 용어를 모두 활용하여 서술하시오.

그림은 「죽음의 무도」입니다. [ (가) ] (으)로 인한 죽음의 상징인 시체들이 다양한 신분의 사람들과 춤을 추고 있습니다. 이 장면을 통해 [ (가) ] 이/가 유럽 사회의 모든 계층에서 유행했음을 알려 줍니다.

| | |
|---|---|
| • 인구 | • 영주 |
| • 농노(또는 농민) | • 봉기 • 장원 |

## 06 원의 중국 지배 정책

다음 자료를 보고 물음에 답하시오.

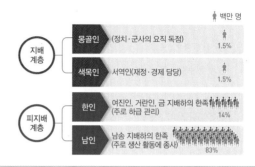

원은 몽골 제일주의를 내세워 민족에 따라 대우를 달리하는 방식으로 중국을 지배하였다. 소수의 몽골인은 국가의 최고 고위직을 독점하였고, 서역 출신의 색목인은 재정과 경제 분야의 실무를 담당하였다. 반면에 마지막까지 원에 저항하였던 남송의 한족은 가장 심한 차별을 받았다.

(1) 원이 각 민족을 다르게 대우한 기준을 밑줄 친 부분을 통해 추론하여 서술하시오.

→

(2) 원이 민족 차별 정책을 실시한 이유를 몽골인과 각 민족의 숫자에 초점을 두어 서술하시오.

→

## 07 산킨코타이 제도의 목적과 영향

에도 막부 시대에 쇼군이 산킨코타이 제도를 실시한 목적을 서술하고, 산킨코타이 제도가 가져온 경제·문화적 변화를 두 가지 이상 서술하시오.

※※ 1등급 킬러

## 01 (가) 왕조에 대한 설명으로 옳은 것은?

> • 점을 치는 사람이 "올해 왕이 오천의 병사를 모아 토방( (가) 의 북쪽에 있던 제후국)을 정벌하고자 하는데 신의 가호를 받을 수 있겠습니까?"라고 물었다.
> • (가) 의 왕이 친히 점을 쳤다. 왕이 "올해 우리 나라에 풍년이 들겠습니까?"라고 물으니 복조를 본 후에 길하다고 여겼다.

① 중국 문헌 기록상 최초의 나라이다.
② 봉건제를 시행하여 나라를 통치하였다.
③ 법가 사상을 바탕으로 중국 전체를 통일하였다.
④ 나라의 중요한 결정 사항을 갑골문으로 기록하였다.
⑤ 진승·오광의 난을 계기로 각지에서 농민 반란이 일어나 멸망하였다.

## 02 지도의 (가) 왕조에 대한 설명으로 옳은 것을 | 보기 |에서 모두 고르면?

> | 보기 |
> ㄱ. 조로아스터교를 국교로 삼았다.
> ㄴ. 비잔티움 제국과의 계속된 전쟁으로 점차 쇠퇴하였다.
> ㄷ. 로마와 지중해 패권을 두고 포에니 전쟁을 벌였으나 패배하였다.
> ㄹ. '왕의 눈', '왕의 귀'라고 불리는 감찰관을 통해 총독을 감시하였다.

① ㄱ, ㄴ ② ㄱ, ㄷ ③ ㄴ, ㄷ ④ ㄴ, ㄹ ⑤ ㄷ, ㄹ

※※ 1등급 킬러

## 03 ⊙과 ⓒ 인물에 대한 설명을 옳게 짝지은 것은?

> • ⊙ 그는 부친을 살해한 이들에 대한 복수를 위해 안토니우스와 레피두스에게 많이 양보해야 했다. 레피두스가 늙고 게을러졌을 때, 그리고 안토니우스가 방종에 빠졌을 때 국가의 혼란을 치유할 유일한 방법은 단일 지배 체제의 구축뿐이었다. 그러나 ⊙ 그는 자신이 왕이나 독재관이 됨으로써가 아니라 원수정을 수립함으로써 국가의 질서를 회복하였다.
> – 타키투스, 「연대기」 –
>
> • 일찍이 ⓒ 나와 리키니우스 황제가 길조 속에서 밀라노에서 회동하고 공익과 안전에 관한 모든 현안을 토의하였다. 그 결과 우리가 보기에 대다수 사람에게 이익이 될 수단 중에서 무엇보다도 신에 대한 존경을 확실히 하기 위한 규정을 만들어야 한다고 생각하였다. …… 즉 어떤 사람이든 크리스트교인의 예배 또는 자신에게 가장 적합한 것으로 여기는 종교에 헌신할 자유가 부인되어서는 안 된다고 생각하였다.
> – 에우세비오스, 「교회사」 –

① ⊙ : 자영농의 몰락을 막기 위해 농지법 등의 개혁을 시도하였다.
② ⊙ : 제국을 네 부분으로 나누어 네 명의 통치자가 다스리도록 하였다.
③ ⊙ : 강력한 군사력을 기반으로 정권을 장악하였으나 반대파에게 암살당하였다.
④ ⓒ : 수도를 콘스탄티노폴리스로 옮겼다.
⑤ ⓒ : 크리스트교를 국교로 선포하였다.

** 1등급 킬러

**04** 다음은 천재가 작성한 역사 OX 퀴즈의 답안지이다. 천재가 받게 될 점수로 옳은 것은?

| 형성<br>평가 | 불교 및 힌두교 문화의<br>형성과 확산 | 학번 | 20130 |
|---|---|---|---|
| | | 이름 | 정천재 |

※ 각 문항의 내용이 맞으면 답란에 O표, 틀리면 X표 하세요.
(각 문항당 25점, 총 100점 만점)

| 번호 | 문항 | 답란 |
|---|---|---|
| 1 | 마우리아 왕조는 아소카왕 때 전성기를 맞이하였다. | O |
| 2 | 쿠샨 왕조의 간다라 지역에서 등장한 간다라 양식은 인도 고유의 특징이 잘 표현되었다. 아잔타 석굴 사원과 엘로라 석굴 사원의 불상과 벽화에서 확인할 수 있다. | X |
| 3 | 대승 불교는 카니슈카왕의 전파 노력에 힘입어 실론과 동남아시아 등지로 전파되었다. | O |
| 4 | 굽타 왕조 시대에는 브라만교와 불교, 인도의 민간 신앙이 융합되면서 힌두교로 발전하였다. | O |

① 0점      ② 25점      ③ 50점
④ 75점      ⑤ 100점

**05** 다음 비석을 세운 왕조에 대한 설명으로 옳은 것은?

대진국에 아라본이라는 높은 덕을 가진 분이 있었다. …… 아라본이 멀리 이곳까지 와서 경전과 성상을 바쳤는데, 그 교리가 헤아릴 수 없이 미묘하여 …… 마땅히 천하에 행해지도록 해야 할 것이다. 담당 관청이 곧 장안의 서북쪽 구역에 대진사를 세우고 21명의 승려를 인가해 주었다.

① 한화 정책을 추진하여 민족 융합을 시도하였다.
② 안사의 난 이후 절도사가 독자적 세력을 키웠다.
③ 장건을 대월지로 보내 흉노를 견제하고자 하였다.
④ 화북과 강남을 잇는 대운하를 만들기 시작하였다.
⑤ 능력을 중심으로 인재를 등용하여 제자백가가 출현하였다.

**06** (가) 왕조에 대한 설명으로 옳은 것을 | 보기 |에서 모두 고르면?

┌─ 보기 ─────────────────────
ㄱ. 정치적 지배자를 술탄이라고 불렀다.
ㄴ. 비아랍인도 군인이나 관료로 등용하였다.
ㄷ. 귀족들의 탄압을 피해 메카에서 메디나로 중심지를 옮겼다.
ㄹ. 당과 중앙아시아의 패권을 둘러싸고 전쟁을 벌여 승리하였다.
──────────────────────────

① ㄱ, ㄴ ② ㄱ, ㄷ ③ ㄴ, ㄷ ④ ㄴ, ㄹ ⑤ ㄷ, ㄹ

## 3강 | 크리스트교 문화의 형성과 확산 ~몽골 제국과 문화 교류

**07** 교사의 질문에 대한 학생의 답변으로 옳지 <u>않은</u> 것은?

국왕 / 충성, 군역 / 보호, 봉토 수여

수도원장 / 대주교 / 제후 / 기사 / 기사

세금 납부 / 보호

농노 / 농노

> 그림에 나타난 중세 서유럽의 정치 구조를 설명해 볼까요?

① 왕실과 제후의 혈연관계를 바탕으로 성립되었습니다.

② 봉신은 주군의 간섭 없이 독자적으로 장원을 다스렸습니다.

③ 봉신이 주군에게 받은 봉토는 장원의 형태로 운영되었습니다.

④ 프랑크 왕국이 분열된 이후 이민족 침입으로 혼란한 상황에서 성립되었습니다.

⑤ 주군이 봉신에게 땅을 주는 대가로 봉신은 주군에게 충성과 봉사를 맹세하였습니다.

**08** 다음 조치가 가져온 결과로 가장 적절한 것은?

> 내 권위와 온전함을 확신하니, 이제 나는 전능한 신, 성부, 성자, 성령의 이름으로 황제 하인리히(하인리히 3세)의 아들 하인리히(하인리히 4세)가 독일과 이탈리아에 있는 그의 왕국을 상실하였음을 선언하노라. 나는 이것을 당신의 권위에 따라서, 그리고 당신의 교회의 명예를 지키기 위해 하였노라. 그가 반역하였기 때문에 …… 그는 교회로부터 스스로를 잘라 내었으며, 교회를 조각내고자 하였도다. 그러므로 당신의 권위에 따라서 그를 저주하에 놓노라.

① 십자군 전쟁이 일어났다.

② 성상 숭배 금지령이 내려졌다.

③ 루터가 「95개조 반박문」을 발표하였다.

④ 황제가 카노사로 교황을 찾아가 사죄하였다.

⑤ 그리스 정교회와 로마 가톨릭 교회가 분리되었다.

✦ 1등급 킬러

**09** 다음은 역사 신문의 기사 제목이다. (가)~(마) 중 순서상 세 번째에 해당하는 것은?

> (가) 「사람을 만나다」, 성리학을 집대성한 주희와의 인터뷰!
>
> (나) 완안부의 추장 아구다, 금을 건국하다
>
> (다) 왕안석, 민생 안정과 부국강병을 목표로 개혁의 뜻을 밝히다
>
> (라) 송과 요가 화친을 맺다, 송이 요에 매해 비단과 은을 제공하기로 해!
>
> (마) 서아시아의 아바스 왕조, 몽골에 의해 무너지다

① (가)    ② (나)    ③ (다)

④ (라)    ⑤ (마)

### 4강 | 동아시아 지역 질서의 변화
### ~신항로 개척과 유럽 지역 질서의 변화

** 1등급 킬러

**10** 밑줄 친 '전쟁'의 결과로 옳은 것을 ┃보기┃에서 모두 고르면?

> 적이 전쟁을 일으켜 지나가는 곳마다 사람을 죽이고 해쳐, 조선 백성들의 처지가 차마 말할 수 없이 비참합니다. 조선의 국왕은 평양을 떠나 다시 피신하였습니다. 사납고 모진 적이 조선을 차지하면 분명 요동을 침범할 것입니다. 우리 영토에 적이 들어온 뒤 방어하면 이미 늦을 것입니다.
>
> – 만력 20년 6월 –

┌ 보기 ┐
ㄱ. 여진의 누르하치가 후금을 세웠다.
ㄴ. 명의 재정이 급격히 악화되고 국력이 쇠퇴하였다.
ㄷ. 영락제가 정화가 이끄는 함대를 해외로 파견하였다.
ㄹ. 도요토미 히데요시가 오랫동안 분열된 일본을 통일하였다.

① ㄱ, ㄴ     ② ㄱ, ㄷ     ③ ㄴ, ㄷ
④ ㄴ, ㄹ     ⑤ ㄷ, ㄹ

**11** (가) 나라에 대한 설명으로 옳은 것은?

> 그림은 (가) 의 커피 하우스를 묘사한 것입니다. 지금의 카페와 유사한 커피 하우스에서 커피를 마시는 생활 습관은 (가) 에서 유행하여 유럽으로 번져 나갔습니다.

① 돔과 연꽃 문양이 특징인 타지마할을 건축하였다.
② 이스파한을 수도로 삼고 이맘 모스크를 건설하였다.
③ 지즈야만 납부하면 비이슬람교도에게도 자치를 허용해 주었다.
④ 수도 바그다드는 세계적인 교역과 문화의 중심지로 성장하였다.
⑤ 비잔티움 제국을 위협하여 서유럽 세계와 십자군 전쟁을 벌였다.

✱✱ 1등급 킬러

**01** (가) 나라에 대한 설명으로 옳은 것은?

> 지중해 동남 연안에서는 [ (가) ]이/가 성장하였다. B.C. 1250년경 이들은 동지중해 연안과 에게해 연안을 장악하고 뛰어난 항해술을 바탕으로 지중해 무역을 독점해 나갔다. 또 지중해 연안의 넓은 지역에 카르타고를 비롯한 식민지를 건설하였다.

① 엄격한 신분제인 카스트제를 만들었다.
② 유일신 신앙이 특징인 유대교를 믿었다.
③ 지구라트라는 신전을 세우고 수호신을 모셨다.
④ 알파벳의 기원이 되는 표음 문자를 고안하였다.
⑤ 영혼 불멸을 믿어 피라미드, 스핑크스 등을 조성하였다.

**02** (가) 인물에 대한 설명으로 옳은 것을 | 보기 |에서 모두 고르면?

>
> 『사기』는 사마천이 중국의 신화 시대부터 [ (가) ] 때까지의 역사를 편찬한 책이다. 중국을 대표하는 역사책으로, 황제들의 업적과 각종 제도 및 인물들의 활동을 서술하여 동아시아 역사 서술의 모범이 되었다.

┌ 보기 ┐
ㄱ. 유가 사상을 통치 이념으로 정하였다.
ㄴ. 고조선을 멸망시킨 후 군을 설치하였다.
ㄷ. 봉건제와 군현제를 절충한 군국제를 시행하였다.
ㄹ. 500여 년간 혼란스러웠던 중국을 최초로 통일하였다.

① ㄱ, ㄴ ② ㄱ, ㄷ ③ ㄴ, ㄷ ④ ㄴ, ㄹ ⑤ ㄷ, ㄹ

**03** (가) 인물이 집권한 시기 아테네에서 볼 수 있었던 모습으로 가장 적절한 것은?

> • 참주 정치를 펼쳤던 페이시스트라토스의 외모와 화술이 비슷하다는 이야기를 들었던 [ (가) ]은/는 젊었을 때에는 민중을 몹시 경계하였다. 그는 부자에다 명문가 출신이고 친구들도 큰 영향력을 행사하였던 까닭에 혹시 도편추방을 당하지나 않을까 하는 염려를 하였다. 그래서 처음에는 정치를 멀리하여 전쟁터에서 유능하고 용감한 군인이 되었다. 그러나 민중의 편에 서기로 결심한 그는 …… 해외 국유지를 분배하였고, 축제 참가 보조금을 지원해 주었으며, 공공 봉사에 수당을 지출하게 하였다.
> – 플루타르코스, 「영웅전」 –
>
> • "우리의 정치 체제는 이웃 나라의 관행과는 전혀 다릅니다. 남의 것을 본뜬 것이 아니고 오히려 남들이 우리의 체제를 본뜹니다. 몇몇 사람이 통치의 책임을 맡는 게 아니라 모두 골고루 나누어 맡으므로, 이를 데모크라티아(민주주의)라고 부릅니다."
> – [ (가) ]의 펠로폰네소스 전쟁 전몰자 추도 연설 중 일부 –

① 세계 시민주의와 개인주의가 동시에 발달하였다.
② 이집트, 페르시아를 아우르는 대제국이 건설되었다.
③ 민회가 입법, 행정, 사법의 주요 권한을 장악하였다.
④ 재산에 따라 정치에 참여할 수 있는 권한을 부여하였다.
⑤ 자영농의 몰락을 막고자 농지법 등의 개혁이 시행되었다.

** 1등급 킬러

## 04 (가) 인물에 대한 설명으로 옳은 것은?

> [ (가) ] 이/가 말하기를, "…… 이제 북방의 언어(선비어)를 금지하고 오로지 올바른 중원의 언어만 사용하기로 한다. 서른 살 이상인 사람은 습관이 굳어져 갑자기 말을 바꾸기 어렵기에 어쩔 수 없지만 서른 살 이하의 사람은 예전처럼 말해서는 안 된다. 만약 고의로 북방의 언어를 쓴다면 관직을 박탈할 것이다. …… 올바른 언어에 익숙해지면 풍속이 새롭게 교화될 것이다. ……"라고 하였다.
>
> – 『위서』 –

① 과거제를 시행하였다.

② 남북조를 통일하였다.

③ 문자, 화폐, 도량형을 통일하였다.

④ 수도를 평성에서 뤄양으로 옮겼다.

⑤ 소금, 철, 술에 대한 전매 제도를 시행하였다.

** 1등급 킬러

## 06 (가), (나) 사이에 일어난 역사적 사실로 옳은 것은?

> (가) 신 앞에 모든 인간이 평등하다는 무함마드의 교리는 많은 사람에게 호응을 얻었지만 메카의 귀족들로부터는 박해를 받았다. 결국 무함마드는 탄압을 피해 신자들을 이끌고 메디나로 이동하였다.
>
> (나) 제4대 칼리프 알리가 암살된 후 시리아 총독 무아위야가 칼리프가 되었다. 그는 칼리프 자리를 세습하도록 하였다. 그는 "나는 이슬람 최초의 왕이다."라는 말을 남기기도 하였다.

① 셀주크 튀르크가 예루살렘을 점령하였다.

② 이슬람 세력이 사산 왕조 페르시아를 정복하였다.

③ 시아파의 도움을 받아 아바스 왕조가 개창되었다.

④ 바그다드가 세계의 학술, 문화, 경제적 중심지로 성장하였다.

⑤ 코르도바를 수도로 하는 후우마이야 왕조가 이베리아반도에 세워졌다.

** 1등급 킬러

## 05 (가)~(다) 왕조에 대한 설명으로 옳은 것은?

① (가) : 상좌부 불교가 발전하였다.

② (가) : 간다라 양식이 발달하였다.

③ (나) : 산치 대탑을 건립하였다.

④ (나) : 『마하바라타』와 같은 산스크리트어 문학이 발달하였다.

⑤ (다) : 알렉산드로스의 원정으로 멸망하였다.

## 3강 | 크리스트교 문화의 형성과 확산
### ~몽골 제국과 문화 교류

** 1등급 킬러

**07** ㉠과 ㉡에 해당하는 나라에 대한 설명으로 옳은 것은?

> 예루살렘 성지와 콘스탄티노폴리스로부터 끔찍한 이야기가 나돌아 자주 우리의 귀에 들려옵니다. …… ㉠ 하느님을 신봉하지 않는 민족이 크리스트교도의 영토를 침범하여 무력, 약탈 및 방화로써 그들을 절멸하게 하였습니다. …… ㉡ 그리스 제국은 이제 그들에 의해 해체되었으며, 방대한 영토를 빼앗겼습니다. …… 부정한 국가들에 의해 점령된 우리 구세주 주님의 성스러운 묘지가 그대들을 일으키도록 합시다. …… 그 사악한 종족으로부터 그 땅을 빼앗고 그것을 그대들이 받으십시오. 성서에 말씀한 바 '젖과 꿀이 흐르는 그 땅'은 하느님께서 이스라엘 백성들의 소유로 주신 것입니다.
>
> – 클레르몽 공의회에서 발표한 로베르 수도사의 보고 –

① ㉠ : 서로마 제국을 멸망시켰다.

② ㉠ : 최고 지배자를 술탄·칼리프라고 불렀다.

③ ㉡ : 카롤루스 대제 시기에 전성기를 맞았다.

④ ㉡ : 황제가 교회에도 강한 영향력을 행사하였다.

⑤ ㉡ : 그리스어를 바탕으로 만든 키릴 문자를 사용하였다.

**08** 교사의 질문에 대한 학생의 답변으로 적절한 것을 | 보기 | 에서 모두 고르면?

> 거란족의 야율아보기가 세운 이 국가는 이중적인 통치 체제를 실시하고 이와 같은 고유 문자를 사용하였습니다. 이 국가에 대해 알고 있는 내용을 말해 볼까요?

| 보기 |

ㄱ. 발해를 멸망시킨 나라예요.

ㄴ. 화북 지방 전체를 지배했어요.

ㄷ. 연운 16주를 차지하고 송을 압박했어요.

ㄹ. 재정과 경제 분야의 실무는 색목인에게 맡겼어요.

① ㄱ, ㄴ  ② ㄱ, ㄷ  ③ ㄴ, ㄷ

④ ㄴ, ㄹ  ⑤ ㄷ, ㄹ

4강 | 동아시아 지역 질서의 변화
~신항로 개척과 유럽 지역 질서의 변화

**09** 다음과 같은 상황이 나타난 시기를 연표에서 옳게 고른 것은?

> 만주에서 누르하치가 만주족을 통일하고 후금을 세웠다.

| (가) | (나) | (다) | (라) | (마) |
|---|---|---|---|---|
| 임진왜란<br>발발 | 병자호란<br>발발 | 이자성의 난<br>발생 | 삼번의 난<br>발생 | 네르친스크<br>조약 체결 | 옹정제<br>즉위 |

① (가)　　　② (나)　　　③ (다)

④ (라)　　　⑤ (마)

\*\* 1등급 킬러

**10** 지도에 표시된 영역을 확보한 무굴 제국의 황제에 대한 설명으로 옳은 것은?

① 지즈야를 부활시켰다.

② 힌두교도 왕비와 결혼하였다.

③ 유럽의 연합 함대를 격퇴하였다.

④ 술탄 아흐메드 사원을 건립하였다.

⑤ 탈라스에서 당의 군대를 격퇴하였다.

**11** (가) 정치 체제에 대한 설명으로 옳은 것을 | 보기 |에서 모두 고르면?

> [ (가) ]은/는 관료제와 상비군을 유지하기 위해 막대한 비용이 필요했습니다. 따라서 이와 같은 경제 정책으로 국내의 상업 활동을 지원하고 국가의 부를 증대시켰습니다.

> 모든 무역에서 국내 제조 공업에 도움이 되는 상품을 수입할 때에는 세금을 면제해 주고 (국외에서) 제조되어 들어오는 상품에 는 세금을 부과하며, 국내 공업 제품의 출 국세를 경감하는 일이 중요합니다.
>
> – 콜베르의 의견서(1664) –

┌ 보기 ┐
ㄱ. 왕권신수설을 사상적 기반으로 삼았다.
ㄴ. 주종 관계와 장원제를 바탕으로 성립되었다.
ㄷ. 16~18세기 유럽에서 등장한 국가 형태이다.
ㄹ. 왕권은 약하고 지방 영주의 권한은 강하였다.

① ㄱ, ㄴ　　　② ㄱ, ㄷ　　　③ ㄴ, ㄷ

④ ㄴ, ㄹ　　　⑤ ㄷ, ㄹ

memo

내신 고득점을 위한 필수 심화 학습서

# 중학 일등전략

## 전과목 시리즈

| 체계적인 시험대비 | 1등을 위한 공부법 | 문제유형 완전 정복 |
|---|---|---|
| 주 3일, 하루 6쪽 구성<br>총 2~3주의 분량으로<br>빠르고 완벽하게 시험 대비! | 탄탄한 중학 개념 기본기에<br>실전 문제풀이의 감각을 더해<br>어떠한 상황에도 자신감 UP! | 기출문제 분석을 통해<br>개념 확인 유형부터 서술형,<br>고난도 유형까지 다양하게 마스터! |

### 완벽한 1등 만들기! 전과목 내신 대비서

국어: 예비중~중3(문학1~3/문법1~3)
영어: 중2~3
수학: 중1~3(학기용)

사회: 중1~3(사회①, 사회②, 역사①, 역사②)
과학: 중1~3(학기용)

# book.chunjae.co.kr

**교재 내용 문의** ·························· 교재 홈페이지 ▶ 중학 ▶ 교재상담

**교재 내용 외 문의** ···················· 교재 홈페이지 ▶ 고객센터 ▶ 1:1문의

**발간 후 발견되는 오류** ·············· 교재 홈페이지 ▶ 중학 ▶ 학습지원 ▶ 학습자료실

일등공략 필승학습!
단기간에 끝장내자!

중학 역사 ①

BOOK 2

특목고 대비
일등
전략

천재교육

book.chunjae.co.kr

중학 역사①

BOOK 2
학교시험대비

# 이 책의 구성과 활용

## 주 도입

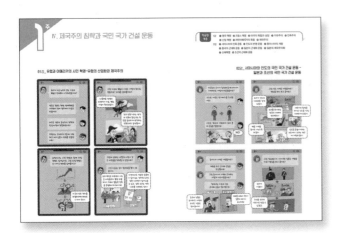

이번 주에 배울 내용이 무엇인지 안내하는 부분입니다. 재미있는 만화를 통해 앞으로 배울 학습 요소를 미리 떠올려 봅니다.

## 1일 · 개념 돌파 전략

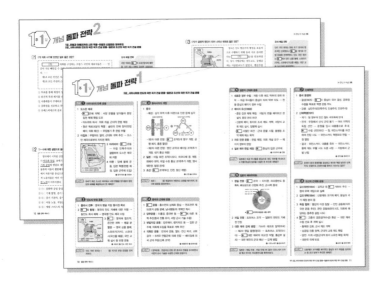

성취기준별로 꼭 알아야 하는 핵심 개념을 익힌 뒤 문제를 풀며 개념을 잘 이해했는지 확인합니다.

## 2일, 3일 · 필수 체크 전략

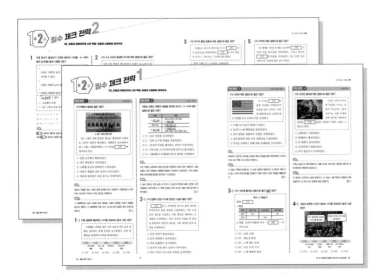

꼭 알아야 할 대표 유형 문제를 뽑아 유사 문제와 함께 풀어 보며 문제에 접근하는 과정과 방법을 체계적으로 익혀 봅니다.

## 주 마무리 코너

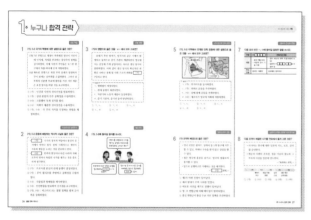

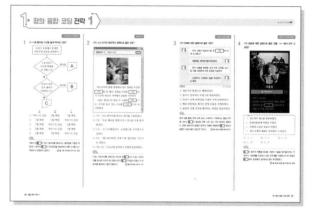

### 누구나 합격 전략

기초 이해력을 점검할 수 있는 종합 문제로 학습 자신감을
고취할 수 있습니다.

### 창의·융합·코딩 전략

융복합적 사고력과 문제 해결력을 길러 주는 문제로 구성하
였습니다.

## 권 마무리 코너

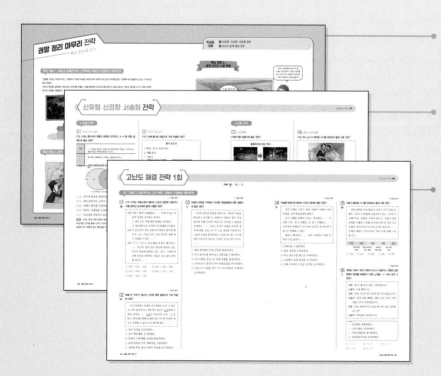

### 권말 정리 마무리 전략

학습 내용을 삽화로 제시하여 앞에서 공부한
내용을 한눈에 파악할 수 있습니다.

### 신유형·신경향·서술형 전략

신유형·서술형 문제를 집중적으로 풀며 문
제 적응력을 높일 수 있습니다.

### 고난도 해결 전략

실제 시험에 대비할 수 있는 모의 실전 문제
를 2회로 구성하였습니다.

# 이 책의 차례

# Ⅳ. 제국주의 침략과 국민 국가 건설 운동

## 01강_ 유럽과 아메리카의 시민 혁명~유럽의 산업화와 제국주의

# 02강_ 서아시아와 인도의 국민 국가 건설 운동 ~ 일본과 조선의 국민 국가 건설 운동

## 개념 ❶ 영국 혁명

1 **청교도 혁명** : 찰스 1세의 전제 정치 → 의회, 권리 청원 제출 → 의회파와 왕당파 충돌 → 크롬웰 중심의 의회파 승리 → 찰스 1세 처형, ❶ 수립 → 크롬웰의 독재 정치

2 **명예 혁명** : 왕정복고, 찰스 2세 즉위 → 제임스 2세의 전제 정치 → 의회, 메리와 윌리엄 공동 왕 추대 → ❷ 승인 → 입헌 군주제의 토대 마련

❶ 공화정 ❷ 권리 장전

**확인 Q1** 명예혁명의 결과 권리 장전이 승인되고 ( )의 토대가 마련되었다.

## 개념 ❷ 프랑스 혁명

1 **배경** : ❶ 의 모순 → 루이 16세, 재정 문제 해결을 위한 삼부회 소집 → 제3 신분, 머릿수 표결 요구

2 **과정**

| 국민 의회 | 테니스코트의 서약 → 바스티유 감옥 습격 → 봉건제 폐지 선언, 인권 선언 발표 → 입헌 군주제 헌법 제정 |
|---|---|
| 입법 의회 | 오스트리아, 프랑스 등을 상대로 혁명 전쟁 돌입 |
| 국민 공회 | 공화정 선포, 루이 16세 처형 → ❷ 의 공포 정치(혁명 재판소, 공안 위원회) |
| 총재 정부 | 국내외의 혼란 지속 → 나폴레옹의 쿠데타로 붕괴 |

3 **나폴레옹 시대**

| 통령 정부 | 국민 교육 제도 도입, 중앙 집권적 행정 제도 개편, 『나폴레옹』 법전 편찬 |
|---|---|
| 제1 제정 | • 나폴레옹, 국민 투표로 황제 즉위<br>• 정복 전쟁 : ❸ → 러시아 원정 → 나폴레옹의 몰락 |

❶ 구제도 ❷ 로베스피에르 ❸ 대륙 봉쇄령

**확인 Q2** ( 국민 의회, 국민 공회 )에서는 봉건적 특권의 폐지를 선언하고 인권 선언을 발표하였으며, 입헌 군주제 헌법을 제정하였다.

## 개념 ❸ 미국의 독립과 성장

1 **미국 혁명**
• **배경** : 영국이 중상주의 정책을 강화하며 인지세, 차세 등 여러 명목의 세금 부과, 식민지 통제
• **과정** : 보스턴 차 사건 → 대륙 회의 개최 → 독립 전쟁 발발, 독립 선언문 발표
• **결과** : 연방주의, 삼권 분립 원칙, 국민 주권의 헌법 제정 → 민주 ❶ 수립

2 **남북 전쟁**
• **배경** : 남부(대농장 중심, 노예제 찬성)와 북부(상공업 중심, 노예제 반대)의 대립
• **과정** : 링컨(노예제 반대), 대통령에 당선 → 남부의 연방 탈퇴 → ❷ 발표 → 북부 승리

❶ 공화정 ❷ 노예 해방령

**확인 Q3** 미국은 독립을 인정받은 이후 ( 민주 공화정, 입헌 군주제 )의 국가를 수립하였다.

## 개념 ❹ 자유주의

1 **의미** : 정치적, 경제적, 사회적으로 개인의 자유를 가장 중요하게 생각하는 사상

2 **프랑스**
• **7월 혁명(1830)** : 빈 체제에 따라 왕정복고, ❶ 의 전제 정치(의회 해산, 언론의 자유 억압) → 루이 필리프 즉위, 입헌 군주제 수립
• **❷ 혁명(1848)** : 중하층 시민과 노동자의 선거권 요구 → 루이 필리프 추방, 공화정 수립 → 유럽에 자유주의와 민족주의 확산, 빈 체제 붕괴

3 **영국** : ❸ 운동(하층 시민과 노동자의 선거권 요구, 인민헌장 발표), 곡물법과 항해법 폐지(자유주의 경제 체제 확립)

❶ 샤를 10세 ❷ 2월 ❸ 차티스트

**확인 Q4** ( )은 샤를 10세의 전제 정치에 저항하여 루이 필리프를 왕으로 세우고 입헌 군주제를 수립한 사건이다.

## 개념 ⑤ 민족주의

1 **의미** : 민족의 통일과 독립을 가장 중요하게 생각하는 사상

2 **이탈리아**
- ❶_____(사르데냐) : 산업, 군대 육성 → 중부와 북부 이탈리아 통일
- 가리발디 : 의용대를 통한 활동 → 시칠리아, 나폴리 왕국 등 남부 이탈리아 통일
- 이탈리아 왕국 수립(1861) : 가리발디가 점령 지역을 사르데냐 국왕에게 바침

3 **독일** : 프로이센 중심의 ❷_____ 결성(경제적 통일 기반 마련) → 비스마르크의 철혈 정책(군사력 육성) → 오스트리아 격퇴, 북독일 연방 결성 → 프랑스와의 전쟁에서 승리, 독일 제국 수립(1871)

❶ 카보우르 ❷ 관세 동맹

**확인 Q5** 독일의 통일 과정에서 프로이센의 재상 비스마르크는 무력의 중요성을 강조한 (_____)을 내세웠다.

## 개념 ⑥ 산업 혁명

1 **과정** : 공장제 수공업 → 방적기, 방직기 발명 + ❶_____ 개량 → 공장제 기계 공업

2 **확산** : 영국에서 시작(18세기 후반) → 벨기에, 프랑스(19세기 전반) → 미국, 독일(19세기 후반) → 러시아, 일본(19세기 말)

3 **자본주의 경제 체제 확립** : 공업 중심의 산업 사회, 자본가와 노동자 계급의 등장

4 **영향**
- 교통 혁명(증기 기관차, 증기선 등 등장), 통신 혁명(유선 전신, 전화 등 발명)
- 사회 문제 발생 : 도시 문제(주택 부족, 환경 오염), 노동 문제(낮은 임금, 장시간 노동)
- 노동 문제 해결을 위한 노력 : ❷_____ 운동(기계 파괴 운동), 노동조합 조직, 사회주의 사상 등장

❶ 증기 기관 ❷ 러다이트

**확인 Q6** 기계의 발명과 증기 기관의 개량으로 생산 방식은 공장제 수공업에서 (_____)으로 변화하였다.

## 개념 ⑦ 라틴아메리카의 독립

1 **배경** : 미국의 독립과 프랑스 혁명의 영향, 나폴레옹 전쟁으로 에스파냐의 간섭 약화

2 **과정** : 크리오요 주도의 독립운동

- ❶_____(베네수엘라, 콜롬비아, 볼리비아), 산마르틴(아르헨티나, 페루), 이달고 신부(멕시코) 등 활약
- 영국의 독립 지지, 미국의 ❷_____ 선언(유럽의 아메리카 간섭 배제) → 라틴아메리카 지역의 독립 확산

3 **결과** : 독립 이후 크리오요의 정권 장악

❶ 볼리바르 ❷ 먼로

**확인 Q7** 라틴아메리카의 독립을 주도한 세력으로, 라틴아메리카에서 태어난 백인들을 가리키는 말은?

## 개념 ⑧ 제국주의

1 **의미** : 군사력, 경제력을 앞세워 약소국을 침략하고 식민지로 만드는 유럽의 팽창 정책

2 **사상** : 인종주의(백인 우월주의), ❶_____(강대국이 약소국을 지배하는 것이 당연하다는 주장)

3 **제국주의 국가의 침략**

- 아프리카 : 영국의 종단 정책 시행, 프랑스의 횡단 정책 추진 → ❷_____ 사건
- 아시아와 태평양 : 영국(인도), 프랑스(베트남, 캄보디아 등), 네덜란드(인도네시아), 미국(필리핀, 하와이)

❶ 사회 진화론 ❷ 파쇼다

**확인 Q8** 인종주의, 사회 진화론 등을 바탕으로 약소국을 침략하고 식민지로 만든 유럽의 팽창 정책은?

## 개념 ❶ 서아시아의 민족 운동

1 **오스만 제국**
- ❶_____(은혜 개혁) : 서양 문물을 받아들여 중앙 집권 체제 확립 도모
- 미드하트 파샤 : 의회 개설, 근대적 헌법 제정
- 청년 튀르크당의 혁명 : 술탄의 전제 정치(헌법 폐지, 의회 해산) → 무장봉기 후 헌법 부활

2 **이집트** : 무함마드 알리, 근대화 개혁 추진 → 오스만 제국으로부터 자치권 획득

3 **아라비아** : ❷_____ 운동 → 아랍 민족주의와 결합하여 오스만 제국에 저항

4 **이란** : 담배 불매 운동, 입헌 혁명(헌법 제정, 입헌 군주제 도입)

❶ 탄지마트 ❷ 와하브

**확인 Q1** 19세기 초반 오스만 제국에서 서양 문물을 받아들여 중앙 집권 체제를 확립하고자 한 개혁은?

## 개념 ❷ 인도의 반영 운동

1 **플라시 전투** : 영국의 벵골 지방 통치권 확보

2 **❶_____의 항쟁** : 영국의 인도 지배에 대한 저항 → 동인도 회사 해체 → 영국령 인도 제국 수립

3 **❷_____** : 영국에 협조적, 온건한 개혁 → 벵골 분할령 → 영국 상품 불매, 스와라지(자치), 스와데시(국산품 애용), 국민 교육 실시 등 반영 운동

❶ 세포이 ❷ 인도 국민 회의

**확인 Q2** 인도 국민 회의는 (_____)을 계기로 반영 운동을 전개하였다.

## 개념 ❸ 동아시아의 개항

1 **중국**
- 배경 : 삼각 무역 이후 아편으로 인한 문제 심각

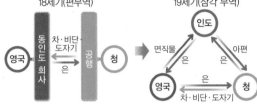

- 제1차 아편 전쟁 : ❶_____ 조약(5개 항구 개항, 공행 폐지, 홍콩 할양)
- 제2차 아편 전쟁 : 텐진 조약과 베이징 조약(추가 개항, 내지 통상 허용)

2 **일본** : 미일 화친 조약(시모다, 하코다테 등 개항, 최혜국 대우), 미일 수호 통상 조약(추가 개항, 영사 재판권, 협정 관세)

3 **조선** : ❷_____ 조약(부산, 인천, 원산 개항)

❶ 난징 ❷ 강화도

**확인 Q3** 청은 (_____)을 체결하여 개항하고 공행을 폐지하며, 영국에 홍콩을 할양하였다.

## 개념 ❹ 중국의 근대화 운동

1 **❶_____ 운동** : 홍수전의 상제회 중심 → 천조전무 제도(토지 균등 분배, 남녀평등)의 개혁안 제시

2 **양무운동** : 이홍장, 증국번 등 → ❷_____에 따른 개혁 추진(중국 전통 유지, 서양 군사 기술 수용)

3 **변법자강 운동** : 캉유웨이, 량치차오 등 → 입헌 군주제, 의회제 도입을 목표로 개혁 추진

4 **의화단 운동** : 반외세 운동, 철도·전신 파괴, 교회 공격 → 8개국 연합군에 의해 진압 → 베이징에 외국 군대 주둔(신축 조약)

❶ 태평천국 ❷ 중체서용

**확인 Q4** ( 양무운동 , 변법자강 운동 )은 중국의 전통을 유지하면서 서양의 군사 기술을 수용한 근대화 운동이다.

## 개념 5 일본의 근대화 운동

1 **새로운 정부 수립** : 개항 이후 에도 막부의 권위 하락 → 하급 무사들이 중심이 되어 막부 타도 → 천황 중심의 메이지 정부 수립

2 **메이지 유신(1868)**
- 중앙 집권 체제 확립 : 지방의 번을 폐지하고 현 설치, 중앙 관리 파견
- 신분제 폐지, 토지와 조세 제도 개혁, 서양식 교육 제도 실시, 징병제 실시
- ❶ 사절단 파견 : 근대 문물 시찰, 불평등 조약 체제 해소 목적

3 **자유 민권 운동** : 헌법 제정, 의회 개설 요구 → 메이지 정부의 탄압

4 **일본 제국 헌법 제정** : ❷ 중심의 입헌 군주제

❶ 이와쿠라 ❷ 천황

**확인 Q5** 일본에서 하급 무사들을 중심으로 에도 막부를 무너뜨리고 천황 중심의 정부를 수립한 후 추진한 개혁은?

## 개념 6 일본의 제국주의화

1 **청일 전쟁** : ❶ 조약 → 타이완, 랴오둥반도 등 획득, 배상금으로 산업화 추진, 군사력 증대

재해 준비 기금 2.7%  기타 5.5%
교육 기금 2.7%
왕실 비용 5.5%
임시 군사비 21.6%
약 3억 6,500만 엔
군비 증강비 62.0%

▲ ❶ 조약의 배상금 사용 내역

2 **러일 전쟁** : 포츠머스 조약 → 일본의 한반도 지배권 인정

3 **대한 제국 강제 병합** : 가쓰라·태프트 밀약(미국) → 제2차 영일 동맹(영국) → 포츠머스 조약(러시아) → ❷ (대한 제국의 외교권 박탈, 통감부 설치) → 대한 제국의 군대 해산 → 강제 병합

❶ 시모노세키 ❷ 을사늑약

**확인 Q6** 일본은 ( 청일 전쟁 , 러일 전쟁 )의 결과 시모노세키 조약을 맺고 타이완, 랴오둥반도를 획득하였다.

## 개념 7 신해혁명

1 **중국 동맹회**
- 결성(1905) : ❶ 이 중심이 되어 결성, 공화정 수립을 목표로 혁명 운동 주도
- 강령 : 삼민주의(민족주의, 민생주의, 민권주의)

2 **신해혁명(1911)**
- 계기 : 청 정부의 민간 철도 국유화에 반대
- 전개 : 우창에서 신식 군대 봉기 → 여러 지역의 독립 선언 → 쑨원을 임시 대총통으로 추대, ❷ 수립 선언(1912) → 청, 위안스카이를 파견하여 진압 시도 → 위안스카이, 혁명파와 연합 → 청 멸망
- 결과 : 위안스카이, 대총통 즉위 → 위안스카이, 황제 제도 부활 시도 도중 사망 → 지방에서 군벌 난립

❶ 쑨원 ❷ 중화민국

**확인 Q7** 쑨원이 중국 동맹회를 결성하고 제시한 혁명 방안인 민족주의, 민생주의, 민권주의를 묶어서 가리키는 말은?

## 개념 8 조선의 근대화 운동

1 **갑신정변(1884)** : 김옥균 등 ❶ 개화파 추진 → 청의 무력 개입으로 실패

2 **갑오개혁(1894)** : 신분제와 과거제 폐지, 왕실과 국가 재정 분리 등

3 **독립 협회** : 열강의 이권 침탈 → 만민 공동회(자주 국권 운동 추진), 관민 공동회(헌의 6조, 의회에 해당하는 중추원 설립 시도)

4 ❷ : 고종의 경운궁(덕수궁) 환궁 → 대한 제국 수립 선포 후 개혁 실시
- 황제권 강화, 군사 제도 개혁
- 상공업 진흥 정책, 근대적 교육 제도 확립
- 양전·지계 사업(근대적 토지 소유권 확립 목적)
- 대한국 국제 반포

❶ 급진 ❷ 광무개혁

**확인 Q8** 신분제와 과거제를 폐지하고 왕실과 국가 재정을 분리하는 등 조선 정부가 추진한 개혁은?

# 1주 1일 개념 돌파 전략 2

**1강_유럽과 아메리카의 시민 혁명~유럽의 산업화와 제국주의**
**2강_서아시아와 인도의 국민 국가 건설 운동~일본과 조선의 국민 국가 건설 운동**

**01** (가) 의회 시기에 있었던 일로 옳은 것은?

> [ (가) ] 의회를 구성하는 프랑스 국민의 대표자들은 …… 인간이 지닌 빼앗길 수 없고 신성한 자연권을 엄숙히 선언하기로 결정하였다. ……
> 제1조 모든 인간은 자유롭고 평등한 권리를 갖고 태어난다.
> 제3조 모든 주권의 근원은 본질적으로 인민에게 있다.
> –「인간과 시민의 권리선언」–

① 투표를 통해 제정이 성립되었다.
② 봉건적 특권 폐지를 선언하였다.
③ 나폴레옹이 쿠데타로 권력을 장악하였다.
④ 공화정을 선포하고 루이 16세를 처형하였다.
⑤ 로베스피에르의 공포 정치에 반발하여 새로 성립되었다.

**문제 해결 전략**

국민 의회는 [❶ ]의 표결 방식에 불만을 가진 제3 신분이 결성한 의회이며, 「인간과 시민의 권리선언」이라고 하는 [❷ ]을 발표하였다.

답 ❶ 삼부회 ❷ 인권 선언

**02** ㉠~㉤에 대한 설명으로 옳지 않은 것은?

> 영국에서 시작된 산업 혁명은 19세기 초 프랑스와 벨기에, 19세기 후반 ㉠ 미국과 독일, 19세기 말 러시아와 일본 등지로 확산되었다. ㉡ 공장제 기계 공업의 발달로 대량 생산 체제가 자리 잡고, ㉢ 교통수단의 발달로 물류의 이동이 활발해지면서 자본주의 경제 체제가 확립되었다. 이 과정에서 자본가를 중심으로 한 중산 계급이 형성되었으나 빈부 격차가 심해져 노동자들은 여러 가지 ㉣ 사회 문제에 처하였고, 이를 ㉤ 해결하기 위한 노력이 이루어졌다.

① ㉠ : 중화학 공업 중심의 산업화가 진행되었다.
② ㉡ : 기계 발명, 증기 기관 개량 등의 영향으로 이루어졌다.
③ ㉢ : 증기 기관차, 증기선 등이 발달하였다.
④ ㉣ : 아동 노동, 저임금의 장시간 노동 등이 대표적이다.
⑤ ㉤ : 애덤 스미스의 자유방임주의에 기초하였다.

**문제 해결 전략**

산업 혁명은 방적기, 방직기와 같은 기계의 발명, 제임스 와트의 [❶ ] 개량 등으로 공장제 기계 공업이 발달하면서 진행되었다. 산업 혁명의 확산 결과 생산과 소비가 시장에 의해 결정되는 [❷ ] 경제 체제가 확립되었다.

답 ❶ 증기 기관 ❷ 자본주의

>> 정답과 해설 2쪽

## 03 (가)가 결정적 원인이 되어 나타난 변화로 옳은 것은?

영국은 인도 벵골주의 행정을 효율적으로 수행하기 위해 동과 서로 분리한다는 ☐☐☐(가)☐☐☐을/를 발표하였다. 당시 서벵골에는 힌두교도, 동벵골에는 이슬람교도가 많았다. 벵골주를 동서로 분할하려고 한 실제 이유가 종교를 이용하여 민족 운동을 분열시키려는 것이었기 때문에 당시 인도인들은 크게 반발하였다.

① 인도 국민 회의가 반영 운동을 전개하였다.
② 세포이가 벵골 지역의 지배권을 획득하였다.
③ 영국에 저항하여 담배 불매 운동을 전개하였다.
④ 청년 튀르크당이 봉기를 일으켜 헌법을 부활시켰다.
⑤ 유럽식 제도의 도입을 추구하는 탄지마트를 실시하였다.

문제 해결 전략

인도 국민 회의는 창립 초기 영국에 협조적인 단체였으나 ❶ 을 계기로 반영 운동을 전개하였다. 인도 국민 회의는 ❷ 에서 영국 상품 불매, 스와라지(자치), 스와데시(국산품 애용), 국민 교육 실시 등을 주장하였다.

답 ❶ 벵골 분할령 ❷ 콜카타 대회

## 04 자료에 대한 설명으로 옳지 않은 것은?

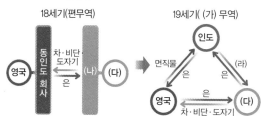

① (가) 무역은 영국이 (나)를 통한 무역으로 생긴 적자를 메우려고 실시한 것이다.
② (나)는 외국 상인과의 무역을 담당한 (다)의 독점 조합인 공행이다.
③ (다)는 (라)의 밀무역 때문에 은 유출이 심화되었다.
④ (라)의 밀무역 단속을 계기로 (다)는 영국과 제1차 아편 전쟁을 벌였다.
⑤ (다)는 (라) 문제로 영국과 벌인 전쟁에서 패하고 베이징 조약을 체결하였다.

문제 해결 전략

공행 무역으로 적자를 보던 영국은 인도의 ❶ 을 청에 몰래 수출하는 삼각 무역을 실시하였다. 아편 밀무역 단속에 나선 청과 영국이 충돌하여 ❷ 전쟁이 일어났고, 그 결과 청은 영국에 홍콩을 할양하게 되었다.

답 ❶ 아편 ❷ 제1차 아편

## 핵심 예제 ❶

| 영국 혁명 |

**(가) 혁명의 결과로 옳은 것은?**

▲ 찰스 1세의 처형 장면

찰스 1세의 전제 정치로 영국은 왕당파와 의회파로 나뉘어 내전이 벌어졌다. 의회파가 승리하면서 찰스 1세는 처형당하였다. 이 사건을 [ (가) ] 혁명이라고 한다.

① 입헌 군주제가 확립되었다.
② 내각 책임제가 시작되었다.
③ 크롬웰 중심의 공화정이 수립되었다.
④ 의회가 제출한 권리 장전이 승인되었다.
⑤ 메리와 윌리엄이 공동 왕으로 즉위하였다.

**Tip**

청교도 혁명은 찰스 1세의 전제 정치에 맞서 의회파가 저항하면서 이루어진 사건이다. 따라서 (가)는 청교도 혁명이다.

**풀이**

① 명예혁명의 결과 수립된 정치 체제로, 국왕의 권한을 의회가 제정한 법으로 정한다. ② 명예혁명 이후 조지 1세 당시에 성립된 정치 운영 형태이다. **답** ③

**1-1 다음 설명에 해당하는 시기를 연표에서 옳게 고른 것은?**

크롬웰은 권력을 잡은 이후 청교도적인 금욕 생활을 강요하는 독재 정치를 실시하였다. 또한 항해법을 제정하여 무역을 확대하였다.

| (가) | (나) | (다) | (라) | (마) |
|---|---|---|---|---|
| 권리 청원 제출 | 찰스 1세 처형 | 왕정복고 | 권리 장전 제출 | |

① (가)  ② (나)  ③ (다)  ④ (라)  ⑤ (마)

## 핵심 예제 ❷

| 프랑스 혁명 |

**자료는 프랑스 혁명의 내용을 정리한 표이다. ㉠~㉤에 대한 설명으로 옳은 것은?**

| 의회 | 내용 |
|---|---|
| ㉠ 국민 의회 | • 테니스코트의 서약 발표<br>• ㉡ 헌법 제정 |
| 입법 의회 | ㉢ 혁명 전쟁 시작 |
| ㉣ 국민 공회 | • ㉤ 공화정 선포<br>• 혁명 재판소, 공안 위원회 설치 |

① ㉠ : 공포 정치를 실시하였다.
② ㉡ : 입헌 군주제 헌법을 제정하였다.
③ ㉢ : 봉건적 특권을 폐지하는 선언이 이루어졌다.
④ ㉣ : 프로이센, 오스트리아 등에 선전 포고를 하였다.
⑤ ㉤ : 나폴레옹이 쿠데타를 일으켜 정부를 구성하였다.

**Tip**

국민 의회는 삼부회의 표결 방식에 저항하여 새로 만든 의회이다. 입법 의회는 국민 의회에서 제정한 헌법에 기초하여 구성되었다. 국민 공회는 혁명 전쟁 중에 왕권을 정지하고 구성되었다.

**풀이**

① 공포 정치는 국민 공회 시기이다. ③ 봉건적 특권의 폐지 선언은 국민 의회에서 이루어졌다. ④ 혁명 전쟁의 선전 포고는 입법 의회 당시에 이루어졌다. **답** ②

**2-1 (가) 인물의 집권 시기에 있었던 사실로 옳은 것은?**

[ (가) ]은/는 쿠데타를 일으켜 총재 정부를 무너뜨리고 통령 정부를 수립하였다. 이후 국민 교육 제도를 도입하고 지방 제도를 개편하는 등 개혁을 추진하였다. 특히 자신의 이름을 딴 법전을 편찬하여 개인의 자유권, 사유 재산권 등의 보호를 규정하였다.

① 인권 선언이 발표되었다.
② 공안 위원회가 설치되었다.
③ 대륙 봉쇄령이 실시되었다.
④ 봉건적 특권 폐지 선언이 이루어졌다.
⑤ 파리 시민이 바스티유 감옥을 습격하였다.

## 핵심 예제 ❸

| 미국의 독립과 성장 |

**(가) 사건에 대한 설명으로 옳은 것은?**

이 국기는 ⬚(가)⬚ 의 결과 독립한 아메리카의 모습을 담은 것이다. 푸른색 배경에 놓인 13개의 별은 독립할 당시 13개의 주를 상징한다.

① 구제도의 모순이 배경이 되었다.

② 링컨이 노예 해방령을 발표하였다.

③ 권리 청원을 제출하여 국왕을 견제하였다.

④ 삼권 분립에 의한 민주 공화국을 수립하였다.

⑤ 영국을 견제하기 위해 대륙 봉쇄령을 실시하였다.

### Tip

아메리카 식민지는 영국을 상대로 독립 전쟁을 벌여 독립하였다. 따라서 (가)는 미국 혁명, 미국 독립 전쟁이다.

### 풀이

① 프랑스 혁명의 배경이다. ② 남북 전쟁의 배경이다. ③ 청교도 혁명 이전 찰스 1세의 전제 정치를 견제하기 위해 의회가 권리 청원을 제출하였다. **답** ④

## 3-1 (가)~(마)에 들어갈 내용으로 옳지 않은 것은?

### 역사 ① 학습지

주제 : ⬚(가)⬚

1. 배경

| 구분 | 산업 구조 | 노예 제도 | 무역 정책 |
|------|-----------|-----------|-----------|
| 북부 | (나) | | (라) |
| 남부 | | (다) | |

2. 과정 : 링컨의 대통령 당선 → ⬚(마)⬚ → 북부의 승리

① (가) : 남북 전쟁

② (나) : 대농장 발달

③ (다) : 노예 제도 찬성

④ (라) : 보호 무역 지지

⑤ (마) : 노예 해방령 발표

## 핵심 예제 ❹

| 자유주의 |

**(가) 사건의 결과에 대한 설명으로 옳은 것은?**

그림은 들라크루아의 「민중을 이끄는 자유의 여신」이다. 들라크루아는 샤를 10세의 전제 정치에 저항하여 일어난 ⬚(가)⬚ 을/를 기념하기 위해 그림을 그렸다고 한다.

① 공화정이 수립되었다.

② 항해법이 폐지되었다.

③ 빈 체제가 붕괴되었다.

④ 인민헌장이 제출되었다.

⑤ 루이 필리프가 즉위하였다.

### Tip

(가)는 프랑스의 7월 혁명이다. 샤를 10세의 의회 해산, 참정권 제한 등 전제 정치에 저항하여 일어났다.

### 풀이

② 영국의 자유주의 경제 정책이다. ③ 프랑스 2월 혁명의 영향에 대한 설명이다. ④ 차티스트 운동에 대한 설명이다. **답** ⑤

## 4-1 그림과 관련된 사건이 일어난 시기를 연표에서 옳게 고른 것은?

| (가) | (나) | (다) | (라) | (마) |
|------|------|------|------|------|
| 러시아 원정 실시 | 빈 회의 개최 | 샤를 10세 즉위 | 루이 필리프 즉위 | |

① (가)　② (나)　③ (다)　④ (라)　⑤ (마)

## 핵심 예제 **5** | 민족주의 |

다음은 유럽의 민족주의 운동에 관한 수업 장면이다. (가), (나)를 옳게 짝지은 것을 l 보기 l에서 모두 고르면?

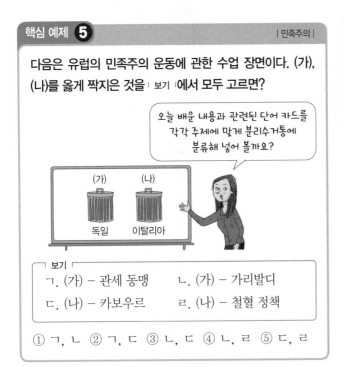

오늘 배운 내용과 관련된 단어 카드를 각각 주제에 맞게 분리수거통에 분류해 넣어 볼까요?

(가) 독일
(나) 이탈리아

┌ 보기 ┐
ㄱ. (가) – 관세 동맹
ㄴ. (가) – 가리발디
ㄷ. (나) – 카보우르
ㄹ. (나) – 철혈 정책

① ㄱ, ㄴ ② ㄱ, ㄷ ③ ㄴ, ㄷ ④ ㄴ, ㄹ ⑤ ㄷ, ㄹ

### Tip

(가)는 독일, (나)는 이탈리아이므로 각 국가의 통일과 관련된 인물, 정책 등을 연결시켜야 한다.

### 풀이

ㄴ. 가리발디는 의용군을 이끌고 이탈리아 남부를 통일하였다. ㄹ. 철혈 정책은 독일의 통일 과정에서 프로이센 재상 비스마르크가 추진한 군사력 확대 정책이다. **답** ②

## **5**-1 (가)의 통일 과정으로 옳지 않은 것은?

그림은 베르사유 궁전에서 진행된 (가) 제국 수립 행사를 보여 준다. 프로이센을 중심으로 추진된 통일 운동은 프랑스와의 전쟁에서 승리함으로써 마무리되었다.

① 비스마르크가 철혈 정책을 추진하였다.
② 관세 동맹으로 경제적 통합을 이루었다.
③ 카보우르가 중부와 북부 지역을 통일하였다.
④ 프랑크푸르트 의회에서 통일 방안을 논의하였다.
⑤ 오스트리아를 물리치고 북독일 연방을 결성하였다.

## 핵심 예제 **6** | 산업 혁명 |

다음 발명품이 가져온 영국의 변화 모습으로 옳은 것을 l 보기 l에서 모두 고르면?

▲ 제니 방적기  ▲ 제임스 와트 증기 기관

┌ 보기 ┐
ㄱ. 공장제 기계 공업이 발달하였다.
ㄴ. 면직물의 대량 생산이 이루어졌다.
ㄷ. 명예혁명이 일어나 정치적 안정을 이루었다.
ㄹ. 인클로저 운동이 일어나 노동력이 풍부해졌다.

① ㄱ, ㄴ ② ㄱ, ㄷ ③ ㄴ, ㄷ ④ ㄴ, ㄹ ⑤ ㄷ, ㄹ

### Tip

영국의 산업 혁명은 명예혁명을 통한 정치적 안정, 인클로저 운동에 따른 노동자 증가, 풍부한 자원과 식민지 등을 배경으로 이루어졌다.

### 풀이

ㄷ, ㄹ은 영국에서 산업 혁명이 이루어지는 배경이 되었다. **답** ①

## **6**-1 밑줄 친 '영향'의 사례로 옳지 않은 것은?

### 역사 동아리 탐구 발표회

이번 학기에는 '산업 혁명 시대와 그 영향'을 주제로 탐구한 내용을 나누고자 합니다. 영국에서 시작된 산업 혁명은 기계의 발명과 증기 기관의 개량으로 생산 방식이 획기적으로 변한 사건입니다. 이번 발표회에서 수업 시간에는 다루지 않은 것을 보여 드리고자 하오니 많은 참석 부탁드립니다.

일시 : 20◇◇년 △월 △일
장소 : 학교 시청각실

① 공장제 수공업이 발달하였다.
② 자본주의 경제 체제가 확립되었다.
③ 증기 기관차, 증기선 등이 발달하였다.
④ 제철 공업, 기계 공업 등이 발달하였다.
⑤ 전화, 전신 등의 통신 수단이 발달하였다.

## 핵심 예제 ⑦ | 라틴아메리카의 독립 |

**지도에 표시된 지역의 독립 배경으로 옳은 것은?**

① 시민 계층이 성장하였다.

② 노예 제도 유지를 둘러싼 갈등이 존재하였다.

③ 미국의 독립과 프랑스 혁명에 자극을 받았다.

④ 남북의 경제 구조 차이 때문에 대립이 심하였다.

⑤ 영국이 식민지에 대한 중상주의 정책을 강화하였다.

**Tip**

지도의 지역은 라틴아메리카로, 대다수 지역이 에스파냐와 포르투갈의 식민지가 되어 고통받았다.

**풀이**

라틴아메리카 지역은 미국의 독립과 프랑스 혁명에 자극을 받아 독립운동을 전개하였다. 나폴레옹 전쟁으로 에스파냐의 영향력이 줄어든 것도 계기가 되었다.                                                              **답** ③

---

### 7-1 (가)~(마)에 들어갈 내용으로 옳지 <u>않은</u> 것은?

> 주제 : 라틴아메리카의 독립
> 1. 배경 : 나폴레옹 전쟁으로 인한 에스파냐의 간섭 약화
> 2. 과정
>
> | 주요 나라 | 주요 인물 |
> |---|---|
> | • 아이티 : (가) | • 볼리바르 : (라) |
> | • 멕시코 : (나) | • 산마르틴 : (마) |
> | • 브라질 : (다) | |

① (가) : 가장 먼저 프랑스로부터 독립하였다.

② (나) : 이달고 신부의 민중 봉기 등이 일어났다.

③ (다) : 에스파냐 왕의 아들이 독립을 선언하였다.

④ (라) : 베네수엘라, 볼리비아 등을 독립시켰다.

⑤ (마) : 아르헨티나, 칠레의 독립에 영향을 미쳤다.

---

## 핵심 예제 ⑧ | 제국주의 |

**(가)를 뒷받침하는 사상을 | 보기 |에서 모두 고르면?**

> | 보기 |
> ㄱ. 민족주의          ㄴ. 계몽사상
> ㄷ. 인종주의          ㄹ. 사회 진화론

① ㄱ, ㄴ  ② ㄱ, ㄷ  ③ ㄴ, ㄷ  ④ ㄴ, ㄹ  ⑤ ㄷ, ㄹ

**Tip**

자본주의의 발달로 소수의 거대 기업, 은행이 부를 독점하는 단계에 접어들면서 자본 투자처와 시장을 확보하려고 식민지 침략 정책을 추진하였다. 이러한 정책 (가)를 제국주의라고 한다.

**풀이**

제국주의를 뒷받침하는 사상에는 백인이 유색인종보다 우월하다고 한 인종주의, 강대국이 약소국을 지배해도 된다고 한 사회 진화론이 있다.                                                              **답** ⑤

---

### 8-1 밑줄 친 '사건'의 원인이 된 정책으로 옳은 것을 | 보기 |에서 모두 고르면?

그림은 제국주의 국가인 영국과 프랑스가 아프리카에서 충돌한 이 사건을 풍자하기 위해 그린 만평이다. 영국은 밥그릇에 파쇼다라는 글씨가 적힌 뼈다귀를 가진 불독으로 프랑스는 앙상한 푸들로 비유되었다.

> | 보기 |
> ㄱ. 철혈 정책          ㄴ. 3B 정책
> ㄷ. 종단 정책          ㄹ. 횡단 정책

① ㄱ, ㄴ  ② ㄱ, ㄷ  ③ ㄴ, ㄷ  ④ ㄴ, ㄹ  ⑤ ㄷ, ㄹ

**1** 다음 문서가 발표되기 이전에 벌어진 사건을 |보기|에서 골라 순서대로 옳게 나열한 것은?

> • 국왕은 의회의 동의 없이 법의 효력과 집행을 정지할 수 없다.
> • 국왕은 의회의 승인 없이 과세할 수 없다.
> • 국왕은 의회의 동의 없이 평상시에 군대를 징집·유지할 수 없다.
>
> – 「권리 장전」 –

┌ 보기 ┐
ㄱ. 왕정복고                ㄴ. 권리 청원 제출
ㄷ. 크롬웰의 독재           ㄹ. 독립 선언 발표
ㅁ. 찰스 1세의 전제 정치     ㅂ. 내각 책임제 실시

① ㄱ – ㄴ – ㄷ – ㄹ    ② ㄴ – ㅁ – ㄱ – ㅂ
③ ㄷ – ㄹ – ㄴ – ㅂ    ④ ㄹ – ㅁ – ㄴ – ㅂ
⑤ ㅁ – ㄴ – ㄷ – ㄱ

**Tip**

**❶** 은 메리와 윌리엄 공동 왕이 의회가 제출한 것을 승인함으로써 **❷** 의 토대가 마련된 중요한 문서이다.

**답** ❶ 권리 장전 ❷ 입헌 군주제

**2** (가), (나) 사건이 발생한 국가에 대한 설명으로 옳은 것은?

> (가) 산업 혁명이 확산되면서 19세기 초 노동자 계층이 등장하였다. 선거권이 상층 시민에게만 주어진 상황에서 중하층 시민과 노동자들은 7월 왕정에 선거권 확대를 요구하였다.
> (나) 제1차 선거법 개정이 이루어진 이후 하층 시민과 노동자들을 중심으로 선거권 확대를 요구하는 움직임이 나타났다. 이들은 인민헌장을 발표하여 보통 선거권을 요구하였다.

① (가) : 영국의 인지세법 제정에 저항하였다.
② (가) : 철혈 정책을 펼쳐 군사력을 증강하였다.
③ (나) : 항해법을 폐지하고 자유주의 경제 체제를 확립하였다.
④ (나) : 루이 필리프가 즉위하고 입헌 군주제 헌법이 제정되었다.
⑤ (가), (나) : 프랑크푸르트 의회에서 통일 방안을 논의하였다.

**Tip**

프랑스에서는 중하층 시민과 노동자들이 7월 왕정에 선거권을 요구한 사건인 **❶** 이 일어났다. 영국에서는 하층 시민과 노동자들이 선거권 확보를 위해 **❷** 을/를 발표하고 차티스트 운동을 벌였다.

**답** ❶ 2월 혁명 ❷ 인민헌장

**3** (가) 국가의 통일 운동에 대한 설명으로 옳은 것은?

> 신채호는 중국의 량치차오가 쓴 『　(가)　』 건국 삼걸전』을 번역하였다.　(가)　의 건국 영웅은 마치니, 카보우르, 가리발디를 말한다.

① 철혈 정책으로 군사력을 강화하였다.
② 관세 동맹으로 경제적 통합을 이루었다.
③ 프랑스와의 전쟁 이후 제국을 수립하였다.
④ 프랑크푸르트 의회에서 통일 방안을 논의하였다.
⑤ 프랑스의 도움으로 오스트리아와 벌인 전쟁에서 승리하였다.

**Tip**

이탈리아 건국 영웅 중 한 명인 **❶** 는 실리 외교를 통해 프랑스의 지지를 받아 중부와 북부를 통합하였고, **❷** 는 의용군을 이끌고 남부를 통일하였다. **답 ❶** 카보우르 **❷** 가리발디

**4** 밑줄 친 '노력'에 해당하는 내용을 ┃보기┃에서 모두 고르면?

> 산업 혁명 시기 노동자들은 저임금과 장시간 노동, 열악한 주거 환경 등 다양한 사회 문제에 노출되었다. 이에 다양한 노력이 시도되어 노동자들의 처지를 개선하고자 하였다.

┌ 보기 ┐
ㄱ. 오언, 마르크스 등이 사회주의를 제시하였다.
ㄴ. 봉건적 특권을 폐지하는 선언을 발표하였다.
ㄷ. 노동조합을 통해 노동 조건 개선을 요구하였다.
ㄹ. 중산층 이상의 사람에게 정치에 참여할 권리를 부여하였다.

① ㄱ, ㄴ ② ㄱ, ㄷ ③ ㄴ, ㄷ ④ ㄴ, ㄹ ⑤ ㄷ, ㄹ

**Tip**

자본주의의 문제점을 해결하기 위해 임금 조건 개선 등을 요구하는 조직인 **❶** 을 결성하였다. 또한 자본주의의 대안으로 오언, 마르크스 등이 **❷** 를 주장하였다.
**답 ❶** 노동조합 **❷** 사회주의

**5** (가) 지역에 대한 설명으로 옳은 것은?

> 빈 체제는 현상 유지를 도모하며　(가)　지역의 독립 움직임을 억압하였다. 그러나 영국은　(가)　의 독립을 지지하였고, 미국 또한 먼로 선언으로 독립에 힘을 실어 주었다.

① 크리오요가 독립운동을 주도하였다.
② 서부 개척을 통해 영토를 확장하였다.
③ 철혈 정책을 펼쳐 군사력을 강화하였다.
④ 프랑스와의 전쟁에서 승리하여 제국을 수립하였다.
⑤ 프랑스 2월 혁명의 영향을 받아 독립운동을 전개하였다.

**Tip**

메테르니히는 자유주의 운동과 민족주의 운동을 억압하며 **❶** 체제를 주도하였다. 그러나 미국은 **❷** 을 발표하여 유럽이 아메리카 지역에 간섭을 하지 않아야 한다고 하였다.
**답 ❶** 빈 **❷** 먼로 선언

**6** (가) 사상에 대한 설명으로 옳은 것은?

> 나는 어제 런던의 이스트엔드에서 실업자 대회에 참석하였다. 그곳에서 나는 그저 '빵! 빵! 빵!'만을 소리쳐 요구하는 거친 연설을 들었고, …… 나는　(가)　의 중요성을 더욱 확신하였다. …… 우리 식민지 정치인들은 과잉 인구를 이주시키고, 공장과 광산에서 생산한 상품을 판매할 새로운 땅을 차지해야 한다.
> — 세실 로즈, 『유언집』 —

① 빈 체제 아래에서 탄압받았다.
② 사회 진화론을 통해 정당화하였다.
③ 라틴아메리카의 독립에 영향을 미쳤다.
④ 개인의 자유권과 평등권을 중요시하였다.
⑤ 민족의 독립과 통일을 중요하게 생각하였다.

**Tip**

아시아, 아프리카 등지에 식민지를 만드는 팽창 정책을 **❶** 라고 한다. **❷** 은 다윈의 진화론을 활용하여 강대국의 약소국 지배를 정당화한 이론이다. **답 ❶** 제국주의 **❷** 사회 진화론

## 핵심 예제 ❶
| 서아시아의 민족 운동 |

**(가)에 대한 설명으로 옳지 않은 것은?**

그림은 영국과 러시아 사이에 끼어 간섭을 받던 오스만 제국을 풍자하였다. 오스만 제국은 강대국의 간섭과 영토 축소 등 위기에 직면하여 개혁의 필요성을 느꼈다. 이에 서양의 근대 문물을 받아들이는 (가) 을/를 추진하였다.

① 유럽식 교육 제도를 실시하였다.

② 세금 제도와 행정 제도를 개편하였다.

③ 중앙 집권 체제를 구축하고자 하였다.

④ 민족과 종교에 따른 차별을 폐지하였다.

⑤ 영국이 가진 담배 독점 판매권을 회수하였다.

**Tip**

영국과 러시아 사이에서 간섭을 받던 오스만 제국은 서구식 개혁인 탄지마트를 실시하였다.

**풀이**

⑤ 영국은 이란에서 담배 독점 판매권을 차지하였는데, 민중은 이를 회수하기 위해 담배 불매 운동을 벌였다. **답** ⑤

## 1-1 (가) 국가에 대한 설명으로 옳은 것은?

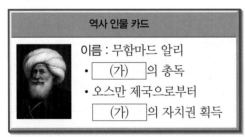

**역사 인물 카드**

이름 : 무함마드 알리
• (가) 의 총독
• 오스만 제국으로부터 (가) 의 자치권 획득

① 수에즈 운하를 건설하였다.

② 서구식 개혁인 탄지마트를 추진하였다.

③ 영국과 러시아에 영토를 분할 점령당하였다.

④ 청년 튀르크당의 혁명으로 헌법이 부활되었다.

⑤ 이슬람교 본래의 순수성을 되찾는 운동을 펼쳤다.

## 핵심 예제 ❷
| 인도의 국민 국가 건설 운동 |

**검색 결과에 대한 옳은 답변을 모두 골라 기호를 쓰시오.**

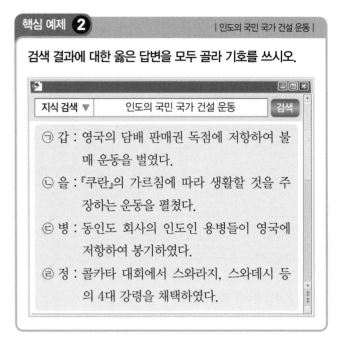

지식 검색 ▼  인도의 국민 국가 건설 운동  검색

㉠ 갑 : 영국의 담배 판매권 독점에 저항하여 불매 운동을 벌였다.

㉡ 을 : 『쿠란』의 가르침에 따라 생활할 것을 주장하는 운동을 펼쳤다.

㉢ 병 : 동인도 회사의 인도인 용병들이 영국에 저항하여 봉기하였다.

㉣ 정 : 콜카타 대회에서 스와라지, 스와데시 등의 4대 강령을 채택하였다.

**Tip**

갑은 이란의 담배 불매 운동, 을은 아라비아의 와하브 운동, 병은 인도의 세포이의 항쟁, 정은 인도 국민 회의의 반영 운동을 설명한 것이다.

**풀이**

세포이의 항쟁을 계기로 인도는 영국령 인도 제국이 되었다. 이러한 상황에서 인도 국민 회의가 중심이 되어 반영 운동을 전개하였다. **답** ㉢, ㉣

## 2-1 (가)에 들어갈 내용으로 가장 적절한 것은?

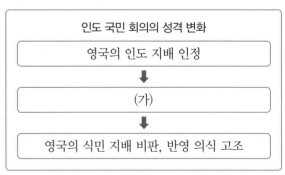

인도 국민 회의의 성격 변화

영국의 인도 지배 인정
↓
(가)
↓
영국의 식민 지배 비판, 반영 의식 고조

① 벵골 분할령이 발표되었다.

② 악습인 카스트제를 폐지하였다.

③ 플라시 전투에서 영국이 승리하였다.

④ 세포이가 영국의 침략에 저항하였다.

⑤ 영국 국왕이 인도를 직접 지배하였다.

## 핵심 예제 ❸　　　　　　　　| 동아시아의 개항 |

### (가)~(다) 국가의 개항에 대한 설명으로 옳은 것은?

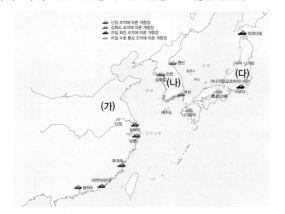

① (가) : 미국의 무력 시위로 개항하였다.

② (가) : 베이징 조약으로 추가 개항이 이루어졌다.

③ (나) : 서양 국가에 의해 최초로 개항하였다.

④ (다) : 난징 조약을 통해 홍콩을 할양받았다.

⑤ (다) : 영국과 조약을 맺어 공행 무역을 폐지하였다.

**Tip**

(가)는 청, (나)는 조선, (다)는 일본이다.

**풀이**

① 미국의 페리 제독 함대에 의해 (다) 일본이 개항하였다. ③ (나) 조선은 일본에 의해 최초로 개항하였다. ④, ⑤ (가) 청의 개항과 관련된 내용이다.　　　　　　　　　　　답 ②

### 3-1 자료에 대한 설명으로 옳지 않은 것은?

> • 시모다, 하코다테 외에 ⊙4개 항구를 개항할 것
> • 일본에 수출입하는 모든 상품은 ⓒ별도로 정한 바에 따라 관세를 낼 것
> • 일본인에게 죄를 지은 미국인은 미국 영사 재판소에서 조사하여 ⓒ미국 법에 따라 처벌받을 것
> 　　　　　　　　　　　－「미일 수호 통상 조약」－

① ⊙은 메이지 정부 시기에 이루어졌다.

② ⓒ은 협정 관세를 의미한다.

③ ⓒ은 영사 재판권을 의미한다.

④ ⓒ, ⓒ을 통해 불평등 조약임을 알 수 있다.

⑤ 미국의 압박으로 맺은 조약이다.

## 핵심 예제 ❹　　　　　　　　| 중국의 근대화 운동 |

### ⊙~ⓒ에 대한 설명으로 옳지 않은 것은?

> ⊙태평천국 운동을 진압하기 위해 한인 의용군을 조직했던 이홍장, 증국번 등의 한인 신사층은 서양 군대가 사용하는 무기의 우수성을 깨달았다. 이에 ⓒ양무운동을 추진하여 군사 기술을 습득하고자 하였다. 한편 양무운동을 비판하며 캉유웨이, 량치차오 등은 ⓒ새로운 근대화 운동을 추진하였다.

① ⊙ : 천조전무 제도를 발표하였다.

② ⊙ : 남녀평등, 악습 폐지 등을 내세웠다.

③ ⓒ : 청일 전쟁으로 한계점이 드러났다.

④ ⓒ : 중체서용론에 따라 개혁을 추진하였다.

⑤ ⓒ : 입헌 군주제와 의회제의 도입을 시도하였다.

**Tip**

ⓒ 양무운동은 중체서용론에 입각하여 중국의 전통을 유지하면서 서양의 군사 기술만을 수용하고자 하였다. ⓒ은 변법자강 운동에 해당한다.

**풀이**

중체서용론에 따라 개혁을 추진한 것은 양무운동이다.　　답 ④

### 4-1 (가) 운동에 대한 설명으로 옳은 것은?

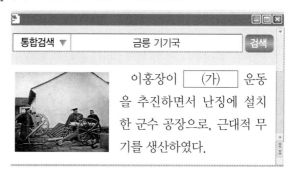

이홍장이 　(가)　 운동을 추진하면서 난징에 설치한 군수 공장으로, 근대적 무기를 생산하였다.

① 의회제의 도입을 주장하였다.

② 토지의 균등 분배를 주장하였다.

③ 청일 전쟁을 계기로 한계점이 드러났다.

④ 청을 도와 서양 세력을 물리치자고 주장하였다.

⑤ 베이징에 외국 군대가 주둔하는 빌미를 제공하였다.

**핵심 예제 5** | 일본의 근대화 운동 |

### 다음 형성 평가지의 점수로 옳은 것은?

역사 ① 형성 평가지

3학년 △반 ○번 성명 : ◇◇◇

• 주제 : 메이지 유신
– 문제의 내용이 맞으면 ○, 틀리면 ×를 표시하시오.

| 문제 | 답안 |
| --- | --- |
| 1 | 모병제를 실시하였다. | ○ |
| 2 | 서양식 교육을 실시하였다. | ○ |
| 3 | 봉건적 신분제를 폐지하였다. | × |
| 4 | 현을 폐지하고 번을 설치하였다. | ○ |
| 5 | 수신사를 파견하여 근대 문물을 수용하였다. | ○ |

※ 정답은 1점, 오답은 0점으로 계산하시오.

① 1점   ② 2점   ③ 3점   ④ 4점   ⑤ 5점

**Tip**

메이지 정부는 봉건적 체제를 해체하고 근대화를 이루기 위해 메이지 유신을 추진하였다. 번은 에도 막부 시기 다이묘에게 제공된 영지이며, 현은 천황이 임명한 지방관을 파견한 행정 구역이다.

**풀이**

메이지 유신으로 봉건적 신분제를 폐지하고 징병제로 평민의 입대를 가능하게 하였다. 폐번치현을 통해 다이묘가 가진 정치권과 경제권을 회수하여 중앙 집권 체제를 확립하였다. 근대 문물의 수용과 불평등 조약 체제 해소를 위해 이와쿠라 사절단을 파견하였다. 답 ②

## 5-1 (가) 이후에 일어난 사건으로 옳은 것은?

메이지 유신이 진행되면서 정부의 독단적 의사 결정에 반대하는 사람들이 등장하였다. 이타가키 다이스케 등은 「민선 의원 설립 건 백서」를 제출하여 헌법 제정과 의회 개설을 주장하는 (가) 운동을 전개하였다. 그러나 이 운동은 정부에 의해 곧 진압되었다.

① 신분제를 폐지하였다.
② 미일 화친 조약을 체결하였다.
③ 일본 제국 헌법을 제정하였다.
④ 이와쿠라 사절단을 파견하였다.
⑤ 번을 폐지하고 현을 설치하였다.

**핵심 예제 6** | 일본의 제국주의화 |

### (가) 조약과 관련된 설명으로 옳지 않은 것은?

만주로 진출하려는 러시아는 프랑스와 독일을 끌어들여 (가) 조약을 통해 일본이 차지한 랴오둥반도를 청에 반환하도록 압력을 넣었다. 삼국 간섭의 결과 일본은 러시아의 요구에 굴복하여 랴오둥반도를 청에 반환하였다.

① (가)는 시모노세키 조약이다.
② 일본이 타이완을 얻게 되었다.
③ 청일 전쟁의 결과 맺은 조약이다.
④ 부산을 포함한 3개 항구를 개항하였다.
⑤ 일본은 조약 배상금으로 산업화를 추진하였다.

**Tip**

자료는 삼국 간섭에 대한 설명이다. 러시아는 일본이 청일 전쟁에서 승리하며 맺은 (가) 시모노세키 조약에 따라 획득한 랴오둥반도를 청에 반환하게 함으로써 일본의 만주 진출을 견제하였다.

**풀이**

④ 부산, 인천, 원산의 3개 항구를 개항한 조약은 강화도 조약으로, 조선의 개항과 관련 있다. 답 ④

## 6-1 (가) 사건이 발생한 시기를 연표에서 옳게 고른 것은?

그림은 (가) 의 풍자화이다. 만주와 한반도를 놓고 러시아와 일본이 대립하고 있는 모습을 묘사하였다. 링 안에는 체격 차이가 큰 러시아와 일본이, 링 밖에는 두 나라의 싸움을 지켜보는 열강이 있다.

| (가) | (나) | (다) | (라) | (마) |
| --- | --- | --- | --- | --- |
| 청일 수호 조규 체결 | 강화도 조약 체결 | 시모노세키 조약 체결 | 포츠머스 조약 체결 | |

① (가)   ② (나)   ③ (다)   ④ (라)   ⑤ (마)

## 핵심 예제 7 | 신해혁명 |

**(가) 단체에 대한 설명으로 옳은 것은?**

 자료는 (가) 의 기관지인 『민보』이다. 청을 타도하고 공화정을 수립하는 것을 목표로 하였다. 쑨원을 중심으로 흥중회, 화흥회 등의 단체가 도쿄에서 연합하여 결성하였다.

① 근대식 군수 공장을 건립하였다.

② 민족, 민권, 민생을 강령으로 채택하였다.

③ 선교사, 교회, 철도 시설 등을 공격하였다.

④ 중체서용론에 따라 개혁을 추진하고자 하였다.

⑤ 이홍장, 증국번 등 한인 신사층에 의해 진압되었다.

**Tip**

(가)는 중국 동맹회로, 쑨원이 중심이 되어 공화정 수립을 목표로 결성한 혁명 단체이다.

**풀이**

② 민족주의, 민권주의, 민생주의를 묶어 삼민주의라고 하며, 이는 중국 동맹회의 강령으로 채택되었다. ①, ④ 양무운동에 대한 설명이다. ③ 의화단 운동, ⑤ 태평천국 운동에 대한 설명이다. **답** ②

## 7-1 밑줄 친 '혁명'에 대한 설명으로 옳은 것은?

**역사 신문**

제○○○호   ○○○○년 ○○월 ○○일

**새로운 나라가 들어서다!**

황제가 다스리던 나라는 황제가 없는 새로운 공화정 정부로 바뀌었다. 재정 문제를 해결하기 위해 민간이 건설한 철도를 담보로 잡으려 한 정부에 반대하는 움직임을 시작으로 신식 군대가 봉기하였고, 여러 성이 독립하는 혁명으로 이어졌다.

① 토지의 균등 분배를 지향하였다.

② 이홍장, 증국번 등이 주도하였다.

③ 악습 폐지와 남녀평등을 주장하였다.

④ 위안스카이가 대총통으로 즉위하였다.

⑤ 베이징에 외국 군대가 주둔하게 되었다.

## 핵심 예제 8 | 조선의 근대 국가 수립 운동 |

**(가)~(마)에 대한 설명으로 옳은 것은?**

조선의 근대 국가 수립 운동

| (가) | (나) | (다) | (라) | (마) |
|------|------|------|------|------|
| 갑신정변 | 동학 농민 운동 | 갑오개혁 | 독립 협회 창립 | 광무개혁 |

① (가) : 대한국 국제를 발표하였다.

② (나) : 전봉준 등의 주도로 지배층에 저항하였다.

③ (다) : 의회 설립과 입헌 군주제 도입을 시도하였다.

④ (라) : 급진 개화파에 의해 추진되었다.

⑤ (마) : 군국기무처를 중심으로 개혁을 추진하였다.

**Tip**

갑신정변은 김옥균, 서재필 등의 급진 개화파가 중심이 되어 진행한 근대화 운동이다.

**풀이**

① 대한국 국제는 광무개혁의 추진 과정에서 발표되었다. ③ 독립 협회의 의회 설립 운동과 관련 있으며, 관민 공동회에서 헌의 6조를 채택함으로써 본격화하였다. **답** ②

## 8-1 (가) 개혁의 내용으로 옳은 것을 | 보기 |에서 모두 고르면?

동학 농민 운동을 빌미로 조선에 군대를 파견한 일본은 고종에게 개혁을 강요하였다. 교정청을 두고 자율적으로 개혁을 시도하려던 조선은 교정청을 폐지하고 군국기무처를 설치하여 (가) 개혁을 추진하였다.

| 보기 |
ㄱ. 신분제 폐지          ㄴ. 과거제 폐지
ㄷ. 대한국 국제 발표     ㄹ. 만민 공동회 개최

① ㄱ, ㄴ   ② ㄴ, ㄷ   ③ ㄷ, ㄹ
④ ㄱ, ㄴ, ㄷ   ⑤ ㄴ, ㄷ, ㄹ

**1** 지도는 19세기 서아시아 지역을 나타낸 것이다. (가)~(라) 국가에 대한 설명으로 옳은 것은?

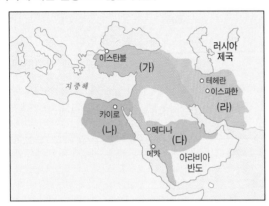

① (가) : 무함마드 알리가 근대화 개혁을 추진하였다.

② (나) : 영국이 가져간 담배 독점 판매권을 되찾고 자 하였다.

③ (다) : 이슬람교 초기의 순수성을 되찾자는 운동 이 전개되었다.

④ (라) : 오스만 제국으로부터 자치권을 획득하였다.

⑤ (나), (다) : 영국과 러시아에 의해 영토가 분할되 었다.

> **Tip**
>
> (나)는 이집트로, 무함마드 알리가 총독으로 있을 당시에 (가) ① 제국으로부터 자치권을 획득하였다. 한편 ② 은 담배 불 매 운동을 벌여 영국에 저항하였다. **답** ❶ 오스만 ❷ 이란

**2** (가), (나) 조약에 대한 설명으로 옳은 것은?

> (가) 제2조 영국 국민은 광저우, 상하이 등 5개 항 구에 거주할 수 있으며, 방해받지 않고 무역에 종사할 수 있다.
> 제5조 앞으로는 공행하고만 거래하는 제도를 폐지한다.
> (나) 제4조 부산 외에 두 곳의 항구를 개항하고 일 본인이 와서 통상하도록 허가한다.
> 제10조 일본인이 조선의 항구에서 지은 죄는 모두 일본의 관원이 심판한다.

① (가) : 영국에 홍콩을 할양하였다.

② (가) : 운요호 사건을 계기로 체결하였다.

③ (나) : 에도 막부의 압박으로 개항이 이루어졌다.

④ (나) : 영·프 연합군과 벌인 전쟁의 결과로 맺은 조약이다.

⑤ (가), (나) : 아편 전쟁의 결과로 맺은 조약이다.

> **Tip**
>
> 제1차 아편 전쟁의 결과 청은 영국과 ① 을 체결하고 공행 무 역을 폐지하였다. 조선은 운요호 사건을 계기로 일본과 ② 조 약을 맺고 개항하였다. **답** ❶ 난징 조약 ❷ 강화도

**3** (가) 시기에 대한 설명으로 옳지 <u>않은</u> 것은?

> [ (가) ] 시기의 교육 변화
>
>
>
> 왼쪽은 에도 막부 시대 기초 교육 기관인 데라코야의 수업 모습이고, 오른쪽은 근대 소학교의 수업 모습이다. 새로운 정부가 들어서면서 일본은 서양식 교육 제도를 도입하였다.

① 징병제를 실시하였다.

② 신분제를 폐지하였다.

③ 미일 화친 조약을 체결하였다.

④ 이와쿠라 사절단을 파견하였다.

⑤ 번을 폐지하고 현을 설치하였다.

> **Tip**
>
> 에도 막부가 ❶ 과 조약을 맺고 개항한 것에 반대하여 막부 타도 운동이 벌어졌다. 그 결과 천황을 중심으로 하는 정부가 들어서고 ❷ 이 이루어졌다.　　답 ❶ 미국 ❷ 메이지 유신

**4** 자료와 관련하여 학생의 설명으로 옳지 <u>않은</u> 것은?

> 제1조 청은 조선이 완전한 자주국임을 인정한다.
> 제2조 청은 랴오둥반도, 타이완 및 그 부속 여러 섬을 일본에 넘겨준다.
> 제4조 청은 일본에 배상금 2억 냥을 지불한다.

① 갑 : 청일 전쟁의 결과로 맺은 조약이야.

② 을 : 일본은 배상금으로 산업화를 진행했어.

③ 병 : 일본은 조선에 대한 청의 간섭을 배제했어.

④ 정 : 일본은 조선에 통감부를 설치할 수 있었어.

⑤ 무 : 청이 추진한 양무운동의 한계점이 드러났어.

> **Tip**
>
> 시모노세키 조약은 ❶ 의 결과로 맺은 조약으로, 일본은 랴오둥반도, ❷ 을 할양받았다.　　답 ❶ 청일 전쟁 ❷ 타이완

**5** (가) 단체에 대한 설명으로 옳은 것은?

> [ (가) ] 가입 신청서
>
> • 이름 : 리△△△
> • 지원 날짜 : 1905년 ◇월 □일
> • 지원 동기 : 우리의 고국인 청은 여러 서양 열강의 침략을 막아 내지 못하고 반식민지 상태가 되었습니다. 무능한 청 왕조를 몰아내고 새로운 정부를 세울 필요성을 느꼈습니다. 쑨원 동지가 일본 도쿄에서 새 나라를 세운다는 뜻을 내세우며 단체를 만들었기에 혁명 활동에 보탬이 되고자 지원합니다.

① 삼민주의를 제창하였다.

② 8개국 연합군에 의해 진압되었다.

③ 중체서용론에 따라 개혁을 추진하였다.

④ 메이지 유신을 모방하여 개혁을 추진하였다.

⑤ 한족 왕조의 부활로 서양 세력을 물리치고자 하였다.

> **Tip**
>
> ❶ 는 쑨원이 중심이 되어 공화정을 수립하기 위해 세운 단체로, 민족·민권·민생의 ❷ 를 행동 강령으로 삼았다.
> 답 ❶ 중국 동맹회 ❷ 삼민주의

**6** (가) 정부가 추진한 개혁에 대한 설명으로 옳은 것은?

> 환구단은 하늘에 제사를 지내기 위해 만들어졌다. 고종은 환구단에서 [ (가) ]의 수립을 선포하고 개혁을 추진하였다.

① 의회 개설 운동을 추진하였다.

② 신분제와 과거제를 폐지하였다.

③ 지계를 발급하고 산업을 육성하였다.

④ 왕실 재정과 국가 재정을 분리하였다.

⑤ 만민 공동회를 통해 자주 국권 운동을 전개하였다.

> **Tip**
>
> 고종은 러시아 공사관에서 돌아와 황제로 즉위하고 ❶ 의 수립을 선포하였다. 이후 광무개혁을 추진하여 토지 소유 증명서인 ❷ 를 발급하였다.　　답 ❶ 대한 제국 ❷ 지계

**1** (가), (나) 국가의 혁명에 대한 설명으로 옳은 것은?

> (가) 7년 전쟁으로 재정이 부족해진 영국이 식민지에 인지세, 차세를 부과하는 중상주의 정책을 실시하였다. 이에 식민지 주민들은 보스턴 항구에서 차를 바다에 던져 저항하였다.
>
> (나) 계속된 전쟁으로 재정 부족 문제가 발생하자 루이 16세는 삼부회를 소집하였다. 그러나 삼부회의 신분별 투표에 불만을 가진 시민 계층은 표결 방식을 바꿀 것을 요구하였다.

① (가) : 인간과 시민의 권리선언을 발표하였다.
② (가) : 삼권 분립의 민주 공화정을 수립하였다.
③ (나) : 크롬웰이 독재 정치를 폈다.
④ (나) : 의회가 제출한 권리장전을 수용하였다.
⑤ (가), (나) : 각 주의 자치를 인정하는 헌법을 제정하였다.

**2** (가), (나) 운동에 해당하는 역사적 사실로 옳은 것은?

> • __(가)__ : 국가의 정치적 억압이나 봉건적 질서에서 벗어나 정치·경제·사회적으로 개인이 자유와 평등을 누리는 것을 중요시 한다.
> • __(나)__ : 민족의 통일이나 다른 나라의 지배로부터 벗어나 독립된 국가를 세우는 것을 중요하게 생각한다.

① (가) : 프로이센 중심의 관세 동맹이 결성되었다.
② (가) : 루이 필리프를 추방하고 공화정을 수립하였다.
③ (나) : 곡물법과 항해법을 폐지하였다.
④ (나) : 인민헌장을 발표하여 선거권을 요구하였다.
⑤ (가), (나) : 비스마르크는 철혈 정책을 펼쳐 군사력을 강화하였다.

**3** (가)의 영향으로 옳은 것을 │보기│에서 모두 고르면?

> 18세기 후반 방적기, 방직기와 같은 기계가 발명되고 동력으로 증기 기관이 개량되면서 영국에서는 공장제 기계 공업이라는 새로운 생산 방식이 출현하였다. 이와 같이 생산 방식의 혁신적인 변화로 나타난 경제 및 사회 구조의 변화를 __(가)__ (이)라고 한다.

┌ 보기 ┐
ㄱ. 행해법이 제정되었다.
ㄴ. 관세 동맹이 체결되었다.
ㄷ. 자본가와 노동자 계층이 등장하였다.
ㄹ. 증기 기관차, 증기선 등이 발달하였다.

① ㄱ, ㄴ　　② ㄱ, ㄷ　　③ ㄴ, ㄷ
④ ㄴ, ㄹ　　⑤ ㄷ, ㄹ

**4** (가), (나)에 들어갈 용어를 쓰시오.

식민지를 개발하여 이익을 챙기는 유럽의 제국주의를 뒷받침하는 사상이 뭐지?

피부색에 따라 민족의 우열을 합리화하는 __(가)__ 이/가 있었어.

힘이 센 국가가 다른 국가를 지배해도 된다고 합리화한 __(나)__ 도 있어.

---

서아시아의 민족 운동

**5** (가), (나) 지역에서 전개된 민족 운동에 대한 설명으로 옳은 것을 | 보기 |에서 모두 고르면?

┌─ 보기 ┐
ㄱ. (가) : 탄지마트를 실시하였다.
ㄴ. (가) : 와하브 운동을 추진하였다.
ㄷ. (나) : 담배 불매 운동을 전개하였다.
ㄹ. (나) : 세포이가 영국의 지배에 저항하였다.
└────────────────────────┘

① ㄱ, ㄴ      ② ㄱ, ㄷ      ③ ㄴ, ㄷ
④ ㄴ, ㄹ      ⑤ ㄷ, ㄹ

---

동아시아의 개항

**6** (가) 조약의 배경으로 옳은 것은?

┌─────────────────────────────┐
• 영국 국민은 광저우, 상하이 등 5개 항구에 거주할 수 있고, 박해나 구속을 받지 않고 상업을 할 수 있다.
• 청은 영국에 홍콩을 넘기고, 영국의 법률로써 통치할 수 있다.
• 앞으로 공행하고만 거래하는 것을 폐지한다.
                  – 「 (가) 조약」 –
└─────────────────────────────┘

① 제1차 아편 전쟁이 일어났다.
② 페리 함대가 무력 시위를 벌였다.
③ 애로호 사건을 계기로 전쟁이 일어났다.
④ 영·프 연합군에 의해 베이징이 함락되었다.
⑤ 흥선 대원군이 통상 수교 거부 정책을 추진하였다.

---

중국의 근대화 운동

**7** 다음 표의 빈칸 (1), (2)에 들어갈 알맞은 말을 쓰시오.

| 구분 | (1) □□□□ | 변법자강 운동 |
|---|---|---|
| 내용 | • 중국 전통 유지<br>• 서양의 군사 기술 수용 | • 정치 제도의 개혁 주장(의회제 도입)<br>• 일본의 (2) □□□ □□을 모델로 함 |
| 주도<br>인물 | 증국번, 이홍장 | 캉유웨이, 량치차오 |

---

일본의 근대화 운동과 제국주의화

**8** 다음 조약이 체결된 시기를 연표에서 옳게 고른 것은?

┌─────────────────────────────┐
• 러시아는 한국에 대한 일본의 지도, 보호, 감리를 승인한다.
• 뤼순과 다롄의 조차권, 창춘 이남의 철도와 그 부속의 이권을 일본에 양도한다.
                  – 「포츠머스 조약」 –
└─────────────────────────────┘

| (가) | (나) | (다) | (라) | (마) |
|---|---|---|---|---|
| 메이지<br>유신 | 청일 전쟁<br>발발 | 삼국<br>간섭 | 대한 제국<br>강제 병합 | |

① (가)    ② (나)    ③ (다)    ④ (라)    ⑤ (마)

자유주의와 민족주의

**1** A~C에 들어갈 사건을 옳게 짝지은 것은?

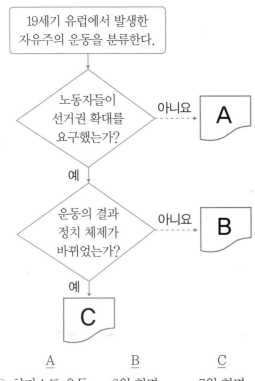

| | A | B | C |
|---|---|---|---|
| ① | 차티스트 운동 | 2월 혁명 | 7월 혁명 |
| ② | 7월 혁명 | 2월 혁명 | 차티스트 운동 |
| ③ | 7월 혁명 | 차티스트 운동 | 2월 혁명 |
| ④ | 2월 혁명 | 차티스트 운동 | 7월 혁명 |
| ⑤ | 2월 혁명 | 7월 혁명 | 차티스트 운동 |

**Tip**

프랑스의 **❶** 은 루이 필리프를 몰아내고 공화정을 수립한 혁명이다. 영국의 **❷** 은 인민헌장을 발표하여 보통 선거를 요구하였으나 반영되지 않았다. 　**답 ❶** 2월 혁명 **❷** 차티스트 운동

---

제국주의

**2** (가), (나) 국가의 제국주의 정책으로 옳은 것은?

통합검색 ▼ 　파쇼다 사건　 검색

아프리카의 침략 과정에서 종단 정책을 추진한 (가) 와/과 횡단 정책을 추진한 (나) 이/가 수단의 파쇼다 지역에서 충돌한 사건이다.
　그림은 할머니의 탈을 쓴 늑대를 (가) (으)로, 쿠키를 들고 있는 소녀를 (나) (으)로 묘사하였다.

① (가) : 인도네시아에 동인도 회사를 수립하였다.
② (가) : 무굴 제국을 멸망시키고 인도를 직접 통치하였다.
③ (나) : 오스트레일리아, 뉴질랜드를 자치령으로 삼았다.
④ (나) : 에스파냐와의 전쟁 이후 필리핀을 식민지로 삼았다.
⑤ (가), (나) : 모로코를 둘러싸고 독일과 충돌하였다.

**Tip**

(가)는 아프리카를 남북으로 이으려 한 **❶** 이고, (나)는 아프리카를 동서로 이으려 한 프랑스이다. **❷** 은 독일과 프랑스가 모로코를 둘러싸고 벌인 대립이다. 　**답 ❶** 영국 **❷** 모로코 사건

---

**3** (가) 단체에 대한 설명으로 옳은 것은?

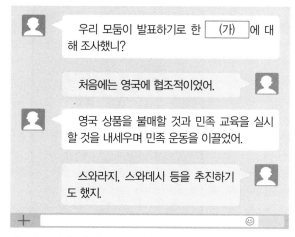

우리 모둠이 발표하기로 한 (가) 에 대해 조사했니?

처음에는 영국에 협조적이었어.

영국 상품을 불매할 것과 민족 교육을 실시할 것을 내세우며 민족 운동을 이끌었어.

스와라지, 스와데시 등을 추진하기도 했지.

① 세포이의 항쟁으로 해체되었다.
② 플라시 전투에서 프랑스와 대립하였다.
③ 영국이 담배 판매권을 독점한 것에 반발하였다.
④ 벵골 분할령을 계기로 반영 운동을 전개하였다.
⑤ 술탄의 전제 정치를 폐지하는 헌법을 발표하였다.

**Tip**

영국 상품 불매, 민족 교육 실시, 스와라지, 스와데시는 벵골 지역을 나누는 ❶ 이 발표된 이후 나온 인도 국민 회의의 강령이다. 한편 세포이의 항쟁은 영국의 지배에 저항하여 ❷ 회사의 용병인 세포이들이 일으킨 것이다. **답** ❶ 벵골 분할령 ❷ 동인도

---

**4** (가) 운동에 대한 설명으로 옳은 것을 보기 에서 모두 고르면?

**이홍장**
+ 스토리에 추가

• 한인 신사층 출신
• 향용을 조직하여 태평천국 운동을 진압함
• 중국번과 함께 (가) 운동을 추진함
• 금릉 기기국을 건설하였음

**보기**
ㄱ. 천조전무 제도를 발표하였다.
ㄴ. 중체서용론에 바탕을 두었다.
ㄷ. 의회제 도입을 목표로 하였다.
ㄹ. 청일 전쟁의 패배로 한계점이 드러났다.

① ㄱ, ㄴ  ② ㄱ, ㄷ  ③ ㄴ, ㄷ
④ ㄴ, ㄹ  ⑤ ㄷ, ㄹ

**Tip**

❶ 은 중국의 전통을 토대로 서양의 기술을 받아들이자는 주장이다. 의회제를 도입하고 입헌 군주제를 수립하고자 한 운동은 ❷ 이며, 캉유웨이, 량치차오 등이 추진하였다. **답** ❶ 중체서용론 ❷ 변법자강 운동

프랑스 혁명

**5** | 보기 |의 (가)~(라)는 프랑스 혁명에 대한 질문이다. 이때 학생이 뜯어갈 수 있는 오징어 다리를 모두 고르면?

┌ 규칙 ┐
질문에 대한 정답이 맞으면 다리를 뜯어갈 수 있음.

정답은 국민 공회야!

(가) (나) (다) (라)

┌ 보기 ┐
(가) : 공화정을 선포한 시기는 언제인가?

(나) : 테니스코트의 서약을 발표한 의회는?

(다) : 봉건제 권리의 폐지는 언제 선언했는가?

(라) : 공안 위원회, 혁명 재판소는 언제 설치했는가?

① (가), (나)　　② (가), (라)　　③ (나), (다)

④ (나), (라)　　⑤ (다), (라)

**Tip**

❶ 의 표결 방식에 불만을 가진 제3 신분의 사람들이 모여 ❷ 를 결성하고 테니스코트의 서약을 발표하였다.

답 ❶ 삼부회 ❷ 국민 의회

독일의 통일

**6** 스마트폰의 잠금 해제 패턴으로 옳은 것은?

일어난 순서대로 패턴을 그리세요.

관세 동맹　　철혈 정책 실시

프랑크 푸르트 의회　　독일 제국 수립

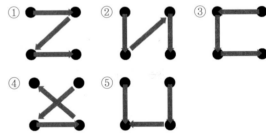

① ② ③ ④ ⑤

**Tip**

프로이센의 주도 아래 독일 지역 내 국가 간의 관세를 폐지한 ❶ 은 독일 통일의 경제적 기반을 마련하였다. 이후 ❷ 는 군사력 증강을 통한 통일을 강조하였다.

답 ❶ 관세 동맹 ❷ 비스마르크

## 7 (가)에 들어갈 내용으로 옳은 것은?

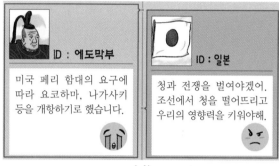

(가)

① 신해혁명이 발생하였다.

② 중국 동맹회가 결성되었다.

③ 가쓰라·태프트 밀약이 체결되었다.

④ 독립 협회가 헌의 6조를 발표하였다.

⑤ 신분제가 폐지되고 징병제가 실시되었다.

**Tip**

청일 전쟁의 결과 일본은 ❶ 조약을 통해 조선에 대한 청의 영향력을 배제하였다. 또한 ❷ 이후 미국과 가쓰라·태프트 조약을 맺어 한반도에 대한 영향력을 강화하였다.

**답** ❶ 시모노세키 ❷ 러일 전쟁

## 8 (가)에 대한 설명으로 옳은 것은?

① 아랍 고전을 연구하였다.

② 청년 튀르크당이 헌법을 부활시켰다.

③ 영국이 독점한 담배 판매권을 회수하였다.

④ 오스만 제국으로부터 자치권을 획득하였다.

⑤ 이슬람교 본래의 순수성을 되찾고자 하였다.

**Tip**

❶ 의 무함마드 알리는 서구식 근대화 개혁을 추진하였고, 그 결과 ❷ 으로부터 자치권을 획득하였다.

**답** ❶ 이집트 ❷ 오스만 제국

# 2주

## Ⅴ. 세계 대전과 사회 변동 ~
## Ⅵ. 현대 세계의 전개와 과제

### 03강_ 세계 대전과 사회 변동

## 04강_ 현대 세계의 전개와 과제

## 개념 ❶ 제1차 세계 대전

1 **배경** : 3국 동맹과 3국 협상의 대립, 범게르만주의와 범슬라브주의의 대립

2 **발발** : ❶ 　　 사건(오스트리아 황태자 부부 암살) → 오스트리아·헝가리 제국의 선전 포고

3 **과정** : 독일, 프랑스 공격 → 연합국의 참호전 → 전쟁 장기화 → 독일, 무제한 잠수함 작전 → 미국의 참전 → 러시아, 독일과 강화 조약 체결 → 독일 혁명 → 독일, 연합국에 항복

4 **특징** : 참호전, ❷ 　　(국가의 모든 인력과 물자 동원), 신무기 사용(독가스, 기관총, 탱크 등)

❶ 사라예보 ❷ 총력전

**확인 Q1** 독일이 영국을 봉쇄하기 위해 실시한 작전으로, 미국이 제1차 세계 대전에 참전하는 계기가 된 것은?

## 개념 ❷ 러시아 혁명

1 **배경** : 피의 일요일 사건 → 정부의 무력 진압

2 **2월 혁명(1917)** : 제1차 세계 대전 참전으로 인한 인명 피해, 경제난 → 노동자, 병사 등의 ❶ 　　 조직 → 임시 정부 수립

3 **10월 혁명(1917)** : 임시 정부의 개혁 부진, 전쟁 지속 → 레닌, ❷ 　　 중심으로 혁명 추진 → 소비에트 정부 수립

4 **사회주의 국가 수립**

| 레닌 | 독일과 강화 조약 체결, 코민테른 결성, 토지와 산업 국유화, 신경제 정책(NEP, 자본주의적 요소 일부 도입), 소련 수립 |
| --- | --- |
| 스탈린 | 집단 농장, 경제 개발 5개년 계획 추진, 독재 체제 강화 |

❶ 소비에트 ❷ 볼셰비키

**확인 Q2** ( 2월 혁명 , 10월 혁명 )은 레닌의 볼셰비키를 중심으로 임시 정부를 무너뜨리고 사회주의 정부를 세운 혁명이다.

## 개념 ❸ 베르사유 체제

1 **파리 강화 회의** : 제1차 세계 대전의 전후 처리

　• 기본 원칙 : 윌슨의 14개조 평화 원칙(비밀 외교 폐지, 군비 축소, 민족 자결주의 등)

　• ❶ 　　 조약 : 독일과 전승국 간 체결, 독일에 책임을 묻는 보복적 성격 → 베르사유 체제 성립

2 **전후 평화를 위한 노력**

　• ❷ 　　(1920) : 국제 평화 유지 목적으로 창설

　• 워싱턴 회의(1921) : 군비 축소 회의, 해군의 주력함 비율 조정

　• 부전 조약(1928) : 국제 분쟁을 평화적 수단으로 해결할 것에 합의

❶ 베르사유 ❷ 국제 연맹

**확인 Q3** ( 　　 )은/는 제1차 세계 대전의 전후 처리 문제를 논의하기 위해 개최한 회의이다.

## 개념 ❹ 제1차 세계 대전 이후의 민족 운동

1 **중국**

　• ❶ 　　 운동(1919) : 일본의 21개조 요구 반대 → 반일본, 반군벌 운동의 성격

　• 제1차 국공 합작(1924) : 제국주의, 군벌 타도 목적 → 국민당과 공산당의 결합

　• 국민 혁명 : 북벌 시작 → 국민당 정부 구성 → 제1차 국공 합작 결렬 → 군벌 붕괴 → 중국 통일

2 **인도**

　• ❷ 　　 : 비폭력·불복종 운동, 소금 행진 등

　• 네루 : 무력 저항으로 자치권 획득(1935)

3 **동남아시아** : 베트남(호찌민, 베트남 공산당), 인도네시아(수카르노, 인도네시아 국민당)

4 **오스만 제국** : 무스타파 케말, 터키 공화국 수립

❶ 5·4 ❷ 간디

**확인 Q4** ( 　　 )은/는 제국주의 세력과 군벌을 타도할 목적으로 중국 국민당과 공산당이 결합한 것이다.

## 개념 5 민주주의의 확산

1 **공화정의 확산** : 제1차 세계 대전 이후 왕정 폐지, 바이마르 공화국, 터키 공화국 등 수립

2 **참정권 운동**
- **❶** 선거권 : 모든 국민의 참전 → 재산, 신분, 성별의 제한 없이 선거권 부여
- 여성 참정권 운동 : 울스턴크래프트(18세기 후반), 팽크허스트, 포셋 등(19세기 후반) → 제1차 세계 대전의 **❷** 상황에서 여성 참전 → 참정권 인정

3 **노동자의 권리 보장**
- 국제 노동 기구(ILO) 설립
- 대공황 이후 : 부당 노동 금지, 와그너법(노동자의 단결권, 단체 교섭권 인정)과 사회 보장법 제정, 최저 임금제 도입

❶ 보통 ❷ 총력전

**확인 Q5** 윌슨이 제창한 민족 자결주의의 영향을 받아 독립한 신생 독립국들이 채택한 것으로, 국왕을 두지 않고 국민의 대표가 통치하는 정치 체제는?

## 개념 6 전체주의

1 **대공황** : 생산 설비에 대한 과도한 투자, 실업자 증가, 구매력 감소 → 주가 대폭락

| ❶<br>정책(미국) | • 정부가 시장 경제에 적극 개입<br>• 공공사업(테네시강 유역 개발 공사), 최저 임금제, 사회 보장제 실시 |
|---|---|
| 블록 경제<br>(영국, 프랑스) | 본국과 식민지를 하나의 경제권으로 묶는 정책 |

2 **❷** : 개인의 자유보다 전체(국가)의 이익을 중요하게 생각하는 사상

| 이탈리아<br>(파시즘) | 무솔리니, 파시스트당 결성 → 로마 진군(1922)으로 권력 장악 |
|---|---|
| 독일<br>(나치즘) | 전쟁 배상금, 대공황으로 경제 불황 → 바이마르 공화국 붕괴 → 히틀러의 일당 독재 체제 수립(1933) |
| 일본<br>(군국주의) | 군부의 권력 장악 → 군사력 확장, 대외 침략(만주 사변, 중일 전쟁) |
| 추축국 형성 | 독일, 이탈리아, 일본 → 상호 군사 협정(방공 협정) 체결 |

❶ 뉴딜 ❷ 전체주의

**확인 Q6** 이탈리아에서 파시스트당을 결성하고 로마 진군을 통해 권력을 장악한 인물은?

## 개념 7 제2차 세계 대전

1 **발발** : 독소 불가침 조약 체결(1939) → 독일, **❶** 침공 → 영국과 프랑스, 선전 포고

2 **전개**
- 유럽 : 독일, 파리 점령 → 전쟁 장기화 → 독일, 소련 침공 → 스탈린그라드 전투 → 연합군, 노르망디 상륙 작전 → 독일 항복
- 일본 : 중일 전쟁의 장기화 → 진주만 공습 → **❷** 전쟁 발발 → 연합군, 미드웨이 해전 → 미국, 일본에 원폭 투하 → 일본, 무조건 항복

❶ 폴란드 ❷ 태평양

**확인 Q7** 독일이 동부 전선을 안정시키기 위해 소련과 서로 침략하지 않기로 합의하며 맺은 조약은?

## 개념 8 전쟁 범죄와 전후 처리

1 **전쟁 범죄와 인권 유린**
- 대량 학살 : **❶**(독일 나치 세력의 유대인 학살), 난징 대학살(일본군의 중국인 학살)
- 전쟁 성범죄 : 일본군 '위안부'

2 **전후 처리 회담** : 카이로 회담(1943), 얄타 회담(1945), 포츠담 회담(1945)

3 **❷**(UN) 창설 : 대서양 헌장(1941, 전후 평화 수립 원칙 합의) → 얄타 회담(UN 창설 합의) → 샌프란시스코 회의(1951, UN 헌장 제정)

4 **전후 처리**
- 독일(미·영·프·소 4개국 분할 점령), 일본(미군정 지배, 샌프란시스코 회의 이후 주권 회복)
- 전범 재판 : 뉘른베르크 재판, 도쿄 재판

❶ 홀로코스트 ❷ 국제 연합

**확인 Q8** 중일 전쟁 당시 중화민국의 수도였던 난징을 점령한 일본군이 난징의 군인, 민간인 등을 학살한 사건은?

## 개념 ① 냉전 체제

**1 형성 : ❶** 독트린, 공산주의 세력 확대 방지 선언

| 자본주의 세력 | 구분 | 공산주의 세력 |
|---|---|---|
| ❷ 계획 | 경제 | 경제 상호 원조 회의 (COMECON) |
| 북대서양 조약 기구 (NATO) | 군사 기구 | 바르샤바 조약 기구 (WTO) |

**2 전개**

- 베를린 봉쇄(1948~49) : 미·영·프, 화폐 통합 → 소련, 베를린 봉쇄 → 동·서독 분단 → 베를린 장벽 건설(1961)
- 쿠바 미사일 위기(1962) : 소련, 쿠바에 미사일 기지 건설 시도 → 미국과의 갈등 표면화
- 중국의 공산화 : 국공 내전 → 마오쩌둥의 공산당 승리, 중화 인민 공화국 수립(1949)
- 6·25 전쟁(1950~53) : 남한, 유엔군의 지원(자본주의) ↔ 북한, 중국과 소련의 지원(공산주의)
- 베트남 전쟁(1964~75) : 남베트남, 미국(자본주의) ↔ 북베트남(공산주의)

❶ 트루먼 ❷ 마셜

**확인 Q1** 소련이 쿠바에 미사일 기지를 건설하고자 시도하면서 미국과의 갈등이 표면화된 사건은?

## 개념 ② 제3 세계

**1 ❶ 주의 :** 아시아, 아프리카의 신생 독립국이 자본주의나 공산주의 어느 진영에도 속하지 않고 독자적인 세력 형성

**2 평화 5원칙(1954) :** 콜롬보 회의, 인도·중국 대표 참석, 상호 불가침, 평화 공존 원칙 등 합의

**3 ❷ (1955) :** 아시아·아프리카 회의(반둥 회의), 제국주의 반대, 제3 세계 국가 간의 협력

❶ 비동맹 ❷ 평화 10원칙

**확인 Q2** ( )는 미국 중심의 자본주의 진영, 소련 중심의 사회주의 진영 그 어디에도 속하지 않은 아시아, 아프리카의 신생 독립국들을 가리킨다.

## 개념 ③ 탈냉전

**1 배경 :** 양극 체제(미국과 소련 중심) → 다극 체제

- 소련의 영향력 약화 : 중국과 소련의 이념·영토 분쟁, 동유럽의 독자 노선 추구
- 미국의 영향력 약화 : 베트남 전쟁 실패, 프랑스의 북대서양 조약 기구 탈퇴
- 제3 세계의 형성, 독일과 일본의 경제 성장

**2 전개**

- ❶ (1969) : 미국, 아시아에서의 직접적인 군사 개입 자제
- 미국과 중국의 국교 수립(1979)
- 동·서독 유엔 동시 가입
- ❷ (SALT) : 핵무기 감축 합의

❶ 닉슨 독트린 ❷ 전략 무기 제한 회담

**확인 Q3** ( )은 미국과 소련 중심의 냉전 질서가 무너지고 긴장이 완화되는 현상을 가리키는 말이다.

## 개념 ④ 사회주의 국가의 붕괴

**1 소련의 해체**

- 배경 : 사회주의 경제 체제의 비효율성, 공산당 관료의 부정부패
- 과정

| 고르바초프 | • ❶ (개방) : 언론의 자유와 비판 허용 |
|---|---|
| | • 페레스트로이카(개혁) : 시장 경제 요소 도입 |
| 옐친 | 소련 해체, ❷ (CIS) 결성 |

**2 공산주의 정권의 붕괴**

- 동유럽 : 고르바초프, 소련의 동유럽에 대한 불간섭 선언 → 폴란드, 헝가리, 체코슬로바키아 등은 민주화 운동을 통한 정권 교체
- 독일 : 베를린 장벽 붕괴(1989), 동·서독 통일(1990)

❶ 글라스노스트 ❷ 독립 국가 연합

**확인 Q4** ( 글라스노스트 , 페레스트로이카 )는 중앙 정부의 경제 통제를 완화하고 시장 경제 요소를 도입한 정책이다.

## 개념 ❺ 중국의 경제 개방

### 1 마오쩌둥
- 대약진 운동(1950년대 말) : 농촌의 집단화
- ❶ : 대약진 운동의 실패 → 홍위병 조직, 독재 체제 강화 → 전통문화 파괴, 사회 혼란 지속

### 2 덩샤오핑

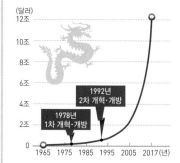

- 개혁·개방 정책 : 실용주의 노선 채택(흑묘백묘론) → 자본주의 시장 경제 요소 일부 도입, 경제특구 지정(광저우, 푸저우, 상하이 등)
- ❷ 사건(1989) : 민주화 요구 시위 → 무력 진압

❶ 문화 대혁명 ❷ 톈안먼

**확인 Q5** 덩샤오핑이 중국식 사회주의 경제 체제에 자본주의 시장 경제 요소를 일부 도입하여 추진한 정책은?

## 개념 ❻ 유럽 통합

### 1 유럽 석탄 철강 공동체(ECSC, 1952) : 프랑스, 석탄, 철강의 공동 생산 판매 제안 → 프랑스, 독일 등 6개국 참여
### 2 유럽 경제 공동체(EEC, 1958)
### 3 유럽 공동체(EC, 1967)

### 4 ❶ (EU) : ❷ 조약 체결(1992) 후 이듬해 출범 → 유로화 도입으로 단일 통화권 형성

> 1. 역내에 장벽이 없는 영역을 창조하고 경제 및 사회의 일체성을 강화하고 궁극적으로는 단일 통화를 포함하여 경제 통화 연합을 달성할 것 ……
> – 「마스트리흐트 조약」 –

❶ 유럽 연합 ❷ 마스트리흐트

**확인 Q6** 마스트리흐트 조약을 통해 창설되었으며, 단일 통화로 유로화를 사용하는 조직은?

## 개념 ❼ 탈권위주의 운동

### 1 배경 : 제2차 세계 대전 이후 경제 성장, 고등 교육 확대 → 기성세대의 가치와 문화에 저항
### 2 민권 운동 : 마틴 루서 킹(미국, 흑인 민권 운동), ❶ (아파르트헤이트 반대 운동)
### 3 ❷ 운동 : 권위주의적 대학 교육, 베트남 전쟁에 반대하는 대학생들의 시위 → 사회 변혁 운동으로 발전, 개인의 자유와 권리 신장 주장
### 4 여성 운동 : 신체적 자기 결정권(낙태 금지법 반대 운동), 가사 노동과 육아 문제의 공론화

❶ 넬슨 만델라 ❷ 68

**확인 Q7** ( 마틴 루서 킹 , 넬슨 만델라 )은/는 미국의 흑인 민권을 증진시키기 위한 운동을 전개하였다.

## 개념 ❽ 세계화

### 1 자유 무역 체제의 형성 : 국제 통화 기금(IMF), 세계은행 설립, 관세 및 무역에 관한 일반 협정(GATT) 체결(1947) → 자유 무역 확대
### 2 ❶ 주의 : 1970년대 석유 파동 등 경제 불황 → 정부의 경제 개입 축소, 무역의 자유화, 시장 개방, ❷ (WTO) 결성, 자유 무역 협정(FTA) 체결, 다국적 기업의 성장
### 3 세계화 : 자유 무역 확대, 교통과 정보 통신 기술 발달 → 국가 간 장벽을 낮추어 사람, 상품, 자본의 이동 활발
### 4 지역화 : 세계화에 대한 대응으로 인접 국가 간 경제 공동체 형성 예 APEC, ASEAN, NAFTA

❶ 신자유 ❷ 세계 무역 기구

**확인 Q8** ( 세계화 , 지역화 )는 전 세계를 하나의 공간 단위로 하여 상호 의존성이 심화된 현상이다.

**01** (가)에 대한 설명으로 옳은 것은?

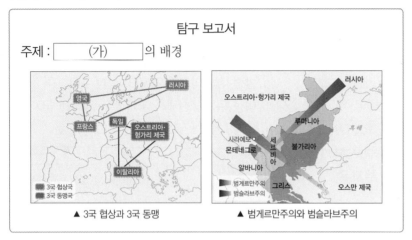

탐구 보고서

주제 :　　(가)　　의 배경

▲ 3국 협상과 3국 동맹　　▲ 범게르만주의와 범슬라브주의

① 바이마르 공화국을 붕괴시켰다.
② 사라예보 사건이 발단이 되었다.
③ 독소 불가침 조약을 체결하였다.
④ 비폭력·불복종 운동을 전개하였다.
⑤ 군부가 정권을 잡고 만주를 침략하였다.

**02** (가) 조약 체결의 결과로 옳은 것은?

　제1차 세계 대전이 종료된 이후 전쟁 문제 처리를 위해 파리 강화 회의가 개최되었다. 미국 대통령 윌슨이 제시한 14개조 평화 원칙을 기본 원칙으로 삼아 회의가 이루어졌으나, 실제로는 승전국의 이익을 대변하는 방향으로 나아갔다. 이러한 상황에서 독일에 전쟁의 책임을 물으려고 승전국과 독일 사이에 　(가)　 조약이 체결되었으며, 이에 따라 형성된 국제 질서를 　(가)　 체제로 부르게 되었다.

① 독일은 한국의 독립을 약속하였다.
② 독일은 일본, 이탈리아와 추축국을 형성하였다.
③ 독일은 소련과 서로 침략하지 않기로 약속하였다.
④ 독일은 해외 식민지와 국내 영토의 일부를 상실하였다.
⑤ 독일은 국제 분쟁을 평화적 수단으로 해결하기로 합의하였다.

>> 정답과 해설 9쪽

**03** (가) 인물에 대한 설명으로 옳은 것은?

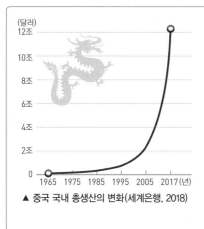

(달러)
12조
10조
8조
6조
4조
2조
0
1965 1975 1985 1995 2005 2017(년)
▲ 중국 국내 총생산의 변화(세계은행, 2018)

그래프는 중국의 개혁·개방 정책 추진 이후 나타난 국내 총생산의 변화이다. ___(가)___ 은/는 실용주의 노선을 채택하고 개혁·개방 정책을 추진하였다. 이는 사회주의에 자본주의 시장 경제 요소 일부를 도입한 정책이다. ___(가)___ 은/는 '흰 고양이든 검은 고양이든 쥐만 잘 잡으면 된다.'라는 말을 통해 적극적인 경제 성장 정책을 추진하였다.

① 대약진 운동을 추진하였다.
② 독립 국가 연합을 결성하였다.
③ 은행과 기업의 국유화를 추진하였다.
④ 홍위병을 통해 독재 체제를 강화하였다.
⑤ 톈안먼에서 벌어진 민주화 요구 시위를 진압하였다.

**문제 해결 전략**

덩샤오핑은 흑묘백묘론을 내세우며 경제 발전을 위해서는 ❶ 주의 시장 경제 요소를 도입할 수 있다고 하였다. 한편 민주화 요구 시위를 무력으로 진압한 ❷ 사건을 일으키기도 하였다.

🔲 ❶ 자본 ❷ 톈안먼

**04** (가)의 사례로 옳은 것을 ┃보기┃에서 모두 고르면?

　　자유 무역의 확대와 교통과 정보 통신 기술의 발달로 국가 간 상품, 자본, 노동력의 이동이 활발해지는 세계화 현상이 나타났다. 사회주의권의 붕괴 이후 신자유주의가 확산되고 다국적 기업이 성장하면서 세계 간 교류는 더욱 활발해졌다. 세계화의 흐름과 함께 이에 대한 대응으로 인접 지역 간의 공동체를 형성하는 ___(가)___ 이/가 이루어지고 있다.

┌ 보기 ┐
ㄱ. 마셜 계획
ㄴ. 북대서양 조약 기구
ㄷ. 동남아시아 국가 연합
ㄹ. 아시아·태평양 경제 협력체

① ㄱ, ㄴ　　　② ㄱ, ㄷ　　　③ ㄴ, ㄷ
④ ㄴ, ㄹ　　　⑤ ㄷ, ㄹ

**문제 해결 전략**

지역화는 인접 지역 간의 공동체를 형성하는 현상으로 ❶ (EU), 북아메리카 자유 무역 협정(NAFTA)를 예시로 들 수 있다. 한편 ❷ 는 국가 간의 상호 의존성이 심화되어 전 세계를 하나의 활동 공간으로 삼는 현상을 의미하며, ❸ 기업의 성장으로 교류가 더욱 촉진되었다.

🔲 ❶ 유럽 연합 ❷ 세계화 ❸ 다국적

## 핵심 예제 ❶

| 제1차 세계 대전 |

밑줄 친 '전쟁'의 결과로 가장 적절한 것은?

> 영국이 독일의 보급로를 끊기 위해 북해를 차단하자 독일은 영국의 해상을 봉쇄하려고 무제한 잠수함 작전을 펼쳤다. 그러나 독일의 작전으로 미국의 상선이 피해를 보게 되자 미국이 전쟁에 참전하였다.

① 베르사유 체제가 성립되었다.
② 러시아에서 제정이 무너졌었다.
③ 독일과 소련이 불가침 조약을 맺었다.
④ 히틀러의 일당 독재 체제가 수립되었다.
⑤ 독일의 영토가 4개국에 의해 분할되었다.

**Tip**

독일의 무제한 잠수함 작전은 제1차 세계 대전의 전개 과정 중에 일어난 사건이다.

**풀이**

제1차 세계 대전의 결과 독일과 전승국 사이에 베르사유 조약이 체결되었고, 국제 평화를 유지하기 위한 베르사유 체제가 성립되었다. **답** ①

## 핵심 예제 ❷

| 러시아 혁명 |

(가), (나) 사이에 일어난 사실로 옳은 것은?

> (가) 러일 전쟁에서 러시아가 패배할 것으로 보이자 노동자들이 개혁을 요구하며 시위를 벌였다. 황제는 시위를 무력으로 진압하였다.
> (나) 임시 정부가 전쟁에 계속 참여하고 개혁을 제대로 추진하지 않는 것에 반발하여 레닌의 볼셰비키가 임시 정부를 무너뜨렸다.

① 코민테른을 결성하였다.
② 농노 해방령이 발표되었다.
③ 신경제 정책을 추진하였다.
④ 경제 개발 5개년 계획을 추진하였다.
⑤ 노동자, 군인 등이 소비에트를 조직하였다.

**Tip**

러일 전쟁의 패배 과정을 배경으로 일어난 사건은 피의 일요일 사건이며, 임시 정부를 무너뜨리고 소비에트 정부를 세운 혁명은 10월 혁명이다.

**풀이**

(가)는 피의 일요일 사건, (나)는 러시아 10월 혁명에 대한 설명이다. (가)와 (나) 사이에 러시아 2월 혁명이 발생하였다. **답** ⑤

---

**1-1** (가) 전쟁의 특징으로 옳은 것을 | 보기 |에서 모두 고르면?

> 주제 : ____ (가) ____
> 1. 발단 : 사라예보 사건
> 2. 과정 : 독일의 프랑스 공격 → 전쟁 장기화 → 독일의 무제한 잠수함 작전 → 미국의 참전 → 독일의 항복

┌ 보기 ┐
ㄱ. 참호전         ㄴ. 총력전
ㄷ. 신무기 사용     ㄹ. 전체주의 등장

① ㄱ, ㄴ        ② ㄴ, ㄷ        ③ ㄷ, ㄹ
④ ㄱ, ㄴ, ㄷ        ⑤ ㄴ, ㄷ, ㄹ

**2-1** (가) 인물이 실시한 정책으로 옳은 것은?

> 자료는 노동자의 단결을 촉구하는 코민테른의 포스터이다. 국제 공산당 조직인 코민테른은 ____ (가) ____ 이/가 만들었다.

① 집단 농장 설치        ② 대약진 운동 전개
③ 신경제 정책 추진        ④ 베르사유 조약 체결
⑤ 경제 개발 5개년 계획 추진

**핵심 예제 ③** | 베르사유 체제 |

**(가)에 들어갈 내용으로 가장 적절한 것은?**

다큐멘터리 계획안

• 주제 : 제1차 세계 대전 이후 새로운 질서

• 장면 계획

| 장면번호 | 내용 |
|---|---|
| S#1 | 독일이 항복하다. |
| S#2 | (가) |
| S#3 | 국제 분쟁을 평화적 수단으로 해결할 것을 합의하다. |

① 국제 연합을 조직하였다.

② 워싱턴 회의가 개최되었다.

③ 사라예보 사건이 발생하였다.

④ 무제한 잠수함 작전이 펼쳐졌다.

⑤ 독일과 러시아가 강화 조약을 맺었다.

**Tip**

부전 조약은 국제 분쟁을 평화적 수단으로 해결하기로 합의한 내용을 담고 있다.

**풀이**

S#1은 제1차 세계 대전의 종전(1918), S#3은 부전 조약(1928)에 대한 내용이다. 워싱턴 회의는 1921년에 개최되었으며, 군비 축소를 논의하기 위해 열렸다.                                                            **답** ②

**3-1 (가), (나)에 들어갈 내용을 옳게 짝지은 것은?**

제1차 세계 대전 이후 전쟁 문제를 처리하고 전후 평화 체제를 형성하기 위한 회의가 열렸다. 1921년 [ (가) ]에서는 해군의 주력함 비율을 조정하고 군비를 축소하고자 하였다. 1928년에는 [ (나) ]을/를 통해 국제 분쟁을 평화적 수단으로 해결하기로 합의하였다.

| | (가) | (나) |
|---|---|---|
| ① | 베르사유 조약 | 부전 조약 |
| ② | 워싱턴 회의 | 부전 조약 |
| ③ | 워싱턴 회의 | 베르사유 조약 |
| ④ | 파리 강화 회의 | 베르사유 조약 |
| ⑤ | 파리 강화 회의 | 로카르노 조약 |

**핵심 예제 ④** | 제1차 세계 대전 이후의 민족 운동 |

**(가)에 대한 설명으로 옳은 것은?**

[ (가) ]은/는 제1차 세계 대전의 종료 이후 열린 파리 강화 회의의 결정에 반발하여 일어난 사건이다. 제1차 세계 대전에서 연합국으로 참전했던 중국은 빼앗긴 이권을 되찾아올 것을 기대했으나, 오히려 일본의 21개조 요구 사항이 승인되자 '21개조 요구 철폐', '칭다오 반환' 등을 요구하는 대규모 시위를 전개하였다.

① 무력 저항으로 자치권을 획득하였다.

② 군벌을 무너뜨리고 중국을 통일하였다.

③ 반군벌, 반일본의 성격을 지닌 운동이다.

④ 영국의 소금법에 저항하여 소금 행진을 벌였다.

⑤ 유교 사상을 비판하고 민주주의, 과학을 강조하였다.

**Tip**

5·4 운동은 일본의 21개조 요구 사항에 대한 파리 강화 회의의 결정 및 21개조 요구 사항을 수용하려는 군벌에 대한 반발로 일어났다.

**풀이**

5·4 운동은 일본과 군벌에 저항한 반군벌, 반일본, 반제국주의 성격의 운동이다.                                                            **답** ③

**4-1 (가) 인물이 속한 국가의 민족 운동으로 옳은 것은?**

[ (가) ]은/는 간디의 뒤를 이어 국민 회의를 이끌었다. 완전한 독립을 주장하며 평화 시위를 대신하여 파업과 투쟁적인 운동을 추진하였다. 그 결과 영국 정부는 군사권, 외교권을 제외한 자치권을 인정하였다.

① 일본의 21개조 요구에 반발하였다.

② 북벌 과정에서 공산당을 추방하였다.

③ 수카르노가 주도하여 국민당을 결성하였다.

④ 무스타파 케말에 의해 공화국이 수립되었다.

⑤ 납세 거부 등의 비폭력·불복종 운동을 전개하였다.

## 핵심 예제 ❺ | 전체주의 |

자료의 흐름으로 발생한 문제를 해결하기 위해 실시한 정책으로 옳지 않은 것은?

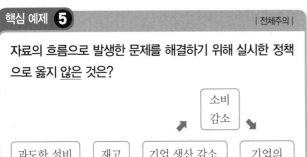

① 사회 보장제를 실시하였다.
② 최저 임금제를 실시하였다.
③ 공공사업을 통해 일자리를 마련하였다.
④ 본국과 식민지를 하나의 시장으로 묶었다.
⑤ 사회주의 체제에 자본주의 요소를 도입하였다.

**Tip**

대공황은 기업의 과도한 생산 투자로 인한 재고 증가와 노동자의 구매력 감소가 복합적으로 작용하여 일어난 경제 불황이다.

**풀이**

자료는 대공황의 발생 원인을 보여 주는 흐름도이다. 대공황을 해결하기 위해 미국에서는 뉴딜 정책을 추진하고 최저 임금제, 사회 보장제 등을 실시하였다. 영국과 프랑스는 블록 경제를 실시하였다. **답** ⑤

## 5-1 (가)의 사례로 옳은 것을 보기 에서 모두 고르면?

> 대공황 전후로 나타난 경제 불황과 사회 혼란 속에서 식민지가 적고 경제 기반이 약한 곳에서는 ___(가)___ 세력이 권력을 잡았다. ___(가)___ 은/는 개인의 모든 활동은 전체의 발전을 위해 존재한다고 주장한 이념이다.

┌ 보기 ┐
ㄱ. 이탈리아, 오스트리아 병합
ㄴ. 이탈리아, 파시스트당의 정권 장악
ㄷ. 독일의 나치당, 로마 진군을 통한 권력 장악
ㄹ. 일본, 군부의 권력 장악과 군국주의 정책 강화

① ㄱ, ㄴ  ② ㄱ, ㄷ  ③ ㄴ, ㄷ  ④ ㄴ, ㄹ  ⑤ ㄷ, ㄹ

## 핵심 예제 ❻ | 제2차 세계 대전 |

지도의 전쟁이 일어난 이유로 가장 적절한 것은?

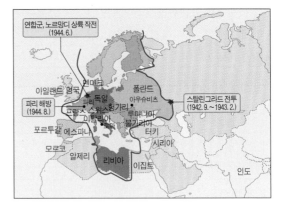

① 국제 연합이 창설되었다.
② 진주만 공습이 이루어졌다.
③ 독일이 폴란드를 침공하였다.
④ 대서양 헌장에 평화 원칙을 담았다.
⑤ 얄타 회담에서 독일의 분할 점령을 결정하였다.

**Tip**

지도의 스탈린그라드 전투, 노르망디 상륙 작전 등은 제2차 세계 대전 중에 벌어졌다.

**풀이**

제2차 세계 대전은 독일이 오스트리아를 병합하고 체코슬로바키아의 일부 지역을 차지한 후 폴란드를 침공함으로써 시작되었다. 독일의 폴란드 침공에 대응하여 영국, 프랑스 등의 연합국이 선전 포고를 하였다. **답** ③

## 6-1 (가), (나) 사이에 일어난 사실로 옳지 않은 것은?

> (가) 독일은 재무장을 선언한 이후 오스트리아를 병합하고 체코슬로바키아의 수데텐란트 지방을 요구하였다.
> (나) 연합군이 프랑스 파리를 다시 회복하고 소련군, 미군 등이 베를린으로 진격하자 독일이 무조건 항복을 하였다.

① 독일이 폴란드를 침공하였다.
② 독소 불가침 조약이 파기되었다.
③ 노르망디 상륙 작전이 전개되었다.
④ 킬 군항의 수병들이 반란을 일으켰다.
⑤ 스탈린그라드 전투에서 독일군이 패배하였다.

**핵심 예제 7** | 민주주의의 발전 |

지도의 신생 독립국들이 수립한 정치 체제에 영향을 준 것으로 가장 적절한 것은?

- 독일이 상실한 지역
- 러시아가 상실한 지역
- 오스트리아가 상실한 지역
- 신생 독립 국가

① 윌슨이 민족 자결주의를 제시하였다.
② 미국과 영국이 대서양 헌장을 발표하였다.
③ 노동자, 군인 중심의 소비에트가 구성되었다.
④ 얄타 회담에서 국제 연합 창설이 합의되었다.
⑤ 일본이 샌프란시스코 회의에서 주권을 회복하였다.

**Tip**

지도는 제1차 세계 대전 이후 독립한 동유럽의 신생 독립국을 보여 준다.

**풀이**

지도의 신생 독립국들은 모두 공화정을 채택하였다. 제1차 세계 대전 이후 윌슨이 민족 자결주의를 제창하면서 패전국의 식민지가 독립할 수 있도록 영향을 미쳤으며, 민주주의가 전파되어 공화정의 수립이 이루어졌다.  **답** ①

**7-1** 밑줄 친 '노력'의 사례로 옳지 <u>않은</u> 것은?

> 산업 혁명 이후 노동자 계급이 형성되면서 노동자의 권리도 확대되었다. 제1차 세계 대전 이후에는 국제 노동 기구(ILO)를 설립하였으며, 대공황 이후에도 노동자의 권리를 보장하기 위한 국가의 <u>노력</u>이 이루어졌다.

① 부당 노동을 금지하였다.
② 최저 임금제를 도입하였다.
③ 노동자의 단체 교섭권을 인정하였다.
④ 사회 보장법으로 실업자를 보호하였다.
⑤ 블록 경제를 통해 자국의 산업을 보호하였다.

**핵심 예제 8** | 전쟁 범죄와 전후 처리 |

다음 사건이 일어난 시기를 연표에서 옳게 고른 것은?

> 미국의 루스벨트, 영국의 처칠, 중국의 장제스가 모여 제2차 세계 대전 이후 일본의 처리 문제를 논의하였다. 또한 한국의 독립과 타이완, 만주 등 일본이 점령한 곳을 중국에 돌려줄 것을 약속하였다.

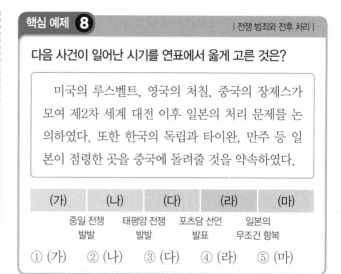

| (가) | (나) | (다) | (라) | (마) |
|------|------|------|------|------|
| 중일 전쟁<br>발발 | 태평양 전쟁<br>발발 | 포츠담 선언<br>발표 | 일본의<br>무조건 항복 |  |

① (가)  ② (나)  ③ (다)  ④ (라)  ⑤ (마)

**Tip**

한국의 독립과 타이완, 만주 등의 중국 반환은 카이로 회담에서 논의된 내용이다.

**풀이**

자료는 카이로 회담의 내용이다. 카이로 회담은 제2차 세계 대전 중인 1943년에 개최되었다. 중일 전쟁 발발은 1937년, 태평양 전쟁 발발은 1941년, 포츠담 선언 발표는 1945년, 일본의 무조건 항복은 1945년이다. 따라서 카이로 회담은 (다) 시기에 해당한다.  **답** ③

**8-1** 다음과 같은 범죄를 저지른 국가에 대한 전후 처리로 옳은 것은?

> • 유대인을 수용소로 끌고 가 강제 노동을 시켰으며, 노동력이 없는 유대인의 경우 가스실에서 학살하였다.
> • 나치는 폴란드를 점령한 이후 자국민을 이주시키기 위해 그곳에 살던 사람들을 강제로 추방하였으며, 도시와 농촌 등에서 민간인을 대규모로 학살하였다.

① 미군정을 실시하였다.
② 국제 연합을 창설하였다.
③ 대서양 헌장을 발표하였다.
④ 뉘른베르크 재판에서 전범을 처리하였다.
⑤ 샌프란시스코 회의에서 주권을 회복시켰다.

**1** (가) 전쟁 중에 일어난 사실로 옳지 <u>않은</u> 것은?

그림은 **(가)** 의 풍자화이다. 세르비아와 오스트리아·헝가리 제국의 싸움에 러시아와 독일이 끼어 들고, 그 뒤에 프랑스와 영국이 들어오는 모습은 당시 복잡한 유럽의 국제 정세를 잘 보여 준다. **(가)** 은/는 사라예보 사건 이후 오스트리아·헝가리 제국의 선전 포고로 시작되었다.

① 3국 동맹이 형성되었다.

② 미국이 전쟁에 참전하였다.

③ 무제한 잠수함 작전이 펼쳐졌다.

④ 러시아와 독일이 강화 조약을 맺었다.

⑤ 연합국의 참호를 두고 장기간 대치하였다.

**Tip**

오스트리아, 독일, 이탈리아의 **❶** 과 영국, 프랑스, 러시아의 **❷** 이 충돌한 상황은 제1차 세계 대전의 배경 중 하나였다.

**답** ❶ 3국 동맹 ❷ 3국 협상

**2** (가) 인물의 정책으로 옳은 것을 고른 학생은?

> **(가)** 은/는 레닌의 뒤를 이어 소련의 집권자가 된 인물이다. 그는 경제 개발 5개년 계획을 수립하고 공업 정책을 추진하였다.

| 정책 | 갑 | 을 | 병 | 정 | 무 |
|---|---|---|---|---|---|
| 집단 농장 조직 | ∨ | ∨ | | | |
| 독재 체제 강화 | ∨ | | ∨ | ∨ | |
| 신경제 정책 실시 | | ∨ | ∨ | | ∨ |
| 독일과 강화 조약 체결 | | | | ∨ | ∨ |

① 갑　　② 을　　③ 병　　④ 정　　⑤ 무

**Tip**

레닌은 제1차 세계 대전 중 **❶** 과 강화 조약을 맺어 전쟁을 중지하였고, **❷** 은 자신의 정책에 반대하는 세력을 숙청하여 독재 체제를 강화하였다.

**답** ❶ 독일 ❷ 스탈린

**3** (가), (나) 사이에 일어난 사실로 옳은 것은?

(가)

> ○○ 신문　19△△년
>
> 독일의 킬 군항 수병들이 반란을 일으키자 빌헬름 2세는 황제 자리에서 물러났다. 이후 독일은 공화정 정부를 수립하고 연합국에 항복하였다.

(나)

> ○○ 신문　19△△년
>
> 국제 평화 체제를 만들기 위한 목적으로 미국의 제안으로 국제 연맹이 조직되었다. 그러나 제안한 미국이 참여하지 않으면서 국제 연맹이 제대로 기능할 것인지에 대해 우려가 제기되고 있다.

① 부전 조약이 체결되었다.

② 러시아 혁명이 발생하였다.

③ 워싱턴 회의가 개최되었다.

④ 파리 강화 회의가 개최되었다.

⑤ 무제한 잠수함 작전이 전개되었다.

**Tip**

독일 혁명의 결과 제정이 무너지고 바이마르 **❶** 이 수립되었다. 전승국과 독일 사이에 **❷** 조약이 체결되고, 평화 유지를 위한 노력으로 국제 연맹이 조직되었다.

**답** ❶ 공화국 ❷ 베르사유

**4** 제1차 세계 대전 이후 (가)~(라) 지역의 민족 운동에 대한 설명으로 옳은 것은?

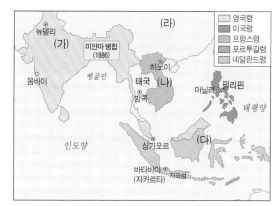

① (가) : 21개조 요구 철폐를 주장하였다.

② (가) : 수카르노가 국민당을 결성하였다.

③ (나) : 네루를 중심으로 한 급진파가 무력 저항을 하였다.

④ (다) : 호찌민이 공산당을 조직하여 독립 전쟁을 준비하였다.

⑤ (라) : 군벌 타도를 목적으로 국민당과 공산당이 연합하였다.

**Tip**

(가)는 **❶** 령 인도 제국, (나)는 프랑스령 인도차이나 연방, (다)는 네덜란드령 동인도이다. 프랑스령 인도차이나 연방은 **❷** , 라오스, 캄보디아 등으로 구성되었다. **답 ❶** 영국 **❷** 베트남

**5** 다음 사건 이후에 전개된 일들을 ┤보기├에서 골라 일어난 순서대로 옳게 나열한 것은?

　　재무장을 선언한 독일은 오스트리아를 병합하고 체코슬로바키아의 일부인 수데텐란트를 점령하였다. 이에 영국과 프랑스는 폴란드와 상호 원조 조약을 맺고 독일의 팽창에 대항하였다.

┤보기├
ㄱ. 사라예보 사건　　　ㄴ. 스탈린그라드 전투
ㄷ. 독소 불가침 조약　　ㄹ. 노르망디 상륙 작전
ㅁ. 독일의 폴란드 침공　ㅂ. 무제한 잠수함 작전

① ㄱ - ㄷ - ㄹ - ㅂ　　② ㄴ - ㄱ - ㄷ - ㅂ

③ ㄷ - ㅁ - ㄴ - ㄹ　　④ ㄹ - ㅁ - ㅂ - ㄴ

⑤ ㅁ - ㄷ - ㄹ - ㄴ

**Tip**

제2차 세계 대전은 독일이 소련과 **❶** 조약을 맺은 뒤, **❷** 를 침공한 것으로 시작되었다. **답 ❶** 불가침 **❷** 폴란드

**6** (가), (나) 국가에 대한 설명으로 옳은 것은?

(가) 얄타 회담의 결과 동서로 분단되었으며, 미국·영국·프랑스·소련 4개국에 의해 분할 통치되었다.

(나) 패전 이후 연합국 최고 사령부의 통치를 받았다. 샌프란시스코 강화 조약 체결 이후 주권을 회복하였다.

① (가) : 진주만을 공습하였다.

② (가) : 스탈린그라드 전투에서 승리하였다.

③ (나) : 홀로코스트를 자행하였다.

④ (나) : 난징에서 중국인을 학살하였다.

⑤ (가), (나) : 미국이 원자 폭탄을 투하하였다.

**Tip**

(가)는 독일의 전후 처리 과정이며, (나)는 **❶** 의 전후 처리 과정이다. 독일은 **❷** 전투에서 소련에 패배하였다. **답 ❶** 일본 **❷** 스탈린그라드

## 핵심 예제 ❶
| 냉전 체제 |

(가)~(라)에 들어갈 내용을 옳게 짝지은 것을 | 보기 |에서 모두 골라 기호를 쓰시오.

| 구분 | 경제 협력 | 군사 기구 |
| --- | --- | --- |
| 자본주의 진영 | (가) | (나) |
| 공산주의 진영 | (다) | (라) |

┌ 보기 ┐
ㄱ. (가) : 마셜 계획
ㄴ. (나) : 코민포름
ㄷ. (다) : 경제 상호 원조 회의
ㄹ. (라) : 북대서양 조약 기구

### Tip

코민포름은 소련을 중심으로 한 사회주의 진영의 정보 기관이다.

### 풀이

(가)는 마셜 계획, (나)는 북대서양 조약 기구, (다)는 경제 상호 원조 회의(코메콘), (라)는 바르샤바 조약 기구(WTO)이다.   답 ㄱ, ㄷ

### 1-1 밑줄 친 '재정적 지원'에 대한 설명으로 옳은 것은?

> 오늘날 전 세계의 거의 모든 나라는 두 가지 생활 방식 중 하나를 선택해야 합니다. …… 나는 모든 민족이 자유로운 상황에서 운명을 스스로 결정할 수 있도록 우리가 도와야 한다고 믿습니다. 그래서 무엇보다 재정적 지원을 염두에 두고 있습니다.
>
> – 트루먼의 의회 연설 –

① 바르샤바 조약 기구를 조직하였다.
② 북대서양 조약 기구를 결성하였다.
③ 동유럽 국가를 단결시키기 위한 기구를 조직하였다.
④ 마셜 계획을 통해 유럽 재건에 필요한 경제 원조를 실시하였다.
⑤ 경제 상호 원조 회의를 통해 사회주의 진영의 단결을 강화하고자 하였다.

## 핵심 예제 ❷
| 제3 세계 |

지도에 표시된 국가들에 대한 설명으로 가장 적절한 것은?

① 비동맹 중립주의를 내세웠다.
② 북대서양 조약 기구의 일원이다.
③ 트루먼 독트린의 영향을 받았다.
④ 마셜 계획을 통해 경제적 지원을 받았다.
⑤ 바르샤바 조약 기구를 중심으로 군사 동맹을 맺었다.

### Tip

지도는 아시아, 아프리카 지역의 독립국들이다. 자본주의 진영, 사회주의 진영 그 어디에도 속하지 않은 제3 세계 국가들이다.

### 풀이

지도의 제3 세계 국가들은 자본주의 진영, 사회주의 진영 그 어디에도 가담하지 않겠다는 비동맹 중립 노선을 채택하였다.   답 ①

### 2-1 (가)에 대한 설명으로 옳은 것은?

> 제2차 세계 대전 이후 아시아, 아프리카 지역에서는 신생 독립국이 출현하였다. 이 국가들은 자본주의 진영 또는 공산주의 진영에 포함되지 않는다는 비동맹 노선을 채택하고 ____(가)____을/를 형성하였다.

① 트루먼 독트린의 영향을 받았다.
② 정보 기구인 코민포름을 조직하였다.
③ 마셜 계획에 따라 경제 지원을 받았다.
④ 평화 10원칙을 통해 냉전 체제를 비판하였다.
⑤ 소련의 쿠바 미사일 기지 건설 시도로 갈등을 빚었다.

## 핵심 예제 ③ | 탈냉전 |

**검색 결과에서 옳은 답변을 한 학생을 모두 고르면?**

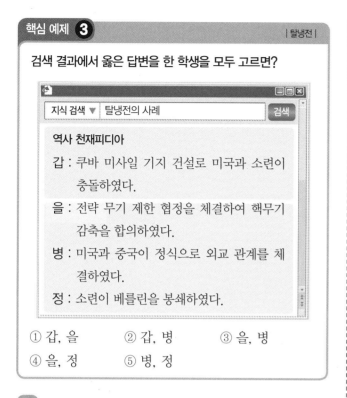

지식 검색 ▼ | 탈냉전의 사례 | 검색

**역사 천재피디아**

갑 : 쿠바 미사일 기지 건설로 미국과 소련이 충돌하였다.

을 : 전략 무기 제한 협정을 체결하여 핵무기 감축을 합의하였다.

병 : 미국과 중국이 정식으로 외교 관계를 체결하였다.

정 : 소련이 베를린을 봉쇄하였다.

① 갑, 을   ② 갑, 병   ③ 을, 병
④ 을, 정   ⑤ 병, 정

**Tip**

탈냉전은 미국과 소련 중심의 대립 구도가 약화되는 현상을 말한다.

**풀이**

갑의 쿠바 미사일 위기, 정의 베를린 봉쇄는 미국과 소련의 충돌 사례로, 냉전 체제 아래에서 벌어진 사건이다.   답 ③

---

## 3-1 다음 원칙이 발표된 시기를 연표에서 옳게 고른 것은?

- 미국은 베트남 전쟁과 같은 아시아 지역의 전쟁에 개입하는 일을 반복하지 않을 것이다.
- 미국은 핵무기와 관련된 위협을 제외하고는 직접적인 군사 개입을 하지 않을 것이므로, 아시아 국가들은 스스로 자국의 안보를 책임져야 한다.

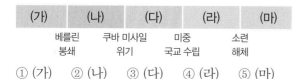

| (가) | (나) | (다) | (라) | (마) |
|------|------|------|------|------|
| 베를린 봉쇄 | 쿠바 미사일 위기 | 미중 국교 수립 | 소련 해체 | |

① (가)   ② (나)   ③ (다)   ④ (라)   ⑤ (마)

---

## 핵심 예제 ④ | 사회주의 국가의 해체 |

**(가) 인물에 대한 설명으로 옳은 것은?**

[　(가)　]은/는 1985년 공산당 서기장에 당선되었다. 이후 언론의 자유와 비판을 허용하는 개방 정책인 글라스노스트를 추진하였다. 또한 미국 대통령 부시와 몰타 회담을 열어 냉전이 끝났음을 선언하였다.

① 동방 정책을 추진하였다.
② 독립 국가 연합을 결성하였다.
③ 중국과 이념, 영토 문제로 갈등하였다.
④ 자본주의 시장 경제 요소를 도입하였다.
⑤ 자유 노조 운동을 통해 정권을 교체하였다.

**Tip**

고르바초프는 개혁 정책인 페레스트로이카와 개방 정책인 글라스노스트를 추진하였다. 페레스트로이카는 자본주의 시장 경제 요소를 도입한 정책이다.

**풀이**

(가)는 고르바초프로, 자본주의 시장 경제 요소를 도입한 페레스트로이카 정책을 실시하였다. ② 독립 국가 연합의 결성은 옐친 집권 당시의 사실이다.   답 ④

---

## 4-1 다음 사건이 발생하게 된 배경으로 가장 적절한 것은?

폴란드에서 자유 노조 운동이 활발해지고 공산당 정부와 제한된 범위에서 자유 선거의 실시가 합의되었다. 이후 이루어진 국회 의원 선거에서 자유 노조가 승리하였다. 공산당 정부가 독재를 포기하면서 이루어진 선거에서 바웬사가 대통령에 선출되었고, 그 결과 민주 정부가 수립되었다.

① 동독과 서독이 통일하였다.
② 독립 국가 연합이 결성되었다.
③ 미국이 닉슨 독트린을 발표하였다.
④ 경제 상호 원조 회의가 결성되었다.
⑤ 소련이 동유럽에 대해 불간섭 선언을 하였다.

## 핵심 예제 **5**

| 중국의 경제 성장 |

**(가) 사건이 발생하게 된 배경으로 가장 적절한 것은?**

마오쩌둥은 수백만 명의 학생을 홍위병으로 조직하였다. 홍위병을 동원하여 반대파를 제거하고 자신의 독재 체제를 강화하였는데, 이를 <u>(가)</u> (이)라고 한다. 이로 인해 중국의 전통문화가 파괴되는 문제점이 발생하였다.

① 대약진 운동이 실패하였다.
② 실용주의 노선을 채택하였다.
③ 개혁·개방 정책을 추진하였다.
④ 소련과 국경 문제로 충돌하였다.
⑤ 민주화 시위를 무력으로 진압하였다.

**Tip**

대약진 운동은 마오쩌둥이 농촌을 중심으로 전개한 사회주의 경제 정책으로, 이것이 실패함으로써 정치적 위기를 맞았다.

**풀이**

(가)는 문화 대혁명으로, 마오쩌둥이 좁아진 자신의 정치적 지위를 회복하기 위해 홍위병을 동원하여 상대 세력을 공격한 사건이다. **답** ①

## 핵심 예제 **6**

| 유럽 통합 |

**밑줄 친 '조직'이 형성된 시기를 연표에서 옳게 고른 것은?**

이 <u>조직</u>은 석탄과 철강의 생산, 판매를 공동으로 하자는 프랑스 외무 장관의 제안에서 출발하였다. 프랑스가 독일에 한 이 제안은 1952년 프랑스, 독일, 벨기에 등 유럽 6개국이 참여하는 이 <u>조직</u>의 등장을 이끌어 냈다.

| (가) | (나) | (다) | (라) | (마) |
|---|---|---|---|---|
| 제2차 세계 대전 종전 | 유럽 공동체 결성 | 유럽 연합 성립 | 세계 무역 기구 설립 | |

① (가)  ② (나)  ③ (다)  ④ (라)  ⑤ (마)

**Tip**

밑줄 친 '조직'은 유럽 석탄 철강 공동체(ECSC)를 의미한다.

**풀이**

유럽 석탄 철강 공동체(ECSC)는 1952년에 결성되었다. 제2차 세계 대전의 종전은 1945년, 유럽 공동체 결성은 1967년, 유럽 연합 성립은 1994년, 세계 무역 기구 설립은 1995년이므로, 유럽 석탄 철강 공동체는 (나) 시기에 결성되었다. **답** ②

**5**-1 **다음과 같은 변화가 나타나게 된 계기로 가장 적절한 것은?**

앉아서 세계 속으로, 상하이 편
1960년대 → 현재

① 홍콩과 마카오를 돌려받았다.
② 미국과 정식으로 국교를 체결하였다.
③ 농촌 중심의 대약진 운동을 추진하였다.
④ 홍위병을 조직하여 독재 권력을 타도하였다.
⑤ 경제특구를 지정하고 외국 자본을 도입하였다.

**6**-1 **다음 조약의 체결 결과로 옳은 것은?**

역내에 장벽이 없는 영역을 창조하고 경제 및 사회의 일체성을 강화하고 궁극적으로는 단일 통화를 포함하여 경제 통화 연합을 달성할 것
– 「마스트리흐트 조약」 –

① 유럽 연합이 창설되었다.
② 베를린 장벽이 붕괴되었다.
③ 세계 무역 기구가 결성되었다.
④ 페레스트로이카가 추진되었다.
⑤ 주거래 화폐로 미국 달러가 지정되었다.

## 핵심 예제 7 | 탈권위주의 운동 |

**(가) 운동의 사례로 가장 적절한 것은?**

> 19세기 노예 해방 이후에도 미국 사회에서는 흑인 차별이 존재하였다. 제2차 세계 대전을 거치면서 국가의 구성원으로서 전쟁에 참여한 경험을 바탕으로 흑인에 대한 차별과 억압을 거부하는 (가) 운동이 전개되었다.

① 권위주의적 대학 교육에 반대하였다.
② 아파르트헤이트 반대 운동이 전개되었다.
③ 기성세대의 문화와 가치관을 부정하였다.
④ 여성의 신체적 자기 결정권을 강조하였다.
⑤ 가사 노동과 육아 분담 문제를 공론화하였다.

**Tip**

탈권위주의 운동은 기존 질서, 기성 문화, 권위에 대한 저항 운동이며, 이 중 흑인 인권 문제를 해결하기 위한 움직임은 민권 운동에 해당한다.

**풀이**

(가)는 민권 운동으로, 미국의 마틴 루서 킹이 주도한 흑인 민권 운동과 남아프리카 공화국의 넬슨 만델라가 주도한 아파르트헤이트 반대 운동이 있다.

**답** ②

## 7-1 (가) 운동에 대한 설명으로 옳은 것은?

> "금지하는 것을 금지한다!"
> "모든 권력을 상상력으로!"
> "우리 안에 잠자고 있는 경찰을 없애자!"
> 1968년 프랑스에서 시작된 (가) 운동의 구호이다. 이 운동은 반전 운동, 총파업 등과 연계하여 대규모로 발전하였다.

① 흑인에 대한 차별을 거부하였다.
② 프랑코의 독재 정권에 저항하였다.
③ 권위주의적 대학 교육에 반대하였다.
④ 민권법을 통해 법적으로 인종 차별을 해소하였다.
⑤ 일상생활에서의 성차별을 사회적 문제로 제기하였다.

## 핵심 예제 8 | 세계화 |

**(가) 사상에 대한 설명으로 옳은 것은?**

> (가) 은/는 자본에 대해 국가가 개입하지 않고 자유로운 시장 경쟁이 이루어지도록 해야 한다는 주장이다. 미국의 레이건 정부, 영국의 대처 정부가 중심이 되어 국영 기업을 민영화한 것이 대표적이다.

① 대공황의 해결책으로 제시되었다.
② 부당 노동을 금지하는 제도를 마련하였다.
③ 1970년대 경제 불황을 배경으로 등장하였다.
④ 최저 임금제를 통해 노동자의 구매력을 보장하였다.
⑤ 본국과 식민지를 하나의 경제권으로 묶는 방법을 고안하였다.

**Tip**

신자유주의 정책은 복지 비용 축소, 국영 기업의 민영화 등을 통해 국가의 지출을 줄인 정책으로, 미국의 레이건과 영국의 대처가 대표적인 신자유주의 정책 추진자들이다.

**풀이**

(가)는 신자유주의로, 1970년대 석유 파동 등으로 비롯된 경제 불황을 해결하기 위한 과정에서 등장하였다.

**답** ③

## 8-1 (가)~(다)에 들어갈 용어를 옳게 짝지은 것은?

> 국가의 경계를 넘어 전 세계가 단일한 공간으로 통합되며, 전 세계 모든 사람의 상호 의존성이 증가하는 현상을 (가) (이)라고 한다. 1995년에는 무역과 투자의 자유를 보장하기 위한 국제 기구로 (나) 이/가 설립되었으며, 이후 협정을 맺은 국가 간에 관세를 없애는 (다) 의 체결이 이루어지고 있다.

| | (가) | (나) | (다) |
|---|---|---|---|
| ① | 세계화 | 국제 통화 기금 | GATT |
| ② | 세계화 | 세계 무역 기구 | FTA |
| ③ | 세계화 | 국제 통화 기금 | GATT |
| ④ | 지역화 | 세계 무역 기구 | FTA |
| ⑤ | 지역화 | 세계 은행 | GATT |

**1** (가) 회의 이전에 일어난 사실로 옳은 것은?

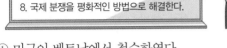

> 자료는 (가) 회의에서 발표한 평화10 원칙의 일부입니다. 이에 따라 나타난 영향은 무엇일까요?

> 1. 기본적 인권 및 유엔 헌장의 목적과 원칙을 존중한다.
> 2. 모든 국가의 주권과 영토 보존을 존중한다.
> 3. 모든 인종과 국가의 평등을 인정한다.
> 4. 다른 나라의 내정에 간섭하지 않는다.
> 6. 강대국에 유리한 집단적인 방위를 배제한다.
> 8. 국제 분쟁을 평화적인 방법으로 해결한다.

① 미군이 베트남에서 철수하였다.

② 제1차 비동맹 회의가 개최되었다.

③ 전략 무기 제한 회담이 시작되었다.

④ 서독과 동독이 유엔에 동시 가입하였다.

⑤ 인도와 중국의 대표가 평화 5원칙에 합의하였다.

**Tip**

아시아·아프리카 회의(반둥 회의)에서 ❶ 이 발표되었으며, 이 회의는 인도와 중국의 대표가 모여서 합의한 ❷ 의 영향을 받아 개최되었다.

**답** ❶ 평화 10원칙 ❷ 평화 5원칙

**2** (가) 국가에 대한 설명으로 옳은 것은?

지도는 (가) 의 해체로 나타난 동유럽의 변화를 보여 준다. 개혁 과정에서 (가) 을/를 구성하는 공화국이 독립하면서 해체가 이루어졌다. 한편 (가) 을/를 대신하여 러시아를 중심으로 여러 공화국이 독립 국가 연합을 형성하였다.

① 베를린 장벽을 무너뜨렸다.

② 페레스트로이카를 추진하였다.

③ 바웬사의 자유 노조가 정권을 장악하였다.

④ 민주화 요구 시위를 무력으로 진압하였다.

⑤ 비동맹주의 내세워 제3 세계를 형성하였다.

**Tip**

소련의 해체 이후 러시아 중심의 ❶ (CIS)가 형성되었으며, 소련의 해체에는 고르바초프의 개혁(페레스트로이카)·❷ (글라스노스트) 정책이 영향을 미쳤다.

**답** ❶ 독립 국가 연합 ❷ 개방

**3** (가) 인물에 대한 설명으로 옳은 것은?

사진은 톈안먼 광장에서 벌어지는 시위이다. 시위대는 보통 선거 실시와 복수 정당제 운영 등 정치의 민주화를 요구하였다. 당시 정치권에서는 시위대의 요구를 받아들인 정치 개혁을 추진하자는 주장도 있었으나, ___(가)___ 을/를 중심으로 하는 공산당은 군대를 동원하여 시위대를 강제로 진압하였다.

① 홍위병을 통해 독재 체제를 강화하였다.
② 6·25 전쟁 당시 북한에 군대를 지원하였다.
③ 급진적인 사회주의 경제 정책을 추진하였다.
④ 자본주의 시장 경제 요소를 일부 도입하였다.
⑤ 국공 내전에서 승리하여 중화 인민 공화국을 수립하였다.

**Tip**

덩샤오핑은 '흰 고양이든 검은 고양이든 쥐만 잘 잡으면 된다.'라는 **❶** 을 제시하였으며, 공산당 일당 독재 대신 **❷** 를 요구하는 시위대를 강제로 진압하였다. **답** ❶ 흑묘백묘론 ❷ 민주화

**4** 다음과 같은 상황을 해결하기 위한 탈권위주의 운동의 사례로 옳은 것을 | 보기 |에서 모두 고르면?

한 인종으로서, 미국 시민으로서 우리는 …… 정치적·시민적 권리를 이 주(앨라배마주)에서 결코 누리지 못하였다. …… 주 법정에서 우리의 생명권과 자유권과 재산권의 보호가 더 나아지지도 않았다. …… 흑인의 생명과 자유와 재산은 백인들로만 구성된 배심원들에 의해 결정된다. …… 우리는 실제 자유인인가, 아니면 단지 이름뿐인 자유인인가?

**보기**
ㄱ. 권위주의적 대학 교육에 반대하였다.
ㄴ. 마틴 루서 킹이 민권 운동을 주도하였다.
ㄷ. 아파르트헤이트 반대 운동을 전개하였다.
ㄹ. 일상생활에서 경험하는 성차별을 고치고자 하였다.

① ㄱ, ㄴ  ② ㄱ, ㄷ  ③ ㄴ, ㄷ
④ ㄴ, ㄹ  ⑤ ㄷ, ㄹ

**Tip**

**❶** 운동은 흑인과 백인 간의 인종 갈등 문제를 해결하기 위해 전개된 운동이다. 남아프리카 공화국에서는 **❷** 를 중심으로 아파르트헤이트 반대 운동이 전개되었다. **답** ❶ 민권 ❷ 넬슨 만델라

제1차 세계 대전

**1** (가), (나) 사이에 일어난 사실로 옳은 것은?

> (가) 보스니아를 병합한 오스트리아·헝가리 제국의 황태자 부부는 당시 보스니아의 수도였던 사라예보에 방문하였다. 이때 황태자 부부는 세르비아계 청년들에 의해 암살당하였다.
>
> (나) 독일과 전쟁을 벌이던 러시아는 임시 정부를 무너뜨리고 소비에트 혁명 정부를 수립하였다. 혁명의 상황에서 전쟁을 정리하기 위해 독일과 단독으로 강화 조약을 체결하였다.

① 국제 연맹이 창설되었다.

② 독일이 해외 식민지를 상실하였다.

③ 독일이 무제한 잠수함 작전을 펼쳤다.

④ 연합국이 노르망디 상륙 작전을 전개하였다.

⑤ 미국 대통령 윌슨이 14개조 평화 원칙을 발표하였다.

러시아 혁명

**2** 표의 빈칸 (1), (2)에 들어갈 알맞은 말을 쓰시오.

| | (1) ☐☐☐☐ | 10월 혁명 |
|---|---|---|
| 배경 | 제1차 세계 대전으로 인한 인명 피해, 경제난 심화 | • 임시 정부의 개혁 부진<br>• 제1차 세계 대전에 계속 참전 |
| 과정 | 노동자, 농민, 군인 등이<br>(2) ☐☐☐☐ 조직 | 레닌, 볼셰비키를 중심으로 무장봉기 |
| 결과 | 제정 붕괴, 임시 정부 수립 | 임시 정부 붕괴,<br>(2) ☐☐☐☐ 정부 수립 |

국제 연맹

**3** 밑줄 친 '조직'이 성립된 시기를 연표에서 옳게 고른 것은?

> 그림의 표지판에는 '이 다리는 미국 대통령이 설계하였다.'라는 내용이 적혀 있다. 그러나 다리에서 가장 중요한 돌을 미국이 끼우지 않고 놀고 있는 모습을 보여 줌으로써 제1차 세계 대전 이후 평화 유지를 위해 결성한 이 <u>조직</u>의 한계점을 드러내고 있다.

| (가) | (나) | (다) | (라) | (마) |
|---|---|---|---|---|
| 독일<br>항복 | 베르사유<br>조약 체결 | 워싱턴 회의<br>개최 | 부전 조약<br>체결 | |

① (가)　② (나)　③ (다)　④ (라)　⑤ (마)

제2차 세계 대전

**4** (가) 전쟁 중에 일어난 사실로 옳지 않은 것은?

> 사진은 독일 베를린에 설치된 '학살된 유럽 유대인들을 위한 기념물'이다. ⎡(가)⎤ 당시 홀로코스트로 살해된 유대인들을 추모하려고 설치하였다.

① 일본이 진주만을 공습하였다.

② 베르사유 조약을 체결하였다.

③ 연합국이 노르망디 상륙 작전을 펼쳤다.

④ 소련이 스탈린그라드 전투에서 승리하였다.

⑤ 독일이 소련과의 불가침 조약을 파기하였다.

**5** 냉전 체제

두 사건의 공통된 배경으로 가장 적절한 것은?

> • 미국, 영국, 프랑스는 서독의 점령 지구를 통합하고 새로운 공동 화폐의 발행을 결정하였다. 이에 소련은 베를린을 봉쇄하여 서독과 베를린 사이의 지상 교통을 차단하였다.
> • 1945년 광복 이후 한국은 남북으로 분단되었다. 1950년 소련의 지원을 받은 북한이 남침한 것을 시작으로 3년간 전쟁이 계속되었다.

① 제3 세계가 형성되었다.
② 대공황으로 경제 위기에 직면하였다.
③ 국민당과 공산당 사이에 내전이 벌어졌다.
④ 자본주의 진영과 공산주의 진영이 대립하였다.
⑤ 전략 무기 제한 협정으로 핵무기 감축을 합의하였다.

**6** 제3 세계

(가) 세력의 형성이 미친 영향으로 가장 적절한 것은?

> 제2차 세계 대전 이후 아시아와 아프리카에서는 신생 독립국이 등장하였다. 신생 국가들은 유럽과 미국의 식민 통치 경험을 가지고 있었다. 이들은 미국 중심의 제1 세계나 소련 중심의 제2 세계에 포함되지 않고 독자적인 세력인  (가)  을/를 형성하였다.

① 냉전 체제가 완화되었다.
② 유럽 연합이 형성되었다.
③ 다국적 기업이 성장하였다.
④ 독일이 동서로 분단되었다.
⑤ 쿠바 미사일 위기가 발생하였다.

**7** 탈냉전

다음 사건 이후 일어난 일에 대한 설명으로 가장 적절한 것은?

> 사진은 1972년 미국 대통령 닉슨의 중국 방문 당시의 모습을 보여 준다. 닉슨은 선언을 통해 긴장 완화의 분위기를 조성하였다. 한편 중국은 소련을 견제하기 위한 목적에서 미국과의 관계 개선을 모색하였다.

① 닉슨 독트린을 발표하였다.
② 미군이 베트남에서 철수하였다.
③ 북대서양 조약 기구를 결성하였다.
④ 미국과 중국이 정식으로 국교를 수립하였다.
⑤ 중국과 소련이 사회주의 노선을 두고 갈등하였다.

**8** 세계화

다음과 같은 배경에서 추진된 경제 정책으로 가장 적절한 것은?

> 제4차 중동 전쟁의 과정에서 아랍의 석유 생산국들은 석유 자원을 무기화하고자 하였다. 석유의 생산량과 수출량을 줄여 가격을 급등시킴으로써 세계 경제에 큰 영향을 미쳤다. 이 석유 파동으로 인해 여러 국가가 경제 불황을 겪었다.

① 국가가 시장 경제에 직접 개입하였다.
② 테네시강 유역 개발 공사를 추진하였다.
③ 본국과 식민지를 묶는 정책을 추진하였다.
④ 주거래 화폐로 미국의 달러를 지정하였다.
⑤ 복지 비용의 지출을 줄이고 세금을 감면하였다.

제2차 세계 대전

**1** 밑줄 친 '전쟁'의 전개 과정 중에 일어난 사실로 옳은 것은?

> 오늘 수업에서는 전쟁의 전개 과정을 살펴보겠습니다. 이 전쟁은 화면의 상징을 가진 정당이 독일에서 집권한 뒤 폴란드를 침공하면서 시작됩니다.

① 바이마르 공화국이 붕괴되었다.
② 독일이 무제한 잠수함 작전을 펼쳤다.
③ 연합군이 노르망디 상륙 작전을 전개하였다.
④ 독일이 혁명이 일어난 러시아와 강화 조약을 맺었다.
⑤ 독일이 베르사유 조약에 따라 해외 식민지를 상실하였다.

**Tip**

화면의 하켄크로이츠는 독일 바이마르 공화국을 붕괴시키고 집권한 ❶ 당의 상징이다. 독일의 폴란드 침공으로 일어난 전쟁은 ❷ 세계 대전이다.　답 ❶ 나치 ❷ 제2차

---

평화를 위한 노력

**2** (가)에 들어갈 단어로 옳은 것은?

> 교사 : 1~3번의 문제를 풀고 마지막에 나오는 단어를 온라인 설문지에 입력하세요.
>
> 1번 : 제1차 세계 대전 이후 국제 연맹이 조직되었다. (○, ×)
> 2번 : 워싱턴 회의에서 국제 분쟁을 평화적 수단으로 해결하는 것에 합의하였다. (○, ×)
> 3번 : 제2차 세계 대전 중 대서양 헌장이 발표되어 평화 수립 원칙에 합의하였다. (○, ×)

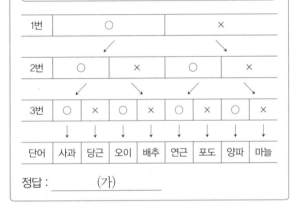

① 당근　　　② 오이　　　③ 배추
④ 연근　　　⑤ 마늘

**Tip**

❶ 회의는 군비 축소를 논의하기 위해 열린 회의이다. ❷ 은 국제 분쟁을 평화적 수단으로 해결하는 것에 합의한 것이다.　답 ❶ 워싱턴 ❷ 부전 조약

세계화

**3** (가)에 들어갈 수 있는 질문으로 옳지 <u>않은</u> 것은?

(가)

신자유주의

네, 그렇습니다.

① 국영 기업을 민영화했나요?

② 사회 복지 비용을 축소했나요?

③ 미국 대통령 레이건이 실시했나요?

④ 정부가 시장 경제에 개입한 정책인가요?

⑤ 석유 파동으로 인한 경제 불황이 배경인가요?

Tip

신자유주의 정책은 대표적으로 영국의 대처 수상, 미국의 ❶☐ 대통령이 실시하였다. 1970년대 ❷☐으로 인한 경제 불황이 배경이 되었다. 답 ❶ 레이건 ❷ 석유 파동

---

탈냉전

**4** (가)에 들어갈 모습으로 가장 적절한 것은?

Padlet

주제 : 탈냉전의 배경과 흐름

탈냉전의 배경과 과정, 관련 사진 또는 자료를 게시판에 올려 주세요.

| 배경 | 과정 |
|---|---|
| ▲ 제3 세계의 지도자 | (가) |
| 평화 10원칙 발표 이후 제3 세계가 형성되면서 탈냉전의 흐름에 영향을 미침 |  ▲ 미국과 중국의 핑퐁 외교 닉슨과 마오쩌둥의 얼굴이 그려진 탁구채를 들고 있는 여성의 사진 |

① 베트남 전쟁에 참전하는 미국군

② 베를린 장벽을 건설하는 독일인

③ 6·25 전쟁 당시 북진하는 유엔군

④ 전략 무기 제한 협정을 맺은 미국과 소련 대표

⑤ 중화 인민 공화국의 수립을 선포하는 마오쩌둥

Tip

탈냉전의 배경에는 비동맹 노선을 선택한 ❶☐의 형성이 자리 잡고 있다. 이후 닉슨의 ❷☐ 방문, 핑퐁 외교 등을 통해 탈냉전의 분위기가 조성되었다. 이를 바탕으로 미국과 소련은 긴장 관계를 완화시키기 위해 ❸☐(SALT)을 체결하였다.

답 ❶ 제3 세계 ❷ 중국 ❸ 전략 무기 제한 협정

**5** (가)에 들어갈 내용으로 옳은 것을 ┃보기┃에서 모두 고르면?

BINGO

주제 : 러시아 혁명
Q. 같은 인물의 업적을 찾아 빙고를 만드세요.

|  |  | 소련 수립 |
|---|---|---|
|  | (가) |  |
| 독일과 강화 조약 |  |  |

┌ 보기 ┐
ㄱ. 코민테른 조직
ㄴ. 신경제 정책 시행
ㄷ. 스탈린그라드 전투
ㄹ. 경제 개발 5개년 계획 추진
└─────────────────┘

① ㄱ, ㄴ     ② ㄱ, ㄷ     ③ ㄴ, ㄷ
④ ㄴ, ㄹ     ⑤ ㄷ, ㄹ

**Tip**

레닌은 ❶ 의 결과 소비에트 정부를 수립하였고, 독일과 강화 조약을 맺어 ❷ 을 마무리 지었다.

답 ❶ 10월 혁명 ❷ 제1차 세계 대전

**6** (가)에 들어갈 장면으로 가장 적절한 것은?

일본의 21개조 요구를 철폐하라!
친일 군벌을 몰아내자!
(가)
드디어 군벌을 몰아내고 중국을 통일했습니다.

① 국공 합작을 추진하는 쑨원
② 교회를 공격하는 의화단 단원
③ 소비에트 정부를 세우는 레닌
④ 민족 자결주의를 발표하는 윌슨
⑤ 난징 대학살을 일으키는 일본군

**Tip**

5·4 운동은 ❶ 회의에서 연합국이 일본의 21개조 요구를 승인한 것에 반발하여 일어난 중국의 민족 운동이다. 난징 대학살은 ❷ 전쟁의 과정에서 일본이 일으킨 대량 학살이다.

답 ❶ 파리 강화 ❷ 중일

민주주의의 확산

## 7 (가)에 대한 설명으로 옳은 것은?

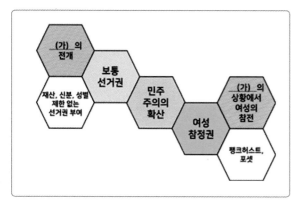

① 참호를 파고 장기간 대치한 전투 형태이다.

② 제1차 세계 대전의 책임을 묻기 위한 회의이다.

③ 탱크, 기관총 등의 새로운 무기가 등장한 현상이다.

④ 국가의 모든 인적·물적 자원을 총동원한 전쟁 형태이다.

⑤ 독일이 잠수함을 활용하여 전개한 무차별 공격 작전이다.

Tip

제1차 세계 대전의 특징으로는 구덩이를 파고 장기간 대치하는 ❶ , 총력전, 새로운 무기를 사용하는 ❷ 의 등장이 있다.

답 ❶ 참호전 ❷ 신무기

냉전 체제

## 8 잠금 해제를 위해 입력할 비밀번호로 옳은 것은?

① 1234　② 1246　③ 1345

④ 2356　⑤ 3456

Tip

미국 대통령 트루먼이 공산주의 진영의 확장을 막기 위해 유럽에 대해 지원을 약속한 것을 ❶ 이라고 한다. 이후 경제적으로 마셜 계획이 추진되었고, 공산주의 진영에서는 이에 대응하여 ❷ 을 조직하였다.

답 ❶ 트루먼 독트린 ❷ 코메콘(경제 상호 원조 회의)

중국의 개혁·개방

## 9 (가) 인물에 대한 설명으로 옳은 것은?

① 대약진 운동을 추진하였다.

② 중국 동맹회를 결성하였다.

③ 개혁·개방 정책을 추진하였다.

④ 군벌을 몰아내고 중국을 통일하였다.

⑤ 톈안먼 시위를 무력으로 진압하였다.

Tip

❶ 의 실패 이후 ❷ 은 자신의 권력을 강화하기 위한 목적으로 문화 대혁명을 추진하였다. 문화 대혁명의 중심 세력은 청소년을 중심으로 한 홍위병이었다. 답 ❶ 대약진 운동 ❷ 마오쩌둥

# 권말 정리 마무리 전략
○─ 핵심 한눈에 보기

**핵심 개념 1_유럽과 아메리카의 시민혁명~유럽의 산업화와 제국주의**

「민중을 이끄는 자유의 여신」그림에서 가운데 여성은 마리안이며 자유의 여신으로 의인화되었다. 오른쪽 파리 올림픽 로고는 이 마리안에서 따왔다.

자유의 정신을 상징하는 여신으로 마리안을 만들고, 이를 올림픽의 로고로 만들 정도인 프랑스에서는 자유의 정신을 지키기 위해 어떠한 역사적 과정을 거쳤을까?

**핵심 개념 2_서아시아와 인도의 국민 국가 건설 운동~일본과 조선의 국민 국가 건설 운동**

아 동생이여 너 때문에 우는구나 부모님이 네 손에 칼을 쥐여 주고 다른 사람을 죽이라고 가르쳤느냐

동생이 나가 싸우는 전쟁을 반대하는 누나의 편지, 그리고 전장에서 싸우는 동생의 모습에서 일제의 제국주의화를 알 수 있다. 일제는 어떤 과정을 거치며 제국주의 국가가 되었을까?

## 핵심 개념 3_세계 대전과 사회 변동

## 핵심 개념4_현대 세계의 전개와 과제

## 01 동아시아의 개항

(가), (나)는 동아시아 개항과 관련된 조약이다. A~C에 대한 설명으로 옳은 것은?

| (가) | • ○○ 국민은 광저우, 상하이 등 5개 항구에 거주할 수 있으며, 방해받지 않고 무역에 종사할 수 있다.<br>• 앞으로는 공행하고만 거래하는 제도를 폐지한다. |
|---|---|
| (나) | • 시모다, 하코다테 외에 가나가와, 나가사키, 니가타, 효고를 개항한다.<br>• 일본인에 대하여 범죄를 저지른 △△인은 △△의 법으로 재판한다. |

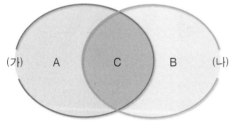

A: (가)의 특징, B: (나)의 특징, C: (가)와 (나)의 공통점

① A : 영국에 홍콩을 할양하였다.

② A : 베이징에 외국 군대가 주둔하게 되었다.

③ B : 최혜국 대우를 인정하였다.

④ B : 한반도 지배권을 인정하였다.

⑤ C : 외교권을 박탈하고 통감부를 설치하였다.

**Tip** (가)는 제1차 아편 전쟁의 결과 영국과 체결한 ❶ 이다. 일본은 미일 화친 조약을 통해 시모다, 하코다테를 개항하였고, 이후 ❷ 을 체결하여 추가 개항과 영사 재판권을 인정하였다.

**답** ❶ 난징 조약 ❷ 미일 수호 통상 조약

## 02 제1차 세계 대전

(가), (나)에 들어갈 내용으로 가장 적절한 것은?

---

### 탐구 보고서

1. 주제 : 제1차 세계 대전

2. 내용 조사

(1) [자료 1]

▲ 미군 모집 포스터　　▲ 독일 전쟁 기금 모금 포스터

→ 탐구 내용 : 군인 모집, 기금 모금 등을 국가가 주도하여 진행하는 만큼 국가의 모든 자원을 총동원하는 **(가)** 의 특징을 알 수 있다.

(2) **(나)** [자료 2]

→ 탐구 내용 : 탱크, 독가스 등 새로운 무기가 사용되어 사상자의 규모가 크게 늘어났음을 알 수 있다.

---

|   | (가) | (나) |
|---|---|---|
| ① | 총력전 | 사라예보 사건을 알리는 신문 기사 |
| ② | 총력전 | 제1차 세계 대전 사상자 그래프 |
| ③ | 총력전 | 제1차 세계 대전 전개 과정 지도 |
| ④ | 참호전 | 참호에 수그리고 있는 군인 사진 |
| ⑤ | 참호전 | 공장에 동원되는 여성 노동자 사진 |

**Tip** 제1차 세계 대전은 세르비아 청년이 오스트리아·헝가리 제국 황태자 부부를 암살한 ❶ 사건이 발단이 되어 시작되었다. 그리고 전방과 후방의 구분 없이 국가가 활용 가능한 모든 자원을 투입하는 ❷ 의 특징이 나타났다.

**답** ❶ 사라예보 ❷ 총력전

신경향 전략

**03** 산업 혁명

(가)에 대한 설명으로 옳은 것은?

**올림픽으로 보는 역사**

2012년 영국 런던 올림픽의 개막식은 푸른 초원에서 시작된다. 푸른 초원에 젠트리를 상징하는 사람들이 등장하면서 푸른 초원은 회색의 공장 굴뚝과 용광로가 등장하는 공장으로 바뀌게 된다.

이 개막식은 인클로저 운동을 배경으로 젠트리 등이 중심이 되어 주도한 ___(가)___ 을/를 묘사하였으며, 그 과정에서 나타난 노동 문제 등의 사회 문제에 대한 반성을 다루었다.

① 항해법을 제정하여 대외 무역을 확대하였다.

② 부패 선거구를 폐지하는 선거법 개정을 하였다.

③ 인민헌장을 발표하고 차티스트 운동을 전개하였다.

④ 곡물법을 폐지하고 자유주의 경제 체제를 확립하였다.

⑤ 생산 방식이 공장제 수공업에서 공장제 기계 공업으로 바뀌었다.

**Tip** **❶** 혁명은 명예혁명 이후 정치적 안정, 석탄 및 철광석 등의 풍부한 지하자원, 인클로저 운동 등을 바탕으로 영국에서 시작된 변화를 말한다. 증기 기관이 개량되면서 공장을 통해 대량으로 물건을 생산하는 **❷** 공업이 등장하였다. **답** ❶ 산업 ❷ 공장제 기계

**04** 제2차 세계 대전

가상 카드 뉴스가 제작된 시기를 연표에서 옳게 고른 것은?

**[충격] 히틀러와 스탈린의 허니문?**

공산주의자들을 공격하던 나치 독일의 히틀러와 공산주의 국가 소련의 지도자인 스탈린이 서로 침략하지 않겠다는 조약을 맺은 것을 두고 유럽인들이 큰 충격을 받았다.

| (가) | (나) | (다) | (라) | (마) |
|------|------|------|------|------|
| 파리 강화 회의 | 워싱턴 회의 | 노르망디 상륙 작전 | 베를린 봉쇄 | |

① (가)  ② (나)  ③ (다)  ④ (라)  ⑤ (마)

**Tip** 카드 뉴스의 사건은 **❶** 의 체결이고, 베를린 봉쇄는 자본주의 진영과 공산주의 진영이 대립하는 국제 질서인 **❷** 체제 아래에서 벌어진 사건이다.

**답** ❶ 독소 불가침 조약 ❷ 냉전

## 서술형 전략

## 01 미국 연방 헌법

(가)는 미국에서 제정된 법이며, (나)는 정치 체제에 대한 설명이다. 자료를 읽고 물음에 답하시오.

> (가)
> 제1조 이 법에 의하여 부여되는 모든 입법 권한은 연방 의회에 속하며, 연방 의회는 상원과 하원으로 구분된다.
> 제2조 행정권은 대통령에 속한다.
> 제3조 사법권은 1개의 대법원에, 그리고 연방 의회가 수시로 제정·설치하는 하급 법원에 속한다.
> (나)
> 몽테스키외는 『법의 정신』에서 여러 정치 형태를 말하였고, 영국의 제도를 모범으로 여겨 ㉠통치 권력을 입법, 행정, 사법으로 나누는 정치 체제가 이상적이라고 하였다.

(1) (가) 법의 이름을 쓰시오.

→ _____

(2) ㉠와 연관된 특징을 포함하여 (가) 정치 체제의 특징을 세 가지 서술하시오.

→ _____

## 02 프랑스 2월 혁명

자료를 읽고 물음에 답하시오.

> 반동적인 루이 필리프의 왕정은 파리 민중의 영웅적인 행위로 물러났다. …… 임시 정부는 공화정을 바란다. …… 이제부터 정부는 모든 계급의 시민으로 이루어진 인민의 통일체이며, 인민에 의한 인민의 정부이다.

(1) 자료와 관련된 사건을 쓰시오.

→ _____

(2) 자료의 사건이 일어난 배경과 결과, 영향을 각각 <u>한 가지</u> 서술하시오.

→ _____

## 03 태평천국 운동

19세기 청에서 추진된 운동과 관련된 자료이다. 자료를 읽고 물음에 답하시오.

> 모든 토지는 남녀 구분 없이 각 가정의 호구 수에 비례하여 분배한다. …… 같이 경작할 밭을 마련하고, 같이 먹을 밥을 준비하며, …… 어디에도 균등하지 못한 곳이 없고, 어디에도 배부르고 따뜻하지 않은 자가 없게 하라.

(1) 자료와 관련된 운동을 쓰시오.

→ _____

(2) 자료를 발표한 세력의 주장 <u>두 가지</u>를 자료에서 찾아 서술하시오.

→ _____

## 04 제국주의

**자료를 읽고 물음에 답하시오.**

(가) 사회도 생물과 같이 하나의 유기체이며, …… 사회도 적응과 도태를 통해 저급의 상태에서 고급, 우등의 사회로 발전한다.

(나) 인종은 백인종·황인종·흑인종으로 구분할 수 있다. 그 안에는 위계질서가 존재하는데, 백인종이 가장 우수하다.

⑴ (가), (나) 각 주장을 무엇이라고 하는지 쓰시오.

→

⑵ (가), (나)를 뒷받침 사상으로 활용한 유럽의 정책을 쓰고, 정책의 의미를 서술하시오.

→

## 05 국제 연맹

**자료는 제1차 세계 대전 이후 회의 과정에서 나온 것이다. 자료를 읽고 물음에 답하시오.**

제1조 강화 조약은 공개적으로 진행하며, 비밀 외교와 비밀 회담을 금지한다.

제5조 모든 식민지 문제는 식민지 주민의 의사를 존중하여 공평무사하고 자유롭게 처리되도록 한다.

제14조 ㉠ 국가 간 연합 기구를 만들어 각국의 정치적 독립과 영토 보전을 보장한다.

– 윌슨, 「14개조 평화 원칙」 –

⑴ 밑줄 친 ㉠에 해당하는 조직을 쓰시오.

→

⑵ ㉠ 조직의 한계점을 두 가지 서술하시오.

→

## 06 대공황

**그래프는 각 국가의 실업률을 나타낸 것이다. 그래프를 읽고 물음에 답하시오.**

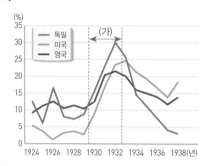

⑴ (가) 시기의 문제점이 나타나는 계기가 된 사건을 쓰시오.

→

⑵ (가) 시기의 문제점을 해결하기 위한 각 국가의 노력을 세 가지 서술하시오.

→

## 07 제2차 세계 대전의 전쟁 범죄와 전후 처리

**제2차 세계 대전 중 작성된 일기이다. 자료를 읽고 물음에 답하시오.**

유대인 친구들이 비밀 경찰에게 잡혀 가축용 트럭에 실린 채 드렌테에 있는 가장 큰 유대인 수용소로 끌려갔대. 그곳은 말만 들어도 소름이 끼쳐. 몸을 씻을 수 있는 곳이 백 명당 한 군데이고, 화장실 시설도 형편없대.

⑴ 자료와 관련된 전쟁 범죄를 무엇이라고 하는지 쓰시오.

→

⑵ 자료의 전쟁 범죄를 저지른 국가와 이 국가에 대한 전후 처리 내용을 두 가지 서술하시오.

→

## 1강 | 유럽과 아메리카의 시민 혁명~유럽의 산업화와 제국주의

** 1등급 킬러

**01** (가)~(다)는 프랑스에서 벌어진 사건과 관련된 자료이다. 이를 일어난 순서대로 옳게 나열한 것은?

> (가) 프랑스 황제 나폴레옹은 …… 이에 우리는 다음의 결정을 공포하는 바이다.
>   1. 영국 모든 섬에 대한 봉쇄를 선포한다.
>   2. 영국과의 모든 교역과 서신 왕래를 금지한다.
> (나) 이 순간부터 적을 공화국의 땅에서 몰아낼 때까지, 모든 프랑스인은 군대 복무를 위해 영구 징병될 수 있다. ……
> (다) ○○○○은/는 봉건제를 완전히 폐지한다. …… 인신적·물적 양도 불능에 관련된 것들, 인신적 예속에 관련된 것들 그리고 그러한 권리와 의무를 대변하는 것들은 보상 없이 폐지될 것이다. ……

① (가) – (나) – (다)　　② (나) – (가) – (다)
③ (나) – (다) – (가)　　④ (다) – (가) – (나)
⑤ (다) – (나) – (가)

**02** 밑줄 친 '우리'가 일으킨 사건에 대한 설명으로 가장 적절한 것은?

> 우선 의회에서 제정한 인지세법을 보자. 이 법으로 극히 파괴적으로 위헌적인 세금이 <u>우리</u>에게 부과된 것이다. …… <u>우리</u>가 자유민인 이상, 스스로 또는 대리자를 통해 찬성한 것이 아니면 어떠한 세금도 부과할 수 없다고 늘 생각해 왔다. ……

① 권리 장전을 승인하였다.
② 내각 책임제를 실시하였다.
③ 링컨이 노예 해방 선언을 발표하였다.
④ 삼권 분립의 민주 공화정을 수립하였다.
⑤ 신분별 투표 대신 머릿수 투표를 요구하였다.

** 1등급 킬러

**03** 자료와 관련된 지역에서 전개된 독립운동에 대한 설명으로 옳은 것은?

> 미국의 권익과 관련된 원칙으로, 자유와 독립을 확보하고 유지해 온 아메리카 대륙은 향후 유럽 열강에 의해 식민의 대상으로 간주될 수 없음을 선언한다. …… 그리고 우리가 독립을 승인한 정부에 대해, 유럽 국가가 그들 정부를 억압하거나 그들의 운명을 통제하려는 간섭을 할 경우 미국에 대한 비우호적 의도를 드러낸 것으로 볼 것이다. ……

① 대륙 회의에서 독립 선언을 발표하였다.
② 루이 필리프를 몰아내고 공화정을 수립하였다.
③ 프로이센을 중심으로 관세 동맹을 결성하였다.
④ 크리오요가 중심이 되어 독립운동을 주도하였다.
⑤ 프랑스의 지원을 받아 오스트리아와의 전쟁에서 승리하였다.

**04** 자료를 배경으로 일어난 사건의 결과로 옳은 것은?

신의 은혜로 프랑스 왕인 샤를이 아래의 여러 조항을 너희 백성들에게 명한다.

정기 간행물 발행의 자유는 정지된다. …… 어떠한 신문, 정기 간행물, 준 정기 간행물도 …… 저작자와 인쇄자가 각각 따로 당국의 허가를 받지 않고는 발행될 수 없다.

하원은 해산한다. …… 향후 의회에서 하원 의원의 수를 줄인다. ……

① 공화정을 수립하였다.
② 통령 정부를 수립하였다.
③ 루이 필리프를 왕으로 추대하였다.
④ 크롬웰이 독재 정치를 실시하였다.
⑤ 로베스피에르가 공포 정치를 실시하였다.

**05** 자료가 발표된 시기를 연표에서 옳게 고른 것은?

비록 빈약한 우리 몸보다 군비가 너무 무겁다고 해도 그것이 우리에게 이롭다면 우리는 그것에 익숙해지려는 정열을 가져야 합니다. 독일이 당면 과제를 수행하기 위해 눈여겨보아야 할 것은 프로이센의 자유주의가 아니라 군비일 것입니다. …… 문제의 해결은 무엇보다도 '철과 피'를 통해 가능합니다.

| (가) | (나) | (다) | (라) | (마) |
|------|------|------|------|------|
| 관세 동맹 체결 | 프랑크푸르트 의회 개최 | 북독일 연방 결성 | 독일 제국 수립 | |

① (가)   ② (나)   ③ (다)   ④ (라)   ⑤ (마)

**06** 대화는 19세기 영국 의회의 보고서 내용이다. 대화와 같은 종류의 문제를 해결하기 위한 노력을 | 보기 |에서 모두 고르면?

의원 : 몇 살 때 공장 일을 시작하였나요?
노동자 : 6세 때입니다.
의원 : 작업 시간은 몇 시부터 몇 시까지였습니까?
노동자 : 일이 밀릴 때에는 새벽 다섯 시부터 저녁 아홉 시까지 일하였습니다.
의원 : 일을 잘못하거나 늦을 때 어떤 일을 당하였습니까?
노동자 : 허리띠로 맞았습니다.

┌ 보기 ┐
ㄱ. 공장법을 제정하였다.
ㄴ. 노동조합을 결성하였다.
ㄷ. 사회 진화론을 제시하였다.
ㄹ. 자유방임주의를 주장하였다.

① ㄱ, ㄴ      ② ㄱ, ㄷ      ③ ㄴ, ㄷ
④ ㄴ, ㄹ      ⑤ ㄷ, ㄹ

*∴* 1등급 킬러

**07** (가) 나라에 대한 설명으로 옳은 것은?

> • 18세기 후반 아라비아반도에서는 이슬람교의 근본 교리와 경전인 『쿠란』으로 돌아가자는 운동이 일어났다. 이 운동은 아랍인의 민족의식을 자극하여 ___(가)___ 에 저항하는 민족 운동으로 발전하였다.
>
> • ___(가)___ 의 지배를 받던 이집트에서는 나폴레옹의 침공을 계기로 독립의 움직임이 일어났다. 나폴레옹 군대가 물러나고 이집트 총독이 된 무함마드 알리는 근대화 정책을 추진하는 과정에서 ___(가)___ (으)로부터 자치권을 얻었다.

① 탄지마트를 추진하였다.
② 와하브 운동을 전개하였다.
③ 수에즈 운하를 건설하였다.
④ 담배 불매 운동을 전개하였다.
⑤ 영국, 러시아에 분할 통치되었다.

**08** 자료와 관련된 근대화 운동에 대한 설명으로 옳은 것은?

> 중국의 문물 제도는 해외 야만의 풍속과는 전혀 다르고, 세상을 잘 다스리고 나라를 유지하는 방법은 당연히 원래부터 존재하고 있었습니다. 하지만 위기를 안정으로 돌리고 허약함을 강력함으로 바꾸는 길은 오로지 기계를 모방하여 만드는 데서 비롯됩니다. …… 외국인의 좋은 기술을 취하여 중국의 좋은 기술로 삼으면 서로 비교해 보아도 모자람이 없게 될 것입니다.

① 폐번치현을 단행하였다.
② 의회제를 도입하고자 하였다.
③ 양전·지계 사업을 실시하였다.
④ 일본의 메이지 유신을 모델로 하였다.
⑤ 중체서용론에 따라 개혁을 추진하였다.

*∴* 1등급 킬러

**09** 자료와 관련된 민족 운동이 일어난 배경으로 가장 적절한 것은?

> 1. 진정한 자치는 스스로를 다스리는 것 또는 스스로를 제어하는 것입니다.
> 2. 그렇게 하는 방법은 간접적인 저항이며, 곧 영혼의 힘 또는 사랑의 힘입니다.
> 3. 이 힘을 발휘하기 위해서는 모든 면에서의 스와데시가 필수입니다.
> 4. 우리가 하고자 하는 일은 성취되어야 합니다. …… 우리는 그들의 기계제 물건과 영어 그리고 많은 영국 물건을 사용해서는 안 됩니다. ……
>
> – 「○○의 스와라지」 –

① 벵골 분할령이 발표되었다.
② 수에즈 운하가 건설되었다.
③ 플라시 전투에서 영국이 승리하였다.
④ 청년 튀르크당이 헌법을 부활시켰다.
⑤ 세포이가 동인도 회사에 저항하였다.

** 1등급 킬러

## 10 자료가 발표된 이후 추진된 개혁의 내용으로 옳은 것을 〈보기〉에서 모두 고르면?

도쿠가와 쇼군이 지금까지 위임받았던 정권을 반환하고 쇼군직을 사퇴하겠다는 두 안건을 (천황께서) 이번에 단호히 받아들이셨다. …… 지금부터 섭정, 관백, 막부 등을 폐지하고 우선 임시로 총재, 의정, 참여의 3직을 두어 (천황께서) 여러 가지 정치를 행하실 것이다.

〈보기〉
ㄱ. 막부를 강화하였다.
ㄴ. 중등 교육을 의무화하였다.
ㄷ. 봉건적 신분제를 폐지하였다.
ㄹ. 번을 폐지하고 현을 설치하였다.

① ㄱ, ㄴ      ② ㄱ, ㄷ      ③ ㄴ, ㄷ
④ ㄴ, ㄹ      ⑤ ㄷ, ㄹ

## 11 다음 조약이 맺어진 시기를 연표에서 옳게 고른 것은?

제2조 한국 정부는 지금부터 일본국 정부의 중개를 거치지 않고서는 국제적 성질을 가진 어떤 조약이나 약속을 맺지 않을 것을 서로 약속한다.
제3조 그 대표자로 한국 황제 폐하 밑에 1명의 통감을 두되, 오로지 외교에 관한 사항을 관리한다.

| (가) | (나) | (다) | (라) | (마) |
|------|------|------|------|------|
| 메이지 유신 | 청일 전쟁 | 가쓰라·태프트 밀약 | 포츠머스 조약 체결 | |

① (가)   ② (나)   ③ (다)   ④ (라)   ⑤ (마)

## 12 밑줄 친 '나'의 활동으로 옳은 것은?

나는 유럽과 미국의 진화가 3대 주의와 밀접한 관련이 있다고 생각한다. 로마가 멸망하자 민족주의가 일어나 유럽 각국이 독립하였다. 이후 각국이 제국으로 나아가 전제 정치를 행하자 백성이 그 고통을 견디지 못해 민권주의가 일어났다. …… 세계 문명이 개화하고 문물이 발달하면서 최근 백 년간이 지난 천 년간보다 훨씬 빠르게 진전되었다. 이에 경제 문제가 정치 문제의 뒤를 이어 일어나 민생주의가 두드러지게 되었다.
– 『민보』 발간사 –

① 만민 공동회를 개최하였다.
② 중국 동맹회를 조직하였다.
③ 의회 설립과 입헌 군주제를 추진하였다.
④ 급진 개화파를 중심으로 갑신정변을 일으켰다.
⑤ 천조전무 제도를 발표하여 토지의 균등 분배를 주장하였다.

## 3강 | 세계 대전과 사회 변동

** 1등급 킬러

**01** 자료가 발표되기 이전에 있었던 사실로 옳은 것은?

> 지난 2월 1일을 기해 독일 정부는 법이나 인간애의 억제력을 깡그리 무시한 채, 잠수함을 동원하여 영국과 아일랜드, 유럽 서부 해안 또는 지중해에 있는 독일의 적들이 관할하는 항구에 접근하려는 모든 선박을 침몰시키는 것을 목표로 하고 있습니다. …… 현재 통상에 대한 독일 잠수함의 전투 행위는 인류에 대한 전투 행위입니다. 미국 선박이 침몰되고 미국 국민이 목숨을 잃었습니다. 중립국의 선박과 국민도 똑같이 바다에 가라앉고 있는 것입니다.

① 사라예보 사건이 일어났다.

② 베르사유 조약이 체결되었다.

③ 바이마르 공화국이 수립되었다.

④ 킬 군항에서 수병이 반란을 일으켰다.

⑤ 독일이 러시아와 강화 조약을 맺었다.

** 1등급 킬러

**02** 밑줄 친 '혁명'에 대한 설명으로 옳은 것은?

> 제1차 세계 대전 중 계속되는 전쟁에서 패배하고 경제적 어려움을 겪던 러시아에서는 사회주의 혁명이 발생하였다. 소비에트 정부는 독일과 단독으로 강화 조약을 맺고 전쟁에서 벗어났다.

① 루이 필리프를 추방하였다.

② 경제 개발 5개년 계획을 추진하였다.

③ 제정이 붕괴되고 임시 정부가 수립되었다.

④ 메테르니히가 쫓겨나고 빈 체제가 붕괴되었다.

⑤ 레닌이 이끄는 볼셰비키가 임시 정부를 무너뜨렸다.

**03** 다음과 같은 요구가 배경이 되어 일어난 사건에 대한 설명으로 옳은 것은?

> 제1조 중국 정부는 앞으로 일본국 정부가 독일 정부를 향해 협정을 체결함으로써 독일이 산둥성에 관해 조약이나 기타 관계에 기초하여 중국 정부에 대해 누려 온 모든 권리와 이익을 양도 등의 처분을 하는 것에 대해 모두 승인한다.

① 일본이 중일 전쟁을 일으켰다.

② 제1차 국공 합작이 이루어졌다.

③ 군벌을 무너뜨리고 중국을 통일하였다.

④ 일본의 21개조 요구 철회를 주장하였다.

⑤ 일제에 저항하여 3·1 운동을 전개하였다.

**04** 자료와 연관된 정부가 실시한 정책으로 옳은 것을 **! 보기 !** 에서 모두 고르면?

> 이번 법을 통해 하려고 하는 일은 모두를 위해 주당 근무 시간을 제한하고, 모두의 최저 임금을 보장하는 것입니다. 기업가는 애국심과 인류애의 이름으로 이를 지지해 주기를, 그리고 노동자들은 이해와 협조의 정신으로 우리와 함께하기를 부탁드립니다.
>
> – 미국 연방 공문서 보관소 –

┌ 보기 ┐
ㄱ. 경제 블록 형성
ㄴ. 대규모 공공사업 추진
ㄷ. 경제 개발 5개년 계획 실시
ㄹ. 노동자의 단결권, 단체 교섭권 인정
└─────────────────┘

① ㄱ, ㄴ        ② ㄱ, ㄷ        ③ ㄴ, ㄷ
④ ㄴ, ㄹ        ⑤ ㄷ, ㄹ

**05** 자료와 관련된 전쟁에 대한 설명으로 가장 적절한 것은?

> • 두 나라(독일과 소련)는 단독으로 또는 다른 나라와 연합해서 서로에게 어떠한 폭력 행위도, 어떠한 침략 행위도, 어떠한 공격도 하지 않을 의무를 진다.
> • 만약 두 나라 중 한쪽이 제3국으로부터 공격을 받게 되는 경우, 다른 한쪽이 어떠한 방식으로도 제3국에 원조를 하지 않는다.
> • 조약 체결국은 어느 쪽도 직접 또는 간접으로 다른 한쪽을 목표로 한 강대국의 결합에 참여하지 않는다.

① 독일이 폴란드를 침공하였다.
② 국제 연맹의 창설로 이어졌다.
③ 3국 협상과 3국 동맹이 충돌하였다.
④ 이탈리아가 연합국으로 참전하였다.
⑤ 러시아가 독일과 강화 조약을 체결하였다.

**06** 자료가 발표된 시기를 연표에서 옳게 고른 것은?

> 일본의 해군과 공군은 미합중국을 용의주도하게 기습 공격하였습니다. …… 간밤에 일본군은 필리핀 제도와 웨이크 섬을 공격하였습니다. 오늘 아침에 일본군은 미드웨이 제도를 공격하였습니다. 일본은 태평양 전역을 기습 공격한 셈입니다.

| (가) | (나) | (다) | (라) | (마) |
|------|------|------|------|------|
| 만주 사변 발발 | 중일 전쟁 발발 | 포츠담 회담 개최 | 국제 연합 창설 | |

① (가)    ② (나)    ③ (다)    ④ (라)    ⑤ (마)

∴ 1등급 킬러

## 07 자료와 관련된 진영에 대한 설명으로 옳은 것은?

이 계획의 목표는 자유로운 제도가 들어설 수 있는 정치·사회적 환경을 조성하기 위해 세계 경제를 부흥하는 것입니다. …… 저는 미국 정부가 국가 경제를 재건하려는 의지를 지닌 모든 정부를 전폭적으로 지원할 것을 확신합니다. 그러나 다른 나라의 경제 회복을 방해하는 정부는 어떠한 지원도 기대할 수 없을 것입니다.

– 조지 마셜 –

① 비동맹주의를 표방하였다.
② 평화 10원칙을 발표하였다.
③ 북대서양 조약 기구를 결성하였다.
④ 코메콘을 통해 경제 지원을 하였다.
⑤ 바르샤바 조약 기구를 통해 군사 지원을 하였다.

## 08 다음과 같은 협정을 이끌어 낸 배경으로 가장 적절한 것은?

제1조 미국과 다른 모든 나라들은 1954년 제네바 협정에서 승인된 베트남의 독립, 주권, 통일과 영토 보존을 존중한다.
제4조 미국은 남베트남의 내부 문제에 앞으로도 계속하여 군사 개입을 하지 않는다.
제6조 남베트남에 있는 미군과 다른 동맹국들의 군사 기지가 조약이 서명된 지 60일 이내에 철거되어야 한다.

– 『파리 평화 협정』(1973) –

① 닉슨 독트린이 발표되었다.
② 독립 국가 연합이 결성되었다.
③ 쿠바 미사일 위기가 발생하였다.
④ 중국에서 국공 내전이 일어났다.
⑤ 북대서양 조약 기구가 조직되었다.

## 09 (가)에서 (나)로 국제 질서가 변화하는 과정에서 나타난 현상으로 옳은 것을 보기 에서 모두 고르면?

(가)

미국 ⟷ 소련

(나)

프랑스
서독
일본
미국 ⟷ 소련
중국
제3세계

보기
ㄱ. 베를린 장벽 건설
ㄴ. 트루먼 독트린 발표
ㄷ. 미국과 중국의 국교 수립
ㄹ. 미국과 소련의 전략 무기 제한 회담 개최

① ㄱ, ㄴ
② ㄱ, ㄷ
③ ㄴ, ㄷ
④ ㄴ, ㄹ
⑤ ㄷ, ㄹ

빈출도 ● 〉 ● 〉 ●
많음        적음

## 10 밑줄 친 '나'에 대한 설명으로 옳은 것은?

1984년 나는 광둥에 와 본 적이 있습니다. 당시 농촌 개혁은 한 지 몇 년 되지 않았고, 경제특구도 이제 막 시작한 초보 단계였습니다. 이제 8년이 지났는데, 이번에 와 보니 선전과 주하이 특구, 기타 몇몇 지방은 내가 전혀 예상하지 못할 정도로 너무도 발전이 빠릅니다. 보고 난 다음 나는 믿음이 더 늘었습니다.

① 평화 5원칙에 합의하였다.
② 대약진 운동을 전개하였다.
③ 중화 인민 공화국을 수립하였다.
④ 국영 기업의 민영화를 추진하였다.
⑤ 민주화 시위를 무력으로 진압하였다.

## 11 자료와 관련된 운동에 대한 설명으로 옳은 것을 |보기|에서 모두 고르면?

나에게는 꿈이 있습니다. …… 예전에 노예였던 부모의 자식과 그 노예의 주인이었던 부모의 자식들이 형제애의 식탁에 함께 둘러앉는 날이 오리라는 꿈입니다. …… 나의 자녀들이 피부색이 아니라 인격에 따라 평가받는 그런 나라에 살게 되는 날이 오리라는 꿈입니다.

– 마틴 루서 킹 –

보기
ㄱ. 신체적 자기 결정권을 주장하였다.
ㄴ. 아파르트헤이트를 폐지하고자 하였다.
ㄷ. 미국의 베트남 전쟁 개입에 반대하였다.
ㄹ. 민권법을 통해 흑백 법적 차별을 폐지하였다.

① ㄱ, ㄴ        ② ㄱ, ㄷ        ③ ㄴ, ㄷ
④ ㄴ, ㄹ        ⑤ ㄷ, ㄹ

## 12 자료가 발표된 시기를 연표에서 옳게 고른 것은?

프랑스 정부는 프랑스와 독일의 석탄과 철강 생산을 공동의 기구 관리하에 둘 것을 제안한다. …… 석탄과 철강 생산의 공동화는 유럽 연방의 첫 단계인 경제 발전의 공통 토대를 즉각적으로 형성하는 것을 보장하는 것이고, 오랫동안 전쟁 무기 생산으로 계속해서 희생당했던 이 지역들의 운명을 바꾸어 놓을 것이다.

| (가) | (나) | (다) | (라) | (마) |
|---|---|---|---|---|
| 국제 연합 창설 | 유럽 공동체 형성 | 유럽 연합 창설 | 세계 무역 기구 창설 | |

① (가)   ② (나)   ③ (다)   ④ (라)   ⑤ (마)

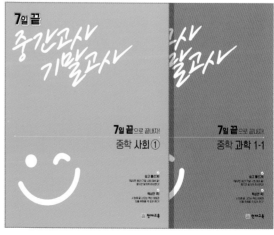

# book.chunjae.co.kr

교재 내용 문의 ························· 교재 홈페이지 ▶ 중학 ▶ 교재상담

교재 내용 외 문의 ····················· 교재 홈페이지 ▶ 고객센터 ▶ 1:1문의

발간 후 발견되는 오류 ··············· 교재 홈페이지 ▶ 중학 ▶ 학습지원 ▶ 학습자료실

일등공략 필승학습!
단기간에 끝장내자!

중학 역사 ①

BOOK 3
정답과 해설

특목고 대비
일등
전략

 천재교육

정답은
이안에
있어！

# 정답과 해설

**1일** 개념 돌파 전략❶ 확인 문제 8~11쪽

**1강_문명의 발생과 고대 세계의 형성**

01 기록으로서의 역사 02 신석기 03 문자 04 갑골 05 키루스 2세
06 군현제 07 클레이스테네스 08 평민(자영농)

**2강_불교 및 힌두교 문화의 형성과 확산~이슬람 문화의 형성과 확산**

01 동남아시아 02 동북아시아 03 힌두교 04 수 05 동아시아 문화권
06 이슬람교 07 아바스 왕조 08 아라베스크

**1일** 개념 돌파 전략❷ 12~13쪽

01 ② 02 ④ 03 ① 04 ④

### 01 메소포타미아 문명과 이집트 문명

쐐기 문자를 쓰는 문명이라는 점을 통해 (가)는 메소포타미아, 상형 문자를 쓰는 문명이라는 점을 통해 (나)는 이집트임을 알 수 있다. 메소포타미아 문명의 사람들은 지구라트를 건설하여 수호신을 섬겼다. 지구라트는 계단형의 탑과 같은 형태로 조성되었으며, 꼭대기에 신전을 두었다.

**선택지 바로 보기**

① (가) : 피라미드와 스핑크스를 조성하였다. (×)
　→ 이집트 문명
② (가) : 지구라트라는 신전을 지어 수호신을 섬겼다. (○)
③ (나) : 내세보다는 현세를 중시하였다. (×)
　→ 메소포타미아 문명
④ (나) : 티그리스강과 유프라테스강 사이에서 발생하였다. (×)
　→ 메소포타미아 문명
⑤ (가), (나) : 수도 주변은 왕이 다스리고 나머지 지역은 제후가 다스렸다. (×)
　→ 중국 문명 중 주 왕조의 봉건제

### 02 클레이스테네스의 개혁

기원전 6세기 말에 다양한 민주적 개혁을 단행하였으며, 도편 추방제를 도입하여 민주 정치의 기틀을 마련한 고대 아테네의 정치가는 클레이스테네스이다.

**더 알아보기** 아테네 민주 정치의 발전을 이끈 정치가

| 솔론 | • 기원전 6세기 전반에 활약<br>• 귀족과 평민의 '조정자' 역할<br>• 재산에 따른 정치 참여 허용 |
| --- | --- |
| 클레이스테네스 | • 기원전 6세기 말 민주적 개혁 단행<br>• 평민의 정치 참여 확대, 도편 추방제 도입 |
| 페리클레스 | • 기원전 5세기 중반 활약, 민주 정치의 전성기<br>• 민회가 입법, 행정, 사법의 주요 권한 장악<br>• 아테네 성인 남자 시민의 직접 민주 정치 실현 |

### 03 당의 균전제

당이 실시한 토지 제도로, 농민에게 토지를 균등하게 분배하고 경작하게 하여 농민의 생활을 안정시킨 제도는 균전제이다.

**선택지 바로 보기**

① 균전제 (○)
② 조·용·조 (×)
　→ 토지를 받은 농민이 곡물(조)·노동력(용)·특산물(조)을 세금으로 내는 제도
③ 부병제 (×)
　→ 토지를 받은 농민이 병사로 복무하는 제도
④ 양세법 (×)
　→ 당 후반에 실시된 조세 제도로, 재산의 많고 적음을 기준으로 여름과 가을에 세금을 내는 제도
⑤ 모병제 (×)
　→ 부병제 대신 실시한 직업 군인 제도

### 04 아바스 왕조의 정책

자료는 아바스 왕조의 비아랍인 차별 정책 폐지를 다룬 가상 안내문이다. 이전 우마이야 왕조에서는 아랍인을 우대하는 정책을 펼쳐 비아랍인의 불만을 샀다. 이와 달리 아바스 왕조에서는 아랍인이 아니더라도 중요 관직을 허용하고, 세금 제도에서도 비아랍인에 대한 차별을 폐지하여 환영을 받았다.

**더 알아보기** 우마이야 왕조와 아바스 왕조

| 구분 | 우마이야 왕조 | 아바스 왕조 |
| --- | --- | --- |
| 수도 | 다마스쿠스 | 바그다드 |
| 정책 | 아랍인 우대 정책(비아랍인을 차별하여 세금을 더 걷고 관직 진출도 막음) | 아랍인 우대 정책 폐지 |
| 지지 세력 | 수니파 | 시아파 |

| 1-1 ⑤ | 2-1 ② |
| 3-1 ③ | 4-1 ③ |
| 5-1 ⑤ | 6-1 ⑤ |
| 7-1 ③ | 8-1 ④ |

## 1-1 역사의 두 가지 의미

역사는 '과거에 일어난 사실'과 '과거에 일어난 사실에 대한 기록'이라는 두 가지 의미를 가지고 있다. 사실로서의 역사는 과거에 있었던 사실 그 자체를 말하기 때문에 객관적이다. 과거에 일어난 사실은 무수히 많으므로 역사가가 이 중 의미 있는 것을 골라 기록하게 되는데, 이를 기록으로서의 역사라고 한다. 기록으로서의 역사는 역사가의 관점에 따라 달라질 수 있기 때문에 주관적이다.

## 2-1 선사 시대의 생활 모습

뗀석기가 대표적인 유물이었던 구석기 시대와 달리 신석기 시대에는 돌을 갈아서 날카롭게 만드는 간석기가 사용되었다. 또 농사를 짓고 가축을 기르기 시작하면서 스스로 식량을 생산하여 조금이나마 자연을 통제하게 되었다. 이를 신석기 혁명이라고 한다.

**오답 피하기** ㄴ. 구석기 시대부터 확인할 수 있는 생활 모습이다. ㄹ. 구석기 시대의 생활 모습에 해당한다. 신석기인은 농경을 하면서 한곳에 정착하기 시작하였다.

**더 알아보기** 구석기 시대와 신석기 시대

| 구분 | 구석기 시대 | 신석기 시대 |
|---|---|---|
| 도구 | 뗀석기 | 간석기, 토기 |
| 생활 모습 | 사냥과 채집, 이동 생활, 동굴이나 막집 등에서 거주 | 농경과 목축 시작, 사냥과 채집도 여전히 함, 정착 생활, 움집에서 거주 |
| 종교, 예술 | 시체 매장, 동물 벽화, 여인상을 조각하여 풍요 기원 | 애니미즘, 토테미즘 |

## 3-1 메소포타미아 문명

지도는 메소포타미아 문명의 위치를 보여 준다. 메소포타미아 문명에서는 지구라트라는 신전을 지었다.

**선택지 바로 보기**

① 태양력, 10진법을 사용하였습니다. (×)
   → 이집트 문명
② 엄격한 신분제인 카스트제를 만들었습니다. (×)
   → 인도 문명

③ 지구라트라는 신전을 지어 수호신을 섬겼습니다. (○)
④ 피라미드와 스핑크스 같은 거대한 유적을 남겼습니다. (×)
   → 이집트 문명
⑤ 오늘날 알파벳의 기원이 되는 표음 문자를 고안하였습니다. (×)
   → 페니키아

## 4-1 중국 문명

왕과 제후가 혈연관계로 맺어져 있으며, 왕이 제후에게 토지와 백성을 맡기고 제후가 그 대가로 공물과 군사적 봉사를 제공하는 것을 통해 주의 봉건제를 도식화한 것임을 알 수 있다.

**더 알아보기** 주의 봉건제

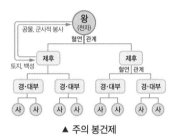

▲ 주의 봉건제

봉건은 '왕이 혈연관계에 있는 형제, 친척이나 공신에게 토지를 나누어 주어 제후국을 세우게 한다.'라는 의미이다. 혈연관계를 바탕으로 중앙 정부의 통치력이 유지되므로 혈연 내의 상하 질서를 확인하는 일이 중시되었다. 왕은 하늘의 명을 받아 나라를 다스리는 존재로 여겨지면서 절대적인 권위를 인정받았다. 그러나 시간이 지날수록 주 왕실과 제후 간의 혈연관계가 느슨해지면서 지방 제후들은 점차 독립적인 세력으로 성장하였다.

## 5-1 아케메네스 왕조 페르시아

자료는 아케메네스 왕조 페르시아의 키루스 2세가 남긴 원통형 인장에 새겨진 비문이다. 피정복민의 전통과 종교를 존중한다는 선언이 쐐기 문자로 적혀 있다. 아케메네스 왕조 페르시아는 피정복민의 협조를 받기 위해 정복한 지역에 관용 정책을 펼쳤다. 그 결과 약 200년 동안 통일 왕조를 유지하며 번영하였다.

**선택지 바로 보기**

① 조로아스터교를 국교로 삼았다. (×)
   → 사산 왕조 페르시아
② 함무라비 법전을 새겨 통치 체제를 정비하였다. (×)
   → 바빌로니아
③ 우수한 기마 전술을 앞세워 서아시아 세계를 최초로 통일하였다. (×)
   → 아시리아
④ 가혹한 통치에 반발한 피정복민이 반란을 일으켜 곧 멸망하였다. (×)
   → 아시리아
⑤ '왕의 길'을 건설하여 왕의 명령을 지방에까지 효과적으로 전달하였다. (○)

## 6-1 한 무제의 정책

흉노를 견제할 목적으로 대월지에 장건을 보내 동맹을 체결하고자 한 (가)는 한 무제이다. 무제는 군현제를 확립함으로써 중앙 집권을 꾀하였으며, 유교를 통치 이념으로 삼아 사회를 안정시켰다. 그러나 잦은 대외 원정으로 국가 재정에 큰 부담을 주었다. 이에 무제는 소금, 철, 술을 국가에서 독점 판매하는 전매 제도를 실시하여 재정을 확보하였다.

**오답 피하기** ㄱ. 군국제는 한 고조가 실시한 정책이다. ㄴ. 분서갱유 등의 사상 탄압은 진 시황제가 실시하였다.

**더 알아보기** 한 무제와 장건, 사막길(비단길)

말풍선: 이제 떠나거라. 부디 동맹을 성사하고 돌아오너라.
말풍선: 대월지와 동맹을 체결하고 돌아와 흉노와의 오랜 악연을 끊을 수 있도록 하겠습니다.

▲ 서역으로 떠나는 장건을 배웅하는 한 무제

한 고조가 흉노에 패배하여 한동안 한에서는 흉노에 공물과 공주를 보냈다. 그러나 무제가 즉위한 이후 한은 흉노를 대대적으로 공격하였다. 무제는 대월지와 손잡고 흉노를 공격하고자 장건을 서쪽에 파견하였다. 비록 군사 동맹은 성사되지 못하였지만, 장건의 여행을 계기로 서역으로 통하는 길을 알게 되었다. 한은 전쟁 끝에 흉노를 쫓아내고 서역으로 가는 길을 확보하였다. 비단이 이 길을 통해 서방에 알려졌다고 하여 이 길을 '비단길'이라고 부르게 되었다.

## 7-1 그리스 세계의 번영과 쇠퇴

(나) 기원전 6세기 말 클레이스테네스는 페이시스트라토스의 참주정을 타도하고 민주적 개혁을 단행하였다. (가) 서아시아 지역을 통일한 페르시아가 기원전 5세기 초반에 그리스를 침략하였다. 그리스의 여러 폴리스는 아테네의 주도 아래 힘을 합쳐 페르시아의 침략을 물리쳤다. (다) 이후 아테네의 세력이 커져 펠로폰네소스 동맹을 주도하던 스파르타와 대립하여 펠로폰네소스 전쟁이 일어났다. 펠로폰네소스 전쟁은 기원전 404년 스파르타의 승리로 마무리되었다.

## 8-1 옥타비아누스의 집권

사실상 황제로 등극한 점, '아우구스투스'라는 칭호를 부여받은 점을 통해 옥타비아누스임을 알 수 있다. 옥타비아누스는 반대파를 안심시키기 위해 로마의 공화정 체제를 유지하였다. 그러나 호민관, 원로원 의장, 집정관, 군사령관 등을 겸임하여 로마의 행정권과 군 통수권을 모두 장악함으로써 사실상 황제로 등극하였다. 이로써 제정 시대가 시작되었다.

**더 알아보기** 로마의 영역 변천

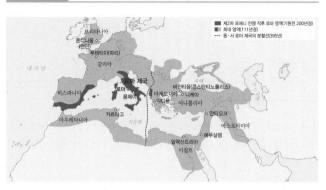

범례: ■ 제2차 포에니 전쟁 직후 로마 영역(기원전 200년경)
■ 최대 영역(111년경)
--- 동·서 로마 제국의 분할선(395년)

로마는 기원전 3세기 중엽에 이탈리아반도를 통일한 이후 지중해의 패권을 두고 카르타고와 포에니 전쟁을 벌였다. 이 전쟁에서 승리한 로마는 서부 지중해의 패권을 장악하였다. 이후 사회 혼란을 수습하고 제정 시대를 열었으며, 계속해서 정복 활동을 벌여 유럽, 아시아, 아프리카에 걸친 대제국을 건설하였다. 2세기 말부터 군대의 정치 개입으로 인한 혼란, 게르만족과 사산 왕조 페르시아의 침입으로 로마는 쇠퇴하기 시작하였다. 결국 4세기 말 로마 제국은 동서로 분리되었다.

**2일** 필수 체크 전략 **2** 확인 문제 　　18~19쪽

**1** ⑤　　　**2** ④　　　**3** ③　　　**4** ②
**5** ②　　　**6** ②　　　**7** ④

## 1 역사의 두 가지 의미

ㄷ은 유교적 역사관에 입각하여 연개소문에 대해 왕을 죽인 역적이자 나라를 망친 인물로 평가하고 있다. ㄹ은 진 시황제에 대해 나라를 위태롭게 한 인물이라며 부정적으로 평가하고 있다. 역사적 인물에 대한 역사가의 주관적 평가가 포함된 서술은 '기록으로서의 역사'에 해당한다.

**오답 피하기** ㄱ, ㄴ은 어떠한 관점에서 보아도 변함 없는 역사적 사실을 서술하였으므로 '사실로서의 역사'에 해당한다.

## 2 메소포타미아 문명

자료는 메소포타미아 문명의 「길가메시 서사시」이다. 메소포타미아 문명은 주변이 탁 트인 개방적인 지형에 위치하여 여러 민족의 침입이 잦았다. 그래서 사람들은 죽은 후의 세계보다는 현재의 안정된 삶을 중시하였다.

**오답 피하기** ㄱ. 헤브라이가 유일신을 믿는 종교를 창시하였다. ㄷ. 페니키아가 알파벳의 기원이 되는 문자를 고안하였다.

## 자료 분석

> 길가메시여, 당신은 생명을 찾지 못할 것입니다. 신들이 인간을 만들 때 인간에게 죽음도 함께 붙여 주었습니다. …… 좋은 음식으로 배를 채우십시오. 밤낮으로 춤추며 즐기십시오.
>
> – 「길가메시 서사시」 –

수메르의 도시 국가인 우르크의 왕 길가메시를 주인공으로 한 서사시이다. 길가메시의 투쟁과 모험 그리고 영생의 추구가 주제이다. 자료에서는 세상 모든 것의 운명이 이미 정해져 있고 누구도 운명을 바꿀 수 없다는 메소포타미아 사람들의 '숙명론'이 담겨 있다.

## 3 인도 문명의 아리아인

지도에 표시된 방향으로 이동한 민족은 아리아인이다. 아리아인은 인도의 원주민을 지배하기 위해 엄격한 신분제인 카스트제를 만들었다.

## 자료 분석

아리아인은 중앙아시아 일대에서 유목 생활을 하다가 인더스강으로 대거 이주해 왔다. 이후 철기를 사용하여 각지를 정복하고 동쪽의 갠지스강 유역까지 진출하였다.

## 선택지 바로 보기

① 쐐기 문자를 썼다. (×)
→ 메소포타미아 문명의 수메르인

② 계획도시인 모헨조다로를 건설하였다. (×)
→ 인도 문명의 드라비다인

③ 원주민을 지배하기 위해 카스트제를 만들었다. (○)

④ 아프리카 북부에 카르타고라는 식민 도시를 건설하였다. (×)
→ 페니키아인

⑤ 철제 무기와 전차를 이용하여 소아시아 지역을 정복하였다. (×)
→ 히타이트인

## 4 제자백가

(가)는 유가, (나)는 법가이다. 유가의 대표적인 사상가로는 공자와 맹자가 있다. 법가 사상을 기반으로 발전한 진대에는 사상 탄압을 받았으나 한대에는 국가의 기본 통치 이념이 되었다.

오답 피하기 ④ 도가가 도교로 발전하였다.

---

## 쌍둥이 문제 4

중국에서 다음 사상가들이 등장한 시기에 나타난 사회·경제적 변화로 옳은 것을 보기 에서 모두 고르면?

보기
ㄱ. 철제 농기구가 보급되어 농업 생산량이 늘어났다.
ㄴ. 철의 수요가 늘어나 광업과 제련업이 활기를 띠었다.
ㄷ. 호족의 대토지 소유가 발달하여 빈부 격차가 심해졌다.
ㄹ. 청동 무기가 보급되어 각 지역에서 전쟁이 활발해졌다.

① ㄱ, ㄴ    ② ㄱ, ㄷ    ③ ㄱ, ㄹ
④ ㄴ, ㄷ    ⑤ ㄷ, ㄹ

해설 제자백가가 활약한 시기는 춘추 전국 시대로, 여러 사회·경제적 변화가 나타났다. 변화의 가장 큰 요인은 철기의 사용이었다. 철제 농기구가 사용되면서 철의 수요가 늘어났으며, 철제 무기가 사용되면서 전쟁은 더욱 치열해졌다.

답 ①

## 5 한 고조

자료 속 인물이 언급한 제도는 군국제로, 수도 주변은 군현제로 다스리고 그외의 지역은 봉건제로 다스리는 것이다. 이는 군현제 실시에 따른 반발을 고려하여 봉건제를 절충한 형태로, 한 고조가 실시한 것이다. 고조는 진이 멸망한 후 한을 세웠으며, 초의 항우를 물리치고 중국을 재통일하였다(기원전 202).

오답 피하기 ③은 한 무제, ⑤는 진 시황제에 대한 설명이다.

군국제와 군현제

| 구분 | 군국제 | 군현제 |
|---|---|---|
| 전국적 시행 | 한 고조 | 진 시황제, 한 무제 |
| 특징 | •중앙은 황제가 직접 다스리고, 나머지 지역은 왕족이나 공신을 제후로 임명하여 다스리게 함<br>•군현제+봉건제 | •전국을 여러 개의 군으로 나누고 그 아래에 현을 설치함<br>•황제가 각 군현에 직접 관리를 보내 다스림<br>•중앙 집권 체제 강화 |

## 6 헬레니즘 문화의 특징

제시된 작품은 헬레니즘 시대의 대표적 조각상인 「라오콘 군상」으로, 인체의 아름다움을 생동감 있게 표현하였다. 헬레니즘 문화는 배타적인 폴리스의 틀에서 벗어나 모든 시민이 평등하다는 세계 시민주의의 성격을 띠었다. 동시에 폴리스의 해체로 공동체 의식이 약화되면서 개인주의 경향도 나타났다.

오답 피하기 ㄴ은 로마, ㄹ은 고대 그리스 문화에 대한 설명이다.

자료 분석

포세이돈 신에게 노여움을 산 신관 라오콘과 두 아들이 뱀에 물려 고통스럽게 죽어 가는 모습을 생생하게 표현하였다. 이처럼 헬레니즘 시대에는 인간의 감정을 보다 생동감 있게 표현하거나 인간 육체의 아름다움을 추구한 작품이 등장하였다.

## 7 로마의 평화

지도에 표시된 영토는 로마의 최대 영역이다. 옥타비아누스가 집권한 이래로 제정이 시작되었다. 이후 로마는 계속해서 정복 활동을 펼쳐 유럽, 아시아, 아프리카에 걸친 거대한 제국을 건설하고 정치·경제적으로 안정과 번영을 누렸다. 이 시기를 '로마의 평화(Pax Romana)'라고 부른다. 그러나 2세기 말부터 군대가 정치에 개입하는 등 제국이 혼란에 빠졌다. 이를 극복하고자 디오클레티아누스, 콘스탄티누스 대제 등이 각종 개혁을 시행하였으나 결국 로마는 동서로 분열되었다(395).

| | |
|---|---|
| 1-1 ⑤ | 2-1 ③ |
| 3-1 ⑤ | 4-1 ① |
| 5-1 ⑤ | 6-1 ⑤ |
| 7-1 ② | 8-1 ③ |

## 1-1 마우리아 왕조의 아소카왕

자료는 아소카왕의 돌기둥에 새겨진 글이다. 아소카왕은 남부 지역 일부를 제외하고 인도 대부분 지역을 장악하여 마우리아 왕조의 전성기를 이루었다. 그러나 정복 과정에서 전쟁의 참혹함을 느끼고 불교의 가르침에 따라 나라를 다스리기로 결심하였다. 그는 전국 각지의 돌기둥과 바위에 자신의 통치 방침을 새겨 백성에게 널리 알렸다. 그리고 산치 대탑을 비롯한 많은 탑과 절을 곳곳에 건립하여 불교를 장려하였다.

오답 피하기 ㄱ은 고타마 싯다르타(석가모니), ㄴ은 카니슈카왕에 대한 설명이다.

자료 분석

칼링가 전투가 끝난 후 나의 마음속에는 많은 갈등과 부처님의 법을 향한 갈망이 싹텄다. 정복에 대한 후회도 생겼다. 자유민을 정복한다는 것은 사람을 죽이고 학살하고 노예로 만든다는 것이다. 나는 이제 이런 일에 고뇌를 느낀다.

아소카왕이 전국 각지에 세운 돌기둥의 내용이다. 부처의 가르침에 따라 나라를 다스릴 것을 널리 알리고 있다.

아소카왕의 돌기둥

돌기둥의 머리에 있는 사자들은 지혜와 용기를 상징하고, 왕의 권위를 나타낸다. 수레바퀴는 석가모니의 법과 진리를 뜻한다.

## 2-1 대승 불교

지도에서 쿠샨 왕조로부터 시작하여 동북아시아 등지로 전파되는 것을 통해 (가)가 대승 불교임을 알 수 있다. 한편 (나)는 상좌부 불교이다. 대승 불교는 쿠샨 왕조 시대에 발전한 불교 종파로, 개인의 해탈보다는 많은 사람의 구제를 강조하였다. 비단길을 통해 간다라 양식과 함께 동북아시아 등지로 전파되었다.

오답 피하기 ㄱ, ㄹ은 상좌부 불교에 대한 설명이다.

### 3-1 굽타 왕조의 문화

힌두교가 등장한 왕조라는 점을 통해 선생님이 언급하는 왕조가 굽타 왕조임을 알 수 있다. 굽타 왕조 시대에는 문학, 언어, 미술 등 다양한 분야에서 인도 고유의 색채가 강해졌다. 브라만의 언어였던 산스크리트어를 공용어로 사용하면서 산스크리트어로 쓴 문학이 발달하였다. 인도의 전설을 담은 서사시인 「마하바라타」가 대표적이다. 또 인도 고유의 색채가 더해진 굽타 양식이 발달하였는데, 아잔타 석굴 사원과 엘로라 석굴 사원의 벽화나 불상에서 확인할 수 있다.

더 알아보기 간다라 양식과 굽타 양식의 불상 비교

| 간다라 양식 불상 | 굽타 양식 불상 |
| --- | --- |
|  | |
| • 옷이 신체의 굴곡을 가리며 옷의 주름이 깊게 표현되어 있음<br>• 머리카락이 구불거리게 표현되어 있음<br>• 헬레니즘의 영향을 받아 서구적인 이목구비를 갖춤 | • 옷이 얇아 인체의 윤곽이 그대로 드러남<br>• 머리 부분이 소라껍데기처럼 말린 모양의 나발 형식으로 표현되어 있음 |

### 4-1 수의 남북조 통일

지도에 표시된 통제거, 영제거를 중심으로 연결된 운하는 수의 대운하이다. 수 양제는 대운하를 완공하여 강남의 풍부한 물자가 화북 지역으로 원활하게 이동할 수 있도록 하였다. 수는 350년 이상 분열되어 있던 중국을 다시 통일하였으며, 과거제를 시행하여 능력에 따른 인재 등용을 꾀하는 등 다양한 개혁을 통해 왕권을 강화하고자 하였다.

선택지 바로 보기

ㄱ. 남북조를 통일하였다. ( ○ )
ㄴ. 과거제를 시행하였다. ( ○ )
ㄷ. 황건적의 난을 계기로 멸망하였다. ( × )
  → 후한
ㄹ. 선비족과 한족의 결혼을 장려하였다. ( × )
  → 북위의 한화 정책

### 5-1 당의 율령 체제

3성 6부제, 주현제, 균전제, 조·용·조, 부병제 등으로 나라를 운영한 당의 통치 체제를 율령 체제라고 한다. 율령의 '율'은 형법, '령'은 행정법 및 조세 제도 등에 관한 규정으로, 나라를 다스리는 기본 법령을 뜻한다. 율령 체제는 한국과 일본 등 동아시아 각국에 전해져 각기 상황에 맞게 변형되어 독자적으로 운영되었다.

더 알아보기 3성 6부제의 변형

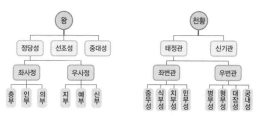

▲ 발해의 중앙 정치 기구    ▲ 일본의 중앙 정치 기구

발해와 일본은 당의 3성 6부제를 참고하여 명칭을 달리하거나 조직의 변화를 주는 등 각국의 상황에 맞게 독자적으로 운영하였다.

### 6-1 일본의 국풍 문화

국풍 문화는 9세기 말 당이 쇠퇴하여 견당사 파견이 중지되자 발전한 일본의 독자적 문화로, 헤이안 시대에 등장하였다. 헤이안 시대는 794년 헤이안 천도 이후부터 미나모토노 요리토모가 가마쿠라 막부를 개설한 1185년까지의 일본 정권을 가리킨다.

### 7-1 이슬람 제국의 성립과 발전

(가)는 칼리프가 선출되는 현장이라는 점을 통해 정통 칼리프 시대임을 알 수 있다. 무함마드 사후 4대에 걸쳐 칼리프가 선출된 시대를 정통 칼리프 시대라고 한다. (다) 제4대 칼리프 알리가 암살되고 우마이야 가문이 칼리프 지위를 세습하며 우마이야 왕조가 개창되었다. 우마이야 왕조는 아랍인 중심 정책을 펼쳐 비아랍인들의 반발을 샀으며, 결국 불만을 가진 세력과 연계한 아바스 가문에 의해 멸망하였다. (나) 아바스 왕조는 비아랍인에 대한 차별을 철폐하였는데, 대표적으로 세금 제도에서 차별을 없앤 것을 들 수 있다.

더 알아보기 한눈에 살펴보는 이슬람 세계의 발전

| 정통 칼리프 시대 | • 칼리프 선출<br>• 시리아와 이집트 점령, 사산 왕조 페르시아 정복 |
| --- | --- |
| 우마이야 왕조 | • 우마이야 가문의 칼리프 세습<br>• 아시아, 아프리카, 유럽에 걸친 대제국 건설<br>• 아랍인 중심 정책 |
| 아바스 왕조 | • 탈라스 전투에서 승리, 동서 교역로 장악<br>• 수도 바그다드가 국제 도시로 성장<br>• 민족 차별 정책 폐지 |

## 8-1 이슬람의 학문과 예술

이슬람 제국이 확대되며 페르시아 문화, 그리스 및 헬레니즘 문화, 인도 문화 등 동서의 다양한 문화가 융합되어 이슬람 문화권이 형성되었다. 건축으로는 이슬람교의 예배당인 모스크가 발달하였다. 외부는 돔과 뾰족한 탑이 특징적이며, 내부는 우상 숭배를 금지하는 교리에 따라 아라베스크로 장식하였다. 문학으로는 아라비아의 민담을 중심으로 페르시아, 인도, 이집트 등지의 설화를 모은 『아라비안나이트』가 유명하다. 지리학에서는 이븐 바투타의 『여행기』가 대표적이다.

오답 피하기 ③ 『샤쿤탈라』는 인도 굽타 왕조 시기의 희극으로, 산스크리트어 문학의 대표적 사례 중 하나이다.

---

**[3일] 필수 체크 전략 2  확인 문제**  24~25쪽

| 1 ⑤ | 2 ② | 3 ⑤ | 4 ① |
| 5 ③ | 6 ⑤ | 7 ① | 8 ④ |

---

## 1 마우리아 왕조와 쿠샨 왕조

(가)는 마우리아 왕조, (나)는 쿠샨 왕조이다. 마우리아 왕조는 제3대 아소카왕 때 남부를 제외한 인도 대부분 지역을 통일하며 전성기를 맞이하였다. 아소카왕은 적극적으로 불교를 장려하였는데, 개인의 해탈을 강조한 상좌부 불교가 발전하였다. 쿠샨 왕조는 카니슈카왕 때 전성기를 맞이하여 간다라 지방을 중심으로 중앙아시아에 이르는 영역을 확보하였다. 그리고 후한, 서아시아, 로마를 연결하는 중계 무역으로 번성하였으며, 대승 불교가 발전하였다.

오답 피하기 ①, ④ 굽타 왕조에 대한 설명이다. ③ 알렉산드로스가 물러간 후 찬드라굽타 마우리아가 마우리아 왕조를 세웠다.

**[더 알아보기] 마우리아 왕조와 쿠샨 왕조 비교**

|  | 마우리아 왕조 | 쿠샨 왕조 |
|---|---|---|
| 성립 | 기원전 4세기경 | 1세기경 |
| 영역 | 남부를 제외한 인도 대부분 지역 장악 | 인도 서북부에서 중앙아시아 지역 차지 |
| 불교 발전 | • 상좌부 불교 발전 → 동남아시아 등지로 전파<br>• 산치 대탑 등 건립 | • 대승 불교 발전 → 동북아시아 등지로 전파<br>• 간다라 양식 발달 |

## 2 굽타 왕조

아잔타 석굴 벽화, 인도 고유의 특징이 드러난 양식 등을 통해 (가)가 굽타 왕조임을 알 수 있다. 굽타 왕조 시대에는 브라만교를 중심으로 다양한 민간 신앙, 불교가 결합된 힌두교가 등장하였다. 또 수학 분야에서 큰 발전을 보여 오늘날에도 여전히 쓰는 수학 개념인 0과 10진법 등이 등장하였다.

---

**선택지 바로 보기**

ㄱ. 숫자 0, 10진법 등의 개념이 등장하였다. (○)

ㄴ. 만인의 구제를 강조하는 불교가 발전하였다. (✕)
→ 대승 불교이므로 쿠샨 왕조에 해당함

ㄷ. 브라만교를 바탕으로 여러 민간 신앙, 불교가 혼합된 종교가 나타났다. (○)

ㄹ. 인도의 불교문화와 헬레니즘 문화가 융합된 미술 양식이 등장하였다. (✕)
→ 간다라 양식이므로 쿠샨 왕조에 해당함

---

## 3 위진 남북조 시대의 전개

후한 멸망 이후 중국은 위·촉·오의 삼국으로 분열되었다. 위를 이은 진이 다시 통일하였으나 황실의 내분으로 혼란한 틈을 타 북방의 유목 민족이 화북 지방 곳곳에 나라를 세워 5호 16국 시대가 시작되었다. 이에 진은 강남으로 내려가 동진을 세웠다. 이후 화북 지방은 선비족의 북위가 통일하고, 강남 지방은 동진의 뒤를 이어 한족 국가들이 세워져 남북조 시대가 전개되었다.

오답 피하기 ㄱ은 삼국 시대 이전, ㄴ은 북위 통일 이후의 일이다.

## 4 수 문제의 정책

수 문제 양견은 북쪽의 돌궐이 분열된 틈을 이용하여 오랫동안 분열되었던 중국을 통일하였다(589). 그는 능력에 따라 인재를 등용하는 과거제를 실시하였으며, 북위 이래 시행되던 토지·조세·군사 제도를 정비하여 중앙 집권 체제를 강화하였다.

**선택지 바로 보기**

① 과거제를 실시하였습니다. (○)
② 대운하를 완성하였습니다. (✕) → 수 양제
③ 한화 정책을 실시하였습니다. (✕) → 북위 효문제
⑤ 신라와의 연합으로 백제를 공격하여 멸망시켰습니다. (✕) → 당 고종
④ 고구려 원정에 나섰으나 살수에서 패하였습니다. (✕) → 수 양제

## 5 당의 문화

자료는 당 현종 시기에 활약한 대표적 시인인 이백이 지은 「춘야연도리원서」이다. 당대에는 문화를 누리고 주도하는 계층이 귀족이었으므로 귀족적 특징의 문화가 발달하였다. 따라서 귀족적 취향의 시가 크게 유행하였는데, 이백과 두보 등이 유명하였다. 한편 당이 대외 개방 정책을 펼치면서 동아시아 주변국은 물론 서역의 문물이 당에 유입되어 국제적인 문화가 발달하였다.

오답 피하기 ㄱ은 위진 남북조 시대 남조의 문화, ㄹ은 위진 남북조 시대 북조의 문화에 대한 설명이다.

## 6 일본의 나라 시대

헤이조쿄로 수도를 옮긴 이후부터 헤이안쿄로 수도를 옮기기 전까지의 시대를 나라 시대라고 한다(710~794). 나라 시대에는 『고사기』와 『일본서기』 등의 역사서가 편찬되었으며, 『만엽집』 등의 시가집이 편찬되었다. 또 견당사와 견신라사를 파견하여 당과 신라의 선진 문물을 수용하였다.

오답 피하기 ㄱ. 9세기 말에 견당사 파견이 중단되면서 중국과의 외교 관계가 단절되었다. 이러한 가운데 일본의 독자적 문화인 국풍 문화가 발달하였다. ㄴ. 다이카 개신은 7세기 중엽에 이루어졌으므로 나라 시대 이전이다.

### 자료 분석

왼쪽은 일본의 헤이조쿄, 오른쪽은 당의 장안성이다. 장안성을 모방하여 헤이조쿄를 건설하였다. 궁성 앞 주작대로를 중심으로 바둑판처럼 도시를 구획하는 등 유사한 점이 많다. 헤이조쿄 전체 규모는 동서 길이 약 4.3km, 남북 약 4.7km에 달하였다.

## 7 우마이야 왕조

지도에 표시된 영역은 수도가 다마스쿠스라는 점, 북아프리카와 이베리아반도까지 차지한 점 등을 통해 우마이야 왕조의 영역임을 알 수 있다. 우마이야 왕조는 아랍인 중심의 정책을 펼쳐 정복지 주민에게 세금을 더 걷고 관직 진출도 막는 등 차별하였다. 이에 정복지 주민의 불만을 사게 되었다.

### 선택지 바로 보기

① 정복지에서 세금을 더 거두었다. ( ○ )

② 몽골의 침입을 받아 멸망하였다. ( × )

　　→ 아바스 왕조

③ 합의를 통해 칼리프를 선출하였다. ( × )

　　→ 정통 칼리프 시대

④ 시아파의 지지를 받아 건국되었다. ( × )

　　→ 아바스 왕조

⑤ 비잔티움 제국과 사산 왕조 페르시아의 대립 속에 성장하였다. ( × )

　　→ 이슬람교 성립 직전의 상황

쌍둥이 문제 7

이슬람 왕조가 다음과 같은 영역을 차지한 시기를 연표에서 옳게 고른 것은?

| ① | ② | ③ | ④ | ⑤ |
|---|---|---|---|---|
| 이슬람교 성립 | 무함마드 사망 | 제4대 칼리프 알리 사망 | 아바스 왕조 건국 | |

해설 지도에 표시된 영역은 우마이야 왕조의 영역으로, 661년에서부터 750년 사이에 해당한다. 이는 제4대 칼리프 알리가 사망한 661년부터 아바스 왕국이 건국된 750년 사이인 ④와 일치한다.

답 ④

## 8 이슬람교의 특징

『쿠란』에 적혀 있는 5행 중 하루에 다섯 번 예배를 드리며, 라마단 기간 동안 단식을 한다고 하였으므로 학생이 믿는 종교는 이슬람교이다. 이슬람교는 알라 이외의 다른 신을 믿는 것을 엄격히 금지하였으며, 돼지고기를 금기시하는 식습관을 공유하였다. 상업 활동을 긍정적으로 여기는 교리에 따라 이슬람 제국은 도로망을 정비하고 상인들의 활동을 지원하였다. 그 결과 상업과 교역이 크게 발달하였다. 이슬람 상인은 육로와 해로를 통해 동아시아에서 유럽에 이르는 동서 교역을 주도하였다.

### 더 알아보기　이슬람교도의 의무(5행)

- 알라 이외에 신은 없고 무함마드는 알라의 사도라고 신앙 고백한다.
- 하루에 다섯 번 메카를 향해 예배를 드린다.
- 라마단 기간 동안 해가 떠 있을 때에는 음식을 먹지 않는다.
- 일생에 한 번 이상 성지인 메카를 순례한다.
- 자기 재산의 일부를 기부하여 가난한 사람을 돕는다.

라마단 기간 동안의 단식은 가난한 자나 빼앗긴 자의 고통을 함께 느끼려는 의미를 가지며, 자기 재산의 일부를 기부하는 것 역시 빈부 격차를 줄이고 사회적 대립을 막으려는 의도가 있었다.

## 01 문명의 발생

지도에 표시된 문명은 고대 문명이 발생한 곳으로 메소포타미아 문명, 이집트 문명, 인도 문명, 중국 문명이다. 이들 문명은 공통적으로 큰 강 유역에서 발생하였으며, 농업 생산력이 늘어나면서 잉여 생산물이 생겨나 사유 재산제가 등장하였다. 또 잉여 생산물을 독점하는 사람들이 생겨나면서 계급이 발생하여 불평등한 사회가 형성되었고, 이들 지배 계급이 청동기를 제작하여 주변 민족을 정복하거나 제사를 지냈다. 국가를 원활히 통치하고자 문자가 발명되기도 하였다.

## 02 진의 특징

법가와 실용 서적 이외에 다른 책들을 불태우고, 유생을 생매장하는 모습을 묘사하고 있는 점을 통해 진의 분서갱유를 나타낸 것임을 알 수 있다. 진은 전국 7웅(제, 초, 진, 연, 위, 한, 조) 중 하나로, 법가 사상을 바탕으로 국력을 키워 전국을 통일하였다. 통일 이후 시황제는 그동안 각지에서 다양하게 사용되던 문자, 화폐, 도량형을 통일하였다.

오답 피하기 ㄱ은 수, ㄹ은 수와 당에 대한 설명이다.

### 자료 분석

첫 번째 장면은 법가 사상 이외의 책, 특히 유가 서적을 불태우는 모습으로 '분서'에 해당하는 상황이며, 두 번째 장면은 유생을 생매장하려는 모습으로 '갱유'에 해당하는 상황이다.

## 03 알렉산드로스

마케도니아의 왕으로, 동방 원정에 나서 10년 만에 이집트와 페르시아를 정복하고 인더스강까지 진출한 인물은 알렉산드로스이다. 알렉산드로스는 정복지에 그리스 문화를 전파하기 위해 정복지 곳곳에 자신의 이름을 딴 '알렉산드리아'라는 도시를 세우고 그리스인을 대거 이주시켰다. 한편 알렉산드로스는 페르시아식 왕관과 옷을 걸치고 동방의 전제 군주정을 받아들이는 등 정복지의 관습과 제도를 수용하기도 하였다. 이러한 과정을 거쳐 그리스 문화와 동방 문화가 결합된 헬레니즘 문화가 등장하였다.

### 선택지 바로 보기

① '아우구스투스'로 불렸다. (×)
　→ 로마의 옥타비아누스
② 크리스트교를 국교로 인정하였다. (×)
　→ 크리스트교를 국교로 인정한 대표적 인물은 로마의 테오도시우스 1세임
③ 『일리아드』, 『오디세이』 등의 문학 작품을 남겼다. (×)
　→ 그리스의 호메로스
④ 독재자의 등장을 막기 위해 도편 추방제를 도입하였다. (×)
　→ 아테네의 클레이스테네스
⑤ 정복지에 자신의 이름을 딴 그리스식 도시를 건설하였다. (○)

## 04 포에니 전쟁

자료는 포에니 전쟁에 대한 것이다. 포에니 전쟁은 지중해 패권을 둘러싼 로마와 카르타고의 전쟁으로, 총 세 차례에 걸쳐 진행되었다. 전쟁에서 로마가 승리하였지만 귀족에게 참전의 보상이 집중되면서 빈부 격차가 심해졌다. 귀족은 노예를 이용한 대농장(라티푼디움)을 경영하였으나 자영농은 토지를 잃었다. 또 점령 지역에서 값싼 곡물이 들어와 자영농의 몰락을 가속화시켰다. 자영농의 몰락으로 공화정에 위기가 오자 그라쿠스 형제가 개혁을 시도하였으나 실패하였다.

오답 피하기 ⓑ 호민관은 평민의 신분 투쟁 결과 기원전 494년에 생긴 관직이다. 따라서 포에니 전쟁 이전의 일이다.

## 05 아소카왕

자료는 마우리아 왕조에 대한 학습지로, (가)에는 아소카왕의 업적이 들어가야 한다. 아소카왕은 마우리아 왕조의 제3대 왕으로, 남부를 제외한 인도 대부분을 통일하여 마우리아 왕조의 전성기를 이루었다. 불경을 정리하고 전국에 사원과 탑을 세우는 등 적극적으로 불교를 장려하였다. 그는 산치 언덕에 총 세 개의 탑을 세웠는데, 그 중 가장 큰 탑이 산치 대탑이다.

### 선택지 바로 보기

① 이슬람교를 창시함 (×)
　→ 무함마드
② 사산 왕조 페르시아를 멸망시킴 (×)
　→ 정통 칼리프 시대
③ 대승 불교를 동북아시아로 전파함 (×)
　→ 쿠샨 왕조 시대
④ 아잔타 석굴, 엘로라 석굴 등을 세움 (×)

→ 아잔타 석굴은 기원전 2세기부터 조성되기 시작하여 굽타 왕조 시대에 활발히 조성되었고, 엘로라 석굴은 굽타 왕조 시대부터 조성되기 시작함

⑤ 불경을 정리하고 산치 대탑을 건립함 (○)

## 06 당의 통치 제도 변화

자료는 8세기 이전 균전제를 중심으로 한 당의 통치 제도와 8세기 중엽 안사의 난 이후 통치 제도의 변화를 정리한 표이다. 당은 균전제를 실시하여 농민에게 일정한 토지를 나누어 주고, 그 대가로 조·용·조(곡물·노동력·특산물)를 세금으로 거두고 병사로 복무시키는 부병제를 실시하였다. 그러나 점차 귀족의 대토지(장원) 소유가 늘어나 농민에게 나누어 줄 토지가 줄어들어 농민은 소작농이 되었다. 결국 새로운 지배 체제가 모색되어 8세기 중후반에 이르러 조·용·조는 양세법으로, 부병제는 군인을 모집하는 모병제로 전환되었다.

## 07 동아시아 문화권

한자가 동아시아 국가의 문자에 미친 영향과 동아시아 각국의 유사한 중앙 통치 조직에 대한 자료가 제시되어 있다. 이를 통해 공통 요소를 기반으로 동아시아 문화권이 형성되었음을 확인하는 탐구 활동을 진행할 수 있다. 당이 제국으로 발전하고 주변국과 활발히 교류하면서 당의 문화는 한반도, 일본, 베트남 등에 수용되었으며, 그 결과 한자, 율령, 유교, 불교 등의 문화 요소를 공유하는 동아시아 문화권이 형성되었다.

**더 알아보기** 동아시아 문화권의 공통 요소

| 한자 | • 일종의 공용 문자 역할을 함<br>• 한국의 이두, 일본의 가나, 베트남의 쯔놈에 영향을 줌 |
| --- | --- |
| 율령 | 각국의 왕권 강화, 중앙 집권 체제 정비에 이용됨 |
| 유교 | • 각국의 정치 이념, 사회 규범으로 자리 잡음<br>• 국왕의 권위 뒷받침, 사회 질서의 형성과 유지에 기여함 |
| 불교 | 왕실의 권위를 높이고 민심을 통합함 |

## 08 아바스 왕조

아바스 왕조에 대한 설명을 고르는 문제이다. 아바스 왕조는 이전 왕조인 우마이야 왕조의 비아랍인 차별 정책에 불만을 가진 세력의 도움을 받아 우마이야 왕조를 무너뜨렸다. 아바스 왕조는 비아랍인도 군인이나 관료로 등용하고 세금에서 차별을 없애는 등 아랍인 우대 정책을 폐지하였다.

**선택지 바로 보기**

① 합의를 통해 칼리프를 선출하였어. (×)
→ 정통 칼리프 시대
② 이전 왕조의 비아랍인 차별 정책을 폐지하였어. (○)

③ 다마스쿠스를 수도로 삼고 정복 활동을 활발히 벌여 이베리아반도까지 진출하였어. (×)
→ 우마이야 왕조
④ 탈라스 전투에서 패배하여 중앙아시아에서 영향력이 약해졌어. (×)
→ 아바스 왕조는 당과의 탈라스 전투에서 승리함
⑤ 정복지 주민에게 세금을 더 거두고 관직 진출을 막아 반발을 샀어. (×)
→ 우마이야 왕조

| 1주차 마무리 | 창의·융합·코딩 전략 | | 28~31쪽 |
| --- | --- | --- | --- |
| 1 ⑤ | 2 ① | 3 ② | 4 ⑤ |
| 5 ① | 6 ② | 7 ② | 8 ⑤ |
| 9 ④ | 10 ④ | 11 ① | |

## 01 이집트 문명의 내세관

고대 이집트인들은 사람이 죽어도 영혼은 소멸되지 않는다고 여겼다. 그래서 죽은 사람을 미라로 만들고 파피루스에 사후 세계의 안내서에 해당하는 「사자의 서」를 적어 무덤에 넣기도 하였다.

**오답 피하기** ①은 인도 문명의 그림 문자가 새겨진 인장, ②는 구석기 시대의 유물인 빌렌도르프의 비너스, ③은 중국 주 왕조의 모공정, ④는 메소포타미아 문명의 신전인 지구라트이다.

**더 알아보기** 이집트인의 내세관과 관련한 유물·유적

| 미라 | 「사자의 서」 |
| --- | --- |
| 이집트인은 죽은 뒤 분리된 영혼이 잠시 저승으로 가서 심판을 받는다고 믿었다. 영혼이 부활하려면 온전한 육체가 있어야 한다고 여겨 미라를 제작하였다. | 미라와 함께 매장한 사후 세계의 안내서이다. 그림은 죽은 사람이 오시리스 신의 심판을 받는 모습을 나타내고 있다. 신에게 경의를 표하는 법, 죽은 자가 외워야 할 주문과 신에 대한 맹세 등이 적혀 있다. |

## 02 제자백가의 주장

학생들의 대사를 통해 각자 맡은 역할의 제자백가를 추측할 수 있다. 학생 A는 법의 엄격한 적용을 강조하였으므로 법가이며, 학생 B는 인위적인 제도를 배격하고 자연의 순리에 따를 것을 강조하였으므로 도가이다. 학생 C는 모든 사람을 차별 없이 사랑하는 '겸애'를 주장하였으므로 묵가이며, 학생 D는 '인'과 '예'를 중심으로 하는 도덕 정치를 강조하였으므로 유가이다.

### 03 콘스탄티누스 대제

크리스트교를 공인한 점, 로마 제국을 부흥시킨 황제라는 점, 비잔티움으로 천도하였다는 점을 통해 해당 인물이 콘스탄티누스 대제임을 알 수 있다. 로마 제국은 2세기 말부터 군대의 정치 개입으로 인한 혼란, 게르만족과 사산 왕조 페르시아의 침입을 받아 쇠퇴하였다. 로마 제국의 위기를 극복하고자 콘스탄티누스 대제는 크리스트교를 공인하고 수도를 비잔티움(콘스탄티노폴리스)으로 옮기는 등 각종 개혁을 시행하였다.

### 04 위진 남북조 시대

자료는 위진 남북조 시대를 주제로 하는 학습 만화의 일부분이다. (다)는 위·촉·오의 대치 상황을 묘사한 장면으로 3세기에 해당한다. 이후 위를 이은 진이 삼국을 통일하는 데 성공하였으나 왕실의 내분이 계속되어 혼란이 이어졌다. 이 틈을 타 북방 민족이 화북 지방을 차지하고 여러 나라를 세우면서 5호 16국 시대가 시작되었다. (나) 화북에 살던 한족은 북방 민족을 피해 강남 지방으로 내려가 동진을 건국하였다(317). 이후 화북 지방은 선비족이 세운 북위가 통일하였다(439). (가) 북위 효문제는 수도를 뤄양으로 옮기고 적극적인 한화 정책을 추진하여 사회 혼란을 수습하고자 하였다.

**더 알아보기** 위진 남북조의 변천

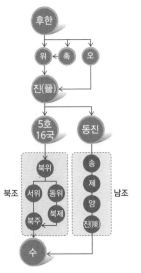

• 5호 16국 : 5호는 선비, 흉노, 갈, 강, 저의 다섯 북방 민족을 가리키고, 16국은 이들과 한족이 화북 지방에 세운 나라이다.
• 남북조 : 중국이 강남 지방에 한족이 세운 남쪽 왕조와 화북 지방에 북방 민족이 세운 북쪽 왕조로 나뉜 것을 가리킨다.

### 05 이슬람 문화

이슬람 문화는 페르시아 문화, 그리스 및 헬레니즘 문화, 인도 문화 등 동서의 다양한 문화가 융합되어 형성되었다. 건축에서는 이슬람교의 예배당인 모스크가 발달하였다. 외부는 돔과 첨탑으로, 내부는 아라베스크로 장식되었다. 문학에서는 페르시아와 이슬람 세계의 설화를 모은 『아라비안나이트』가 지어졌다. 화학, 의학, 천문학, 수학 등의 연구도 활발히 이루어졌다. 이븐 시나는 『의학전범』을 지어 당시의 의학 정보를 집대성하였다. 활발한 교역 활동으로 지리학도 발달하였다.

**오답 피하기** ① 최초로 0 개념을 사용한 것은 인도이며, 이슬람 세계는 인도의 0 개념을 발전시켜 아라비아 숫자를 완성하였다.

### 06 세계의 고대 문명

지구라트를 건설하고 쐐기 문자를 사용한 (가)는 메소포타미아 문명, 모헨조다로와 하라파 등의 계획도시 유적이 남아 있는 (나)는 인도 문명이다. 갑골문을 사용한 (다)는 중국 문명, 상형 문자를 사용하고 피라미드를 건축한 (라)는 이집트 문명이다.

### 07 중국의 고대 제국

진 시황제는 법가 이외의 사상을 탄압하는 한편으로 도량형, 문자 등을 통일하였다. 따라서 (가)는 진이다. 군국제는 한 고조가 적용한 지방 통치 제도이며, 이후 무제 때 군현제로 바뀌었다. 따라서 (나)는 한이다.

**더 알아보기** 군국제와 군현제

| 군국제 | 군현제 |
| --- | --- |
| 수도 주변은 군현을 설치하여 짐이 직접 다스릴 것이다. 나머지 지역은 제후에게 맡기도록 하겠다. 군국제 실시 | 황제 |
| 황제 직할지에는 관리를 파견하여 직접 지배하는 군현제를 실시하고, 지방에는 제후에게 땅을 분봉하는 봉건제를 실시함 | 모든 지역에 군현을 설치하고 황제가 직접 관리를 파견하여 통치함 |

### 08 불교 및 힌두교 문화의 형성과 확산

(가)는 쿠샨 왕조, (나)는 굽타 왕조, (다)는 마우리아 왕조이며, 이를 순서대로 나열하면 (다) − (가) − (나)가 된다.

### 09 고대 그리스의 민주 정치

재산에 따른 참정권 부여를 주장한 인물은 솔론이다. 글자 카드에서 솔론을 지웠을 때 만들 수 있는 이름은 페리클레스이다. 페리클레스는 공직에 대한 추첨제와 수당을 지급하는 수당제를 실시하였다.

**선택지 바로 보기**

① 크리스트교를 공인하였다. (×)
→ 콘스탄티누스 대제

② 도편 추방제를 도입하였다. (×)
→ 클레이스테네스

③ 제국을 4분할하여 통치하였다. (×)
→ 디오클레티아누스 황제

④ 추첨제와 수당제를 실시하였다. (○)

⑤ 정복지에 알렉산드리아를 건설하였다. (×)
→ 마케도니아의 알렉산드로스

## 10 수의 통치

돌궐과 중앙아시아를 정복하여 동서 교역로를 확보한 황제는 당 태종이며, 한화 정책을 추진한 황제는 북위 효문제이다. 따라서 1과 4를 제외한 나머지 숫자를 순서대로 배열한 2356이 비밀번호이다.

## 11 이슬람 세계의 형성과 발전

수도가 바그다드이고, 당과의 탈라스 전투에서 승리한 이슬람 왕조는 아바스 왕조이다. 아바스 왕조는 우마이야 왕조에서 실시한 비아랍인 차별 정책을 폐지하였다.

**선택지 바로 보기**

① 민족 차별 정책을 폐지하였다. (○)

② 아랍인 우대 정책을 실시하였다. (×)
→ 우마이야 왕조

③ 사산 왕조 페르시아를 정복하였다. (×)
→ 정통 칼리프 시대

④ 이베리아반도까지 영토를 확장하였다. (×)
→ 우마이야 왕조

⑤ 메카를 정복하고 아라비아반도를 통일하였다. (×)
→ 무함마드

**1일 개념 돌파 전략 ❶ 확인 문제**      **34~37쪽**

### 3강_크리스트교 문화의 형성과 확산~몽골 제국과 문화 교류

01 장원제   02 『유스티니아누스 법전』   03 십자군 전쟁   04 루터
05 문치주의   06 금   07 남인   08 나침반

### 4강_동아시아 지역 질서의 변화~신항로 개척과 유럽 지역 질서의 변화

01 중화   02 명   03 은   04 에도 막부   05 술탄·칼리프
06 타지마할   07 마젤란   08 왕권신수설

**1일 개념 돌파 전략 ❷**      **38~39쪽**

01 ⑤     02 ⑤     03 ④     04 ②

## 01 중세 서유럽 봉건제의 형성

자료는 중세 서유럽의 기사 계급들이 쌍무적 계약의 주종 관계를 맺은 배경을 설명한 것이다. 이를 통해 중세 서유럽 봉건제가 성립된 과정을 알 수 있다.

**더 알아보기** 중세 서유럽 봉건제의 주종 관계

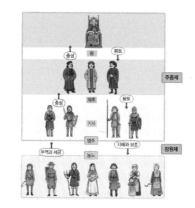

서유럽의 봉건제는 정치적으로 주종 관계, 경제적으로는 장원제에 기초하였다. 주종 관계는 지배층인 기사 간에 맺은 것으로, 주군이 봉신에게 봉토를 수여하면 봉신은 주군에게 충성을 서약하고 군사적 봉사를 해야 하였다. 주군과 봉신은 쌍무적 계약 관계로, 어느 한쪽이 일방적으로 의무를 다하지 않으면 그 계약은 언제든지 파기될 수 있었다.

## 02 송의 문치주의 정책

송은 남아 있는 절도사 세력을 견제하기 위해 과거 출신 문인 관료를 우대하는 문치주의 정책을 실시하였다. 또 황제권을 강화하기 위해 과거제에 황제가 직접 주관하는 전시를 도입하였다. 이러한 개혁 정책의 결과 황제권은 강화되었으나 군사력이 약화되었다. 이로 인해 북방 민족이 연이어 송을 침입하였다.

# 정답과 해설

## 03 명의 정치적 변천

(가)는 명이다. 홍무제는 효율적으로 향촌을 통치하기 위해 110호를 1리로 묶고 이장호와 갑수호를 나누어 이장이 향촌의 세금을 징수하고 치안을 유지하도록 하는 이갑제를 실시하였다. 임진왜란이 일어나자 명은 조선에 지원군을 무리하게 파병하여 국가 재정이 악화되었다. 이를 해결하기 위해 세금을 가혹하게 징수하자 전국 각지에서 농민 봉기가 일어났다.

### 선택지 바로 보기

ㄱ. 조닌 문화가 발달하였다. (×)

　→ 일본 에도 막부 시대

ㄴ. 향촌 통치를 위해 이갑제가 실시되었다. (○)

ㄷ. 몽골 제일주의를 내세워 여러 민족을 지배하였다. (×)

　→ 원

ㄹ. 임진왜란 당시 조선에 지원군을 보낸 후 재정 위기에 빠졌다. (○)

## 04 무굴 제국의 아크바르 황제

무굴 제국의 제3대 황제인 아크바르는 제국의 기틀을 다졌다. 그는 북인도 전체와 아프가니스탄에 이르는 대제국을 건설한 후 광대한 영역을 원활히 다스리기 위해 이슬람교와 힌두교의 화합을 추진하였다. 비이슬람교도에게 종교의 자유를 주고 인두세(지즈야)를 폐지하는 등 관용 정책을 펼쳤다.

### 더 알아보기　아크바르 황제의 업적

| 영토 확장 | 데칸 고원 이남을 제외한 인도 대부분 통일 |
| --- | --- |
| 중앙 집권 체제 확립 | 관료제와 지방 행정 구역 정비 |
| 관용 정책 | • 힌두교도를 관료로 등용<br>• 토착 힌두교 세력 출신 여인과 결혼<br>• 비이슬람교도에 대한 지즈야 폐지 |

### 2일　필수 체크 전략 ❶　확인 문제　40~43쪽

| | |
| --- | --- |
| 1-1 ⑤ | 2-1 ⑤ |
| 3-1 ① | 4-1 ② |
| 5-1 ⑤ | 6-1 ① |
| 7-1 ① | 8-1 ⑤ |

## 1-1 중세 서유럽 봉건제의 주종 관계

9세기를 전후하여 서유럽 세계는 프랑크 왕국의 분열과 바이킹 및 마자르족, 이슬람 세력 등 이민족의 침입으로 혼란을 겪었다. 각 지방의 유력자들은 자신의 생명과 재산을 보호하기 위해 성을 쌓고 무장하여 기사 계급으로 성장하였다. 기사들은 자신보다 세력이 강한 기사를 주군으로 삼았고, 주군은 충성과 봉사를 맹세한 기사에게 토지를 주어 봉신으로 삼았다. 이러한 주군과 봉신의 관계를 주종 관계라고 한다.

오답 피하기 ⑤ 주군은 봉신에게 준 영토 안에서 일어난 일에 간섭할 수 없었는데, 이를 '불입권'이라고 한다. 이에 따라 왕의 권한이 약하고 지방 영주의 권한이 상대적으로 강한 지방 분권적 봉건 사회가 형성될 수 있었다.

## 2-1 성상 숭배 금지령

서유럽 세계의 교회가 게르만족에게 성상을 이용하여 포교하는 것을 반대하여 비잔티움 제국의 황제 레오 3세가 성상 숭배 금지령을 내렸다. 그 결과 동서 교회의 갈등이 심해졌고, 두 교회가 서로를 파문하여 그리스 정교와 로마 가톨릭으로 분리되었다.

### 자료 분석

그림은 예수의 그림을 지우는 수도사의 모습을 묘사한 것이다. 예수나 성모 마리아의 형상을 그림이나 조각 등으로 표현한 것을 '성상'이라고 하는데, 서유럽 세계의 교회는 게르만족에게 성상을 이용하여 교리를 이해시키고 포교하였다. 그러나 비잔티움 제국의 황제는 이를 우상 숭배로 여겨 성상 숭배 금지령을 내렸다.

## 3-1 백년 전쟁

자료에서 프랑스와 영국가 벌인 전쟁이었다는 점, 잔 다르크의 활약으로 프랑스가 승리하여 중앙 집권 국가로 성장하였다는 점 등을 통해 스무고개의 정답이 백년 전쟁임을 알 수 있다. 프랑스의 왕위 계승 문제를 둘러싸고 프랑스와 영국이 벌인 백년 전쟁(1337~1453)은 프랑스의 승리로 끝이 났다. 프랑스는 통일된 국토를 토대로 중앙 집권 국가로 성장할 수 있었다.

## 4-1 칼뱅의 종교 개혁

자료는 칼뱅의 교리를 다루고 있다. 스위스의 칼뱅은 인간의 구원은 신에 의해 미리 정해져 있다는 예정설을 주장하며 종교 개혁을 추진하였다. 또 신의 구원을 믿고 자신의 직업에 근면하고 성실하게 임해야 한다고 주장하였다. 그는 경제적 이윤 추구를 정당화하여 신흥 상공업자들의 지지를 받았다.

| 루터의<br>종교 개혁 | • 계기 : 교황 레오 10세의 면벌부 판매<br>• 전개 : 루터의 「95개조 반박문」 발표 → 루터파와 로마 가톨릭 교회의 대립 → 아우크스부르크 화의 체결(1555, 루터파 인정) |
|---|---|
| 칼뱅의<br>종교 개혁 | • 내용 : 예정설 주장, 근면하고 검소한 직업 생활 강조<br>• 확산 : 신흥 상공업자의 호응, 영국·프랑스·네덜란드 등지로 전파 |
| 영국의<br>종교 개혁 | • 배경 : 헨리 8세가 자신의 이혼 문제를 계기로 교황과 대립<br>• 전개 : 수장령을 통해 국왕이 영국 교회의 수장임을 선포 |

## 5-1 송의 과거제

과거제에 처음으로 전시가 도입되었다는 내용을 통해 (가)가 송임을 알수 있다. 송대에는 문치주의 정책이 실시되어 유교 지식을 갖춘 사대부가 새로운 지배층으로 등장하였다.

### 선택지 바로 보기

① 홍건적의 난이 일어나 쇠퇴하였다. (×) → 원
② 거란족의 야율아보기가 세운 왕조이다. (×) → 요
③ 이중적인 통치로 한족과 북방 민족을 다스렸다. (×) → 요, 금
④ 성리학의 문제를 지적하며 양명학이 등장하였다. (×) → 명
⑤ 유교 지식을 갖춘 사대부가 새로운 지배층으로 등장하였다. (○)

## 6-1 요의 특징

요는 10세기 초 거란족의 야율아보기가 세운 나라이다. 요는 발해를 멸망시킨 후 만리장성 이남의 연운 16주를 장악하여 송을 압박하였다. 송은 요와 화친을 맺고 매해 은과 비단을 주어 평화를 유지하였다.

## 7-1 칭기즈 칸의 업적

칭기즈 칸(테무친)은 13세기 초반 몽골족을 통일하고 몽골 제국을 건국하였다. 그는 유목민을 1천호 단위로 나누어 천호장에게 통솔하도록 하는 천호제를 기반으로 국가 체제를 정비하고, 서하와 중앙아시아 등을 정복하였다.

**오답 피하기** ㄷ, ㄹ은 쿠빌라이 칸에 대한 설명이다.

## 8-1 역참제

자료는 『동방견문록』의 일부로, 몽골 제국의 역참을 묘사한 것이다. 몽골 제국은 중앙과 각 지방을 연결하는 교통로 곳곳에 역참을 세우고 관리나 사신에게 숙식과 말을 제공하는 역참제를 실시하였다. 이에 따라 마르코 폴로나 이븐 바투타 같은 외국인들이 역참을 이용하여 중국을 편하게 방문할 수 있었다.

**오답 피하기** ㄱ, ㄴ은 송대의 역사적 사실이다.

| 1 ⑤ | 2 ⑤ | 3 ③ | 4 ② |
|---|---|---|---|
| 5 ② | 6 ⑤ | 7 ③ | 8 ⑤ |

## 1 카롤루스 대제의 업적

카롤루스 대제는 서로마 제국 영토의 많은 부분을 정복하여 프랑크 왕국의 전성기를 이끌었다. 그는 정복지에 크리스트교를 전파한 공을 인정받아 로마 교황에게 서로마 황제의 관을 받았다. 이로써 로마 교회와 프랑크 왕국의 협력 관계가 더욱 공고해졌다.

### 선택지 바로 보기

ㄱ. 서로마 제국을 멸망시켰어. (×) → 게르만 용병 대장인 오도아케르
ㄴ. 성상 숭배 금지령을 내렸어. (×) → 비잔티움 제국의 황제 레오 3세
ㄷ. 프랑크 왕국의 전성기를 이루었어. (○)
ㄹ. 로마 교황에게 서유럽 황제의 관을 받았어. (○)

## 2 성 소피아 대성당

편지에서 이스탄불에 있는 비잔티움 양식의 대표적 건축물이라는 점, 유스티니아누스 황제가 세웠다는 점 등을 통해 (가) 건축물이 성 소피아 대성당임을 알 수 있다. 유스티니아누스 황제는 황제의 권위와 교회의 영광에 걸맞는 새로운 성당인 성 소피아 대성당을 세웠다. 벽 위에 거대한 돔을 올리고 내부를 화려한 모자이크 벽화로 장식한 것이 특징이다. 이후 오스만 제국이 이스탄불을 점령하게 되면서 성 소피아 대성당은 이슬람교의 예배당인 모스크로 사용되었다. 외부의 이슬람 양식의 4개 첨탑(미나렛)은 이때 추가로 세워진 것이다.

## 3 교황권의 발전과 쇠퇴

교회가 봉건제의 질서 안에 편입되면서 세속화되자 10세기 초 클뤼니 수도원 등을 중심으로 교회 개혁 운동이 일어났다. 클뤼니 수도원의 개혁 운동으로 교황과 교회의 지위가 강화되자 성직자 임명권을 둘러싸고 교황과 세속 군주의 대립이 심해졌다. 11세기 후반에는 교황 그레고리우스 7세가 세속 군주의 성직자 임명권을 금지하였다. 신성 로마 제국의 황제 하인리히 4세가 저항하였으나 파문당하여 결국 용서를 구하게 되었다(카노사의 굴욕, 1077). 한편 셀주크 튀르크의 위협을 받던 비잔티움 제국이 로마 교회에게 도움을 요청하였고, 교황 우르바누스 2세가 클레르몽 공의회에서 성지 탈환을 호소하였다. 여기에 제후와 기사, 상인, 농민들의 참여로 십자군 전쟁이 일어났다(1096).

## 4 르네상스의 특징

14세기 중엽 이탈리아에서 중세의 신 중심, 교회 중심 문화에서 벗어나 고대 그리스·로마의 인간 중심 문화에 관심을 가지고 연구하는 문예 부흥 운동이 일어났다. 이를 르네상스라고 한다. 신 중심의 세계관에서

벗어나 인간의 개성과 능력을 존중하는 '인문주의'가 발달하였으며, 문학이나 미술에서도 인간의 개성과 아름다움을 있는 그대로 표현하는 경향이 두드러졌다. 이탈리아 르네상스의 대표작으로는 보카치오의 『데카메론』, 미켈란젤로의 「다비드상」, 레오나르도 다빈치의 「모나리자」 등이 있다. 16세기 이후 르네상스 운동은 알프스 이북으로 확산되었다. 알프스 이북 르네상스는 현실 사회와 교회의 부패를 비판하는 경향이 강하게 나타났고, 이는 종교 개혁으로 연결되었다. 대표작으로는 토머스 모어의 『유토피아』, 에라스뮈스의 『우신예찬』 등이 있다.

## 5 송의 문치주의 정책

과거제를 개혁하여 전시를 도입한 왕조는 송이다. 송은 문치주의 정책을 실시한 결과 국방력이 약화되었다. 송의 국방력이 약화되자 요, 서하, 금 등 이민족의 침입이 잦아졌고, 송은 이들에게 매년 막대한 은과 비단을 주고 평화를 유지하였다. 이에 따른 재정 위기를 극복하고자 왕안석이 민생 안정과 부국강병을 위한 개혁을 시도하였다.

### 선택지 바로 보기

ㄱ. 문치주의 정책을 실시하였다. (○)

ㄴ. 색목인에게 재정 분야의 실무를 맡겼다. (×)

　　→ 원

ㄷ. 재정 위기를 극복하기 위해 왕안석이 개혁을 시도하였다. (○)

ㄹ. 한족의 문화에 동화되지 않기 위해 고유 문자를 만들었다. (×)

　　→ 요, 서하, 금, 원

### 더 알아보기　왕안석의 개혁

| 부국책 | 청묘법 | 농민에게 낮은 이자로 자금을 빌려줌 |
| --- | --- | --- |
| | 시역법 | 중소 상인에게 낮은 이자로 자금을 빌려줌 |
| | 균수법 | 정부가 물자를 운송하고 판매하여 이익을 재정에 충당함 |
| 강병책 | 보갑법 | 농민 훈련과 관군 보조 |
| | 보마법 | 백성에게 군마를 키우게 함 |

## 6 북방 민족의 고유 문자

자료의 왼쪽은 요의 거란 문자, 오른쪽은 금의 여진 문자이다. 요와 금은 민족 고유의 문자를 고안하여 한족에 일방적으로 동화되지 않으려고 하였다. 요와 금은 자신들의 민족과 한족을 각각의 방식으로 분리하여 통치하는 이중 지배 체제를 취하였다. 요는 유목민에게는 거란족 고유의 부족제를 적용하고, 농경민인 한족에게는 주현제를 적용하였다. 금은 자신들의 전통 부족 제도를 여진족과 거란족에게 적용하고, 한족을 비롯한 농경민에게는 주현제를 적용하였다.

### 선택지 바로 보기

① 몽골이 세운 원에 의해 멸망하였다. (×) → 남송

② 티베트 계통의 탕구트족이 세운 나라이다. (×) → 서하

③ 송을 공격하여 화북 지방 전역을 지배하였다. (×) → 금

④ 한족을 한인과 남인으로 나눠 철저히 차별하였다. (×) → 원

⑤ 한족을 효율적으로 다스리기 위해 이중적인 통치를 하였다. (○)

## 7 원의 중국 지배

소수의 몽골인이 주요 관직을 독점하며 가장 우대받고, 한족이 한인과 남인으로 구분되어 가장 천대받는 구조를 통해 원임을 알 수 있다. 원대에는 지폐인 교초를 널리 사용하였으며, 서민 문화가 발달하였다.

오답 피하기 ㄱ. 송에 대한 설명이다. ㄹ. 원은 이슬람교나 크리스트교와 같은 외래 종교에 관용적이었다.

### 쌍둥이 문제 7

**(가) 왕조에 대한 설명으로 옳은 것은?**

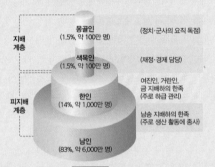

▲ 　(가)　 의 신분 구조

① 이자성이 이끄는 농민군에 의해 멸망하였다.

② 남송을 멸망시킨 후 중국 전역을 지배하였다.

③ 절도사 세력을 견제하고자 문치주의 정책을 실시하였다.

④ 향촌을 효율적으로 통치하기 위해 이갑제를 실시하였다.

⑤ 유목 민족은 부족제, 한족은 군현제를 적용하여 다스렸다.

해설 자료는 원의 신분 구조를 나타낸 것이다. 칭기즈 칸의 손자인 쿠빌라이 칸은 국호를 원으로 고치고 남송을 멸망시킨 후 중국 전역을 지배하였다.

답 ②

## 8 원대의 동서 교류

자료는 왼쪽부터 이슬람교도의 묘비, 원대의 역참 통행증인 패자, 이슬람에서 들여온 안료로 만든 청화 백자이다. 원대에 동서 교류가 활발하였음을 보여 주는 자료들이다.

### 자료 분석

◀ 역참을 이용할 수 있는 통행증인 패자이다. 몽골 제국은 원활한 통치를 위해 제국 전역에 역참을 설치하였는데, 사절과 관리뿐만 아니라 상인들도 역참을 이용하면서 동서를 연결하는 교역이 활발히 이루어졌다.

◀ 이슬람교도의 묘비로, 원의 국제 항구인 취안저우에서 출토되었다.

◀ 청화 백자로, 이슬람에서 들여온 안료(코발트)를 사용하여 만들었다.

---

| **3일** 필수 체크 전략❶ | 확인 문제 | 46~49쪽 |
|---|---|---|
| 1-1 ③ | | 2-1 ② |
| 3-1 ③ | | 4-1 ⑤ |
| 5-1 ① | | 6-1 ③ |
| 7-1 ① | | 8-1 ② |

### 1-1 정화의 항해

번국에 칙사를 보낸 황제가 영락제라는 점, 7차례에 걸쳐 항해를 한 점 등을 통해 자료의 밑줄 친 '우리'가 정화의 함대임을 알 수 있다. 정화의 함대는 영락제의 명을 받아 1405년부터 1433년까지 7차례에 걸쳐 항해에 나섰다. 그 결과 해외에 명의 국력을 과시하고 30여 국가와 조공·책봉 관계를 맺게 되었다.

### 2-1 청의 발전

삼번의 난은 청의 중국 정복에 협조한 공으로 번왕으로 봉해진 한인 무장 오삼계 등이 일으킨 반란으로, 강희제의 번 폐지 명령에 반대하여 일어났다. 강희제는 이를 진압하고 타이완의 반청 세력을 물리쳐 나라를 안정시켰다. 또 러시아와 네르친스크 조약을 체결하여 북방의 국경을 확정하였다. 옹정제는 군기처를 설치하여 정책 결정권이 황제에게 집중되도록 하였다. 건륭제는 몽골의 남은 세력 등을 정복하고 청의 최대 영토를 확보하였다.

### 3-1 명·청 시대의 동서 교류

명·청 시대 초반에는 해금 정책을 실시하였으나 중반부터 해금 정책을 완화하고 대외 무역을 재개하였다. 이슬람 상인 및 서양 상인의 진출로 교역망이 확대되었으며, 중국의 비단, 차, 도자기 등을 수출하고 일본과 아메리카산 은을 대량 유입하였다. 이에 따라 중국에서 은이 화폐로 널리 사용되었으며, 세금 납부의 수단이 되기도 하였다. 명의 일조편법이나 청의 지정은제가 은으로 세금을 거두도록 한 수취 제도이다.

### 더 알아보기  일조편법과 지정은제

| 일조편법 | • 명 말기 장거정이 전국적인 토지 조사를 토대로 확대 실시한 조세 제도<br>• 여러 종목의 세금을 통합하여 각 호의 토지와 성년 남자 수에 따라 은으로 납부하게 함 |
|---|---|
| 지정은제 | • 청대에 실시한 조세 제도<br>• 정세(인두세)를 지세(토지세)에 포함시켜 은으로 납부하게 함 |

### 4-1 에도 막부의 특징

왼쪽은 가부키 공연 장면을 그린 그림, 오른쪽은 우키요에이다. 따라서 (가)는 에도 막부이다. 에도 막부 시대에는 산킨코타이 제도를 실시하여 지방의 다이묘를 통제함으로써 중앙 집권적 봉건 체제를 강화하였다. 또 임진왜란 이후 단절되었던 조선과의 국교를 회복하고 통신사를 요청하여 선진 문물을 수용하였다.

### 자료 분석

◀ 가부키의 한 장면을 나타낸 그림이다. 가부키는 노래, 춤, 연기 등이 어우러진 일본의 고전 연극으로, 조닌 문화의 대표적 사례 중 하나이다.

◀ 풍경을 묘사한 우키요에로, 가쓰시카 호쿠사이의 「가나가와 해변의 높은 파도 아래」라는 작품이다.
우키요에는 일본의 풍속화로, 서민들이 값싸게 구입할 수 있도록 목판화로 제작되었다.

---

### 선택지 바로 보기

ㄱ. 최초의 무사 정권이었다. (×) → 가마쿠라 막부

ㄴ. 명과 조공·책봉 관계를 맺었다. (×) → 무로마치 막부

ㄷ. 산킨코타이 제도를 실시하였다. (○)

ㄹ. 통신사를 통해 조선의 선진 문물을 받아들였다. (○)

## 5-1 오스만 제국의 술레이만 1세

오스만 제국의 전성기를 이끈 인물은 술레이만 1세이다. 그는 헝가리를 정복하고 오스트리아의 수도 빈을 포위 공격하였으며, 유럽의 연합 함대를 물리치고 지중해 해상권을 장악하였다. 또 체계적이고 보편적인 법전을 편찬하고, 이를 바탕으로 오스만 제국의 정부 조직과 행정 제도를 정비하였다.

## 6-1 타지마할

샤 자한이 황후의 넋을 기리기 위해 만든 건축물이라는 점, 돔형 지붕이나 대리석 벽 등을 통해 해당 퀴즈의 정답이 타지마할임을 알 수 있다. 타지마할은 무굴 제국의 황제 샤 자한이 황후 뭄타즈 마할을 추모하기 위해 20여 년에 걸쳐 만든 묘당이다. 인도 양식과 이슬람 양식이 융합된 대표적인 인도·이슬람 양식의 건축물이다. 흰색 대리석벽, 연꽃 문양, 격자무늬 창, 돔 옆의 작은 탑은 인도 양식이고, 돔형 지붕, 아치 입구, 뾰족한 탑, 벽면의『쿠란』구절, 아라베스크는 이슬람 양식이다.

## 7-1 콜럼버스

이탈리아 출신의 탐험가로서 대서양을 건너 인도로 가는 새 항로를 개척하였다는 점, 에스파냐의 후원을 받았다는 점 등을 통해 해당 인물이 콜럼버스임을 알 수 있다. 콜럼버스는 지구가 둥글다고 믿었기 때문에 서쪽 방향으로 대서양을 가로질러 가는 것이 아프리카 남단을 돌아가는 것보다 인도에 빨리 도착할 수 있다고 생각하였다. 그는 대서양을 가로질러 서쪽으로 항해하였고, 아메리카 대륙의 서인도 제도에 도달하였다.

## 8-1 절대 왕정의 구조

16~18세기 유럽에서는 국왕을 중심으로 중앙 집권적 통치 체제가 강화된 절대 왕정이 나타났다. 절대 왕정의 군주는 관료제와 상비군을 육성하여 권력을 강화하고, 왕권은 신으로부터 받았다고 한 왕권신수설을 내세워 권력을 정당화하였다. 또 중상주의 정책을 실시하여 국내 상공업을 보호·육성하고 상공업자에게 재정적 지원을 받았다.

### 선택지 바로 보기

ㄱ. 상공 시민 계층이 재정을 지원하였다. (○)

ㄴ. 주군과 봉신 간에 맺은 쌍무적 계약을 기반으로 하였다. (×)
→ 중세 서유럽 봉건제에서 기사 계층 간에 맺은 주종 관계에 대한 설명임

ㄷ. 왕권은 신으로부터 받았다는 주장을 통해 왕권을 정당화하였다. (○)

ㄹ. 군주가 정치·군사뿐만 아니라 교회에도 막강한 영향력을 행사하였다. (×)
→ 비잔티움 제국의 황제에 대한 설명임

---

### 3일 필수 체크 전략 2 확인 문제 50~51쪽

| 1 ① | 2 ① | 3 ④ | 4 ④ |
|------|------|------|------|
| 5 ② | 6 ⑤ | 7 ⑤ | |

## 1 홍무제의 업적

육유는 명을 건국한 홍무제가 반포한 6가지 조항의 유교 윤리이다. 이로써 백성을 교화하고 한족의 전통을 회복하고자 하였다. 홍무제는 베이징을 차지하고 몽골을 북쪽으로 몰아내어 다시 한족이 중국을 지배하는 계기를 마련하였다. 또 토지 대장과 호적 대장을 만들고, 이를 기반으로 이갑제를 실시하였다.

**오답 피하기** ㄷ, ㄹ은 영락제에 대한 설명이다.

## 2 명·청 교체에 따른 화이론의 변화

명이 멸망하고 만주족이 세운 청이 중국을 지배하게 되면서 한족이 주변 민족보다 우월하다는 화이론에 변화가 생겼다. 동아시아의 국가들은 명이 멸망하였기 때문에 진정한 의미의 중화는 사라지고 자신들이 중화라고 생각하기 시작하였다.

## 3 강희제의 업적

강희제는 청의 제4대 황제로서 반청 세력을 진압하고 전 중국의 통일을 완수하였다. 또 1689년에 시베리아에 진출한 러시아와 네르친스크 조약을 맺어 북방의 국경을 확정하였다. 네르친스크 조약은 중국이 기존의 화이관을 버리고 유럽 열강과 대등하게 맺은 최초의 근대적 조약으로 평가된다.

### 선택지 바로 보기

① 베이징을 수도로 삼음 (×) → 순치제

② 청 역사상 최대 영토를 확보함 (×) → 건륭제

③ 조선을 침략하여 병자호란을 일으킴 (×) → 홍타이지(숭덕제)

④ 네르친스크 조약을 체결하여 국경을 확정함 (○)

⑤ 군기처를 설치하여 황제 독재 체제를 구축함 (×) → 옹정제

## 4 산킨코타이 제도

다이묘가 정기적으로 에도와 자신의 영지에서 번갈아 생활해야 한다는 점을 통해 (가)가 산킨코타이 제도임을 알 수 있다. 산킨코타이 제도는 지방의 다이묘가 정기적으로 직접 쇼군을 알현하고 에도에 머무르도록 한 제도이다. 다이묘가 에도에 머무르는 기간은 지방 영지의 거리에 따라 6개월에서 6년까지 다양하였으며, 수행원으로 동행할 수 있는 인원은 최대 4천여 명에 이르는 경우도 있었다. 이를 통해 중

앙의 막부는 지방의 다이묘를 통제하였으며, 다이묘의 이동 과정에서 경제적 비용이 많이 발생하였으므로 다이묘의 힘을 약화시킬 수 있었다. 한편 다이묘가 이동하는 과정에서 중앙과 지방의 교류가 활성화되었으며, 교통로의 정비와 상업의 발달이 촉진되었다.

ㄱ. 무로마치 막부 시대에 실시되었다. (×)
→ 에도 막부

ㄴ. 상업과 교통의 발달에 영향을 주었다. (○)

ㄷ. 지역 간 교류가 활발해져 난학이 발달하였다. (×)
→ 난학은 네덜란드 상인과 교역하는 과정에서 전래된 서양의 학문으로, 산킨코타이 제도와는 관련이 없음

ㄹ. 다이묘에 대한 통제를 강화하려고 시행하였다. (○)

## 쌍둥이 문제 4

**밑줄 친 '변화'에 해당하는 내용으로 적절한 것을 보기 에서 모두 고르면?**

> 에도 막부의 산킨코타이 제도에 따라 그림은 에도로 이동하는 다이묘의 행렬을 묘사한 것이에요. 에도 막부는 이 제도를 다이묘를 통제하는 것 이외에 또 다른 사회·경제적 변화를 가져오게 되었답니다.

보기
ㄱ. 명과의 무역을 재개하였다.
ㄴ. 중앙과 지방의 교류가 활발해졌다.
ㄷ. 신사가 사회 지배층으로 성장하였다.
ㄹ. 교통로가 정비되고 상업이 발달하였다.

① ㄱ, ㄴ    ② ㄱ, ㄷ    ③ ㄴ, ㄷ
④ ㄴ, ㄹ    ⑤ ㄷ, ㄹ

**해설** 산킨코타이 제도의 실시로 다이묘가 자신의 영지와 에도를 정기적으로 오가게 되면서 교통로가 정비되고 상업이 발달하였으며, 중앙과 지방의 교류가 활발해졌다. ㄱ은 무로마치 막부, ㄷ은 중국 명·청대에 해당한다.
**답** ④

## 5 오스만 제국의 특징

오스만 제국은 비이슬람교도에게도 인두세(지즈야)만 내면 그들의 종교를 인정하고 자치를 허용하는 관용 정책을 폈다. 이 때문에 오스만 제국에서는 다양한 민족과 종교가 공존할 수 있었다. 또한 혈통이나 출신에 관계없이 유능한 사람들을 관리로 등용하여 통치에 이용하였다. 대표적인 예가 자료에 제시된 예니체리이다. 예니체리는 정복지의 크리스트교 청소년들을 이슬람교로 개종시킨 후 훈련과 교육을 받게 하여 술탄의 친위 부대로 충당한 것으로, 술탄에 대한 충성심을 인정받아 특별한 대우와 지위를 보장받았다. 오스만 제국은 이집트를 정복하면서 아바스 왕조의 마지막 후손으로부터 칼리프의 칭호를 이어받아 술탄·칼리프로 불렸다.

**더 알아보기** 오스만 제국의 통치 방식

| 티마르제 | 술탄의 직할지를 제외한 영토를 관료와 장군에게 분배하는 군사적 봉건제 |
| --- | --- |
| 데브시르메 제도 | 크리스트교도 청소년 등을 이슬람교로 개종시키고 군대와 국가 기관에 종사하도록 함 → 예니체리, 관료 등으로 육성함 |
| 관용 정책 | • 인두세만 납부하면 비이슬람교도의 신앙 인정 • 종교 공동체인 밀레트 인정 |

## 6 무굴 제국의 아우랑제브 황제

무굴 제국의 제6대 황제라는 점, 무굴 제국의 최대 영토를 차지하였다는 점, 힌두 사원을 파괴하는 등 반발을 살 만한 정책을 실시하였다는 점 등을 통해 아우랑제브임을 알 수 있다. 아우랑제브 황제는 비이슬람교도에게 인두세(지즈야)를 다시 거두었고, 이슬람교가 아닌 다른 종교를 탄압하여 각지에서 반란이 일어났다.

① 시크교를 창시하였다. (×) → 구루 나나크
② 힌두교도와 결혼하였다. (×) → 아크바르
③ 산치 대탑과 석주를 건립하였다. (×) → 마우리아 왕조의 아소카왕
④ 이슬람교와 힌두교의 화합에 힘썼다. (×) → 아크바르
⑤ 비이슬람교도에 대한 인두세를 부활시켰다. (○)

## 7 신항로 개척 이후 아메리카의 변화

아메리카 원주민은 신항로 개척 이후 유럽인들의 노동력 착취와 유럽에서 전파된 천연두, 홍역과 같은 전염병으로 그 수가 크게 감소하였다. 또 아메리카 대륙에 있었던 아스테카 제국, 잉카 제국 등의 고도 문명 역시 유럽인들에 의해 급속히 파괴되었다.

## 자료 분석

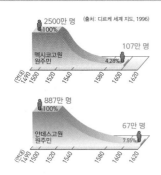

신항로 개척 이후 아스테카 제국과 잉카 제국은 각각 에스파냐의 코르테스와 피사로에 의해 정복되었다. 이후 아메리카 원주민은 광산과 대농장 등에서 혹사 당하였다. 또 유럽인을 통해 전해진 천연두, 홍역, 인플루엔자, 황열병 등의 전 염병으로 엄청난 수의 원주민이 목숨을 잃었다. 그래프에서 보이는 것처럼 코르 테스와 피사로가 아메리카에 도달한 1520~1530년대부터 아메리카의 인구는 급감하기 시작하였다. 결과적으로 아메리카 대륙 원주민의 90% 이상이 사망하 였다고 한다.

---

| 2주차 마무리 | 누구나 합격 전략 | | 52~53쪽 |
|---|---|---|---|
| 01 ② | 02 ⑤ | 03 ① | 04 ④ |
| 05 ② | 06 ① | 07 ② | 08 ① |

## 01 명대의 변화

(가)는 명이다. 명을 건국한 홍무제(주원장)는 이갑제를 만들어 향촌 사회를 다스렸다. 명대에는 학생이나 전현직 관료 출신의 신사가 지 배층으로서 사회를 주도하였다. 명 중엽에는 이론에 치우친 성리학을 비판하며 양명학이 등장하였다. 한편 명에 들어온 서양인 선교사 마 테오 리치는 「곤여만국전도」를 만들어 중국인의 세계관 변화에 큰 영 향을 주었다.

**오답 피하기** ② 『사고전서』는 청 건륭제 시기에 만들어진 대규모 총서 이다.

## 02 청의 중국 지배

한족을 다스리기 위해 회유책과 강압책을 함께 사용한 나라는 청이 다. 청은 회유책의 일환으로 과거 시험을 실시하여 중요 관직에 만주 족과 한족을 함께 등용하였으며, 한족 지식인을 포섭하기 위해 『사고 전서』 등 대규모 편찬 사업을 실시하였다. 그러나 한족에게 만주족의 풍습인 변발과 호복을 강요하였으며, 청을 비판하는 서적을 금지하고 한족 중심의 중화사상을 탄압하는 등 강압책도 병행하였다.

## 03 명·청 시대의 사회와 문화

명·청 시대의 사회를 주도한 지배층은 신사였다. 신사는 유교적 소양 을 갖춘 지식인으로, 지방관을 도와 향촌 사회의 안정과 질서 유지에 중요한 역할을 하였다.

**오답 피하기** ㉠ 사대부는 송의 지배층이다.

## 04 일본의 막부 정권

헤이안 시대 후반 중앙 귀족의 권력 투쟁으로 사회가 불안해지자 무 사가 등장하였다. 이들은 점차 세력을 키워 사회 지배층이 되었다. 쇼 군과 부하 무사 사이에 토지를 매개로 주종 관계를 맺으면서 일본 특 유의 봉건제가 형성되었고, 쇼군을 중심으로 한 무사 정권인 막부가 실질적인 지배권을 행사하였다. 12세기 말 미나모토노 요리토모가 무 사 세력을 규합하여 가마쿠라 막부를 열었으며, 13세기 후반 원의 침 략을 막아 내는 과정에서 쇠퇴하였다. 이후 14세기 중엽 아시카가 다 카우지가 무로마치 막부를 세웠으나 15세기 중엽 쇼군 계승 문제를 둘러싸고 내분이 일어나 쇠퇴하였다. 이후 전국 시대를 거쳐 17세기 도쿠가와 이에야스가 에도 막부를 세웠다.

**더 알아보기** 역대 막부 정권

| 가마쿠라 막부 | • 성립 : 미나모토노 요리토모가 가마쿠라에 막부 개창(1185), 최초의 무사 정권<br>• 쇼군 : 막부 최고 권력자, 무사들과 주종 관계 형성(봉건제)<br>• 천황 : 상징적인 존재로 전락<br>• 13세기 후반 원의 침략을 막아 내었으나 쇠퇴 |
|---|---|
| 무로마치 막부 | • 성립 : 아시카가 다카우지가 교토에 개창(1336)<br>• 15세기 초부터 명과 감합 무역 전개<br>• 쇠퇴 : 쇼군의 후계자 분쟁으로 세력 약화 → 전국 시대 시작 → 도요토미 히데요시가 통일, 임진왜란을 일으켰으나 도중 에 사망 |
| 에도 막부 | • 성립 : 도요토미 히데요시 사망 이후 도쿠가와 이에야스가 에도에 막부 개창(1603)<br>• 통치 체제 : 산킨코타이제 실시(다이묘 통제), 엄격한 신분제 실시(병농 분리)<br>• 대외 정책 : 쇄국 정책 실시(네덜란드 상인만 교역 허용), 중국, 조선과는 교역함<br>• 문화 : 조닌 문화와 난학 발달 |

## 05 임진왜란 이후 동아시아 질서의 변화

임진왜란은 동아시아 전반에 큰 영향을 미쳤다. 먼저 중국에서는 명 이 조선에 무리하게 지원군을 보낸 탓에 급격히 쇠약해졌으며, 전쟁 중 북방에서 성장하는 여진족을 견제하지 못하였다. 이러한 혼란을 틈타 여진족이 후금을 세웠다. 조선은 명과 후금 사이에서 외교적 갈 등을 겪어 전쟁의 주 무대가 되어 인명 피해가 속출하고 토지가 황폐 해졌으며, 신분 제도가 흔들리게 되었다. 일본은 임진왜란을 주도한 도요토미 히데요시가 죽고 난 이후 도쿠가와 이에야스가 에도에 막부를 열었으며, 조선의 문물과 기술자를 통해 문화적 발전을 이루었다.

ㄱ. 명이 쇠약해지고 후금이 성장하였습니다. (○)
ㄴ. 고려가 멸망하고 조선이 건국되었습니다. (×)
　→ 조선의 건국은 1392년으로, 임진왜란 이전의 사실임
ㄷ. 도쿠가와 이에야스가 에도 막부를 수립하였습니다. (○)
ㄹ. 서양 선교사들이 중국에 서양 문물을 전파하였습니다. (×)
　→ 서양의 선교사들은 명 말부터 중국에 들어와 포교에 나서며 서양 문물을 전파하였으므로 임진왜란의 발발과는 연관이 없음

## 06 오스만 제국의 특징

튀르크의 전통을 바탕으로 한다는 점, 관용 정책을 펼쳤다는 점, 술탄 아흐메트 사원 등을 통해 (가)가 오스만 제국임을 알 수 있다. 술탄 아흐메트 사원은 이스탄불에 있는 모스크 중에서 가장 크고 화려하며, 내부가 푸른색 타일로 장식되어 있어서 블루 모스크라고도 불린다. 6개의 첨탑은 술탄의 권력을 상징한다고 한다.

## 07 신항로 개척

최초로 세계 일주에 성공하였다는 점 등을 통해 (가) 인물이 마젤란임을 알 수 있다. 마젤란은 포르투갈 태생이었지만 에스파냐의 지원을 받아 태평양을 건너는 세계 일주를 시작하였다. 그는 태평양을 횡단하여 괌을 지나 필리핀 세부에 도착하였다. 마젤란은 세부의 라푸라푸족을 얕잡아 보고 전쟁을 일으켰으나 비참하게 살해되었고, 남은 일행이 세부를 탈출하여 에스파냐로 돌아오는 데 성공하였다.

## 08 표트르 대제

연관 검색어를 통해 해당 인물이 표트르 대제임을 알 수 있다. 표트르 대제는 러시아의 절대 군주로서 서유럽의 문화와 제도를 적극적으로 받아들이기 위해 본인이 직접 서유럽을 순방하며 발달된 기술과 제도, 문화에 주목하였다. 한편 표트르 대제는 스웨덴과 북방 전쟁을 벌여 영토를 확장하였다. 이를 통해 발트해 연안 지역을 병합하여 발트해와 부동항을 확보할 수 있었다. 또 서구화된 계획 도시인 상트페테르부르크를 건설하고 수도로 삼았다.

| 2주차 마무리 | 창의·융합·코딩 전략 | | 54~57쪽 |
| --- | --- | --- | --- |
| 1 ② | 2 ② | 3 ⑤ | 4 ③ |
| 5 ③ | 6 ② | 7 ① | 8 ⑤ |
| 9 ② | 10 ④ | | |

## 01 프랑크 왕국

프랑크 왕국의 전성기를 이루었다는 점, 서유럽 세계를 정치·문화적으로 통일하였다는 점 등을 통해 (가) 인물이 카롤루스 대제임을 알 수 있다. 카롤루스 대제는 이탈리아에서 교황을 위협하던 세력을 없애고 정복지에 교회를 세우는 등 크리스트교 보급에 힘쓴 공로를 인정받아 로마 교황 레오 3세에게 서로마 황제의 관을 받았다(800). 당시 로마 교황은 성상 숭배 금지령을 두고 비잔티움 제국의 황제와 갈등을 겪고 있었기 때문에 비잔티움 제국과 결별하고 프랑크 왕국과 제휴하였습니다.

① 성 소피아 대성당을 건축하였다. (×)
　→ 비잔티움 제국의 유스티니아누스 황제
② 로마 교황에게 서로마 황제의 관을 받았다. (○)
③ 『신학대전』을 저술하여 스콜라 철학을 집대성하였다. (×)
　→ 토마스 아퀴나스
④ 성상 숭배 금지령을 내려 로마 교회와 갈등을 겪었다. (×)
　→ 비잔티움 제국의 황제 레오 3세
⑤ 교황에게 파문당한 이후 카노사에서 용서를 구하였다. (×)
　→ 신성 로마 제국의 황제 하인리히 4세

아헨 대성당에 있는 카롤루스 대제의 동상이다. 아헨은 프랑크 왕국의 수도로, 프랑크 왕국 당시 정치와 문화의 중심지였다. 아헨 대성당은 카롤루스 대제가 건축한 성당이다.
카롤루스 대제는 로마 고전 문화의 부활을 장려하고 수도원 성직자에게 고전을 그대로 옮겨 적게 하는 등 문화 발전에 힘썼다. 이러한 그의 노력을 바탕으로 로마 문화와 크리스트교, 게르만 문화가 융합되어 중세 서유럽 문화의 기틀이 마련되었다. 오늘날 아헨시는 카롤루스 대제의 정신을 기리며 유럽 통합에 공헌한 인물을 선정하여 '카롤루스 대제상'을 수여하고 있다.

## 02 종교 개혁

종교 개혁의 선구자이자 「95개조 반박문」을 발표한 사람은 루터이다. 따라서 (가)에는 루터와 관련된 내용이 들어가야 한다. 루터는 교황의 면벌부 판매를 비판하며 「95개조 반박문」을 발표하고 인간의 구원은 면벌부가 아니라 오직 믿음에 의해 얻을 수 있다고 주장하였다. 루터의 주장은 인쇄술의 발달에 힘입어 독일 전역에 널리 퍼졌으며, 교황과 대립하던 독일 제후들에게 지지를 받았다. 이후 아우크스부르크 화의를 통해 루터파가 공인되었다.

**오답 피하기** ①, ⑤ 칼뱅에 대한 설명이다.

## 03 송의 정치적 발전

(가)는 10세기 중반 송 태조 때 과거제에 전시가 도입된 상황이며, (나)는 13세기 초반 몽골이 금과 유럽을 공격하며 세력을 확대하는 상황이다. 송은 태조 이래로 지나친 문치주의 정책의 결과 국방력이 약화되어 이민족의 침입이 잦았다. 평화의 대가로 이민족에게 물자를 제공하면서 재정이 악화되자 왕안석이 부국강병을 위한 개혁을 시도하였다. 그러나 보수파 관료들의 반발로 실패하였다. 이후 여진족의 금이 송을 공격하여 화북 지방을 빼앗았고, 송은 임안으로 수도를 옮겨 남송이 되었다. 이후 금은 몽골에 의해 멸망하였다.

## 04 청의 한족 지배

청은 한족을 다스리기 위해 회유책과 강압책을 모두 사용하였다. 청은 회유책의 일환으로 과거 시험을 실시하여 중요 관직에 만주족과 한족을 함께 등용하였다. 그러나 한족에게 만주족의 풍습인 변발과 호복을 강요하고 청을 비판하는 서적을 금지하는 등 강압책도 병행하였다.

### 선택지 바로 보기

ㄱ. (가) : 한족에게 만주족의 풍습인 변발과 호복을 강요하였다. (×)
　　→ 강압책
ㄴ. (가) : 과거 시험을 실시하여 만주족과 한족을 함께 등용하였다. (○)
ㄷ. (나) : 청을 비판하는 서적을 금지하였다. (○)
ㄹ. (나) : 색목인을 우대하고 한족을 차별하였다. (×)
　　→ 원의 통치 정책

## 05 중세 서유럽의 봉건 사회

중세 서유럽의 봉건 사회는 주군과 기사가 쌍무적 계약 관계를 맺음으로써 성립되었다.

오답 피하기 ㄱ. 장원의 농노는 거주 이전의 자유가 없었고, ㄹ. 영주는 주군의 간섭을 받지 않고 장원을 통치하였다.

## 06 송의 통치

(가) 송 태조는 절도사의 힘을 약화시키고 황제권을 강화하기 위해 문치주의 정책을 실시하였다. (라) 남송 시기에는 주희에 의해 성리학이 정립되었다. (마) 송대에는 과거제를 개혁하여 황제 앞에서 시험을 치르는 전시를 도입하였다.

## 07 비잔티움 제국

(가)는 비잔티움 제국의 황제인 유스티니아누스이다. 유스티니아누스 황제는 서로마 제국의 영토 대부분을 회복하였으며, 성 소피아 대성당을 세웠다.

### 선택지 바로 보기

① 성 소피아 대성당을 건설하였다. (○)
② 성상 숭배 금지령을 발표하였다. (×)
　　→ 비잔티움 제국의 황제 레오 3세
③ 이슬람 세력의 침입을 격퇴하였다. (×)
　　→ 프랑크 왕국의 카롤루스 마르텔
④ 이탈리아 중부 지역을 교황령으로 넘겼다. (×)
　　→ 프랑크 왕국의 피핀
⑤ 로마 교황으로부터 서로마 제국 황제로 임명되었다. (×)
　　→ 프랑크 왕국의 카롤루스 대제

## 08 명의 통치

자료는 명 영락제의 명령에 의해 이루어진 정화의 남해 원정로를 보여 주는 지도이다. 영락제는 베이징에 자금성을 짓고 천도하였다.

오답 피하기 ㄱ. 재상제 폐지와 ㄴ. 이갑제 실시는 명 태조 홍무제의 업적이다.

## 09 오스만 제국의 통치

오스만 제국은 (가) 메흐메트 2세 시기에 비잔티움 제국을 정복하였다. 오스만 제국은 비이슬람교도 중 유능한 인재를 뽑아 친위 부대로 삼았는데, 이를 (나) 예니체리라고 한다.

## 10 절대 왕정

(가) 에스파냐는 무적함대를 통해 대서양 무역을 장악하였다. (나) 프랑스의 루이 14세는 중상주의 정책을 통해 국가의 부를 늘리고자 하였다. (다) 영국은 동인도 회사를 통해 인도를 비롯한 아시아 지역으로 진출하고자 하였다. (라) 러시아의 표트르 대제는 서유럽화 정책을 추진하였다.

| BOOK 1 마무리 | 신유형·신경향·서술형 전략 | | 60~63쪽 |
| --- | --- | --- | --- |
| 01 ② | 02 ③ | 03 ① | 04 ③ |

### 신유형 전략

## 01 고대 문명의 발생

첫 번째 장면에서 지구라트가 등장하는 점을 통해 해당 지역이 메소포타미아 문명임을 알 수 있다. 메소포타미아 문명은 B이다. 두 번째 장면에서 나일강, 천문학 발달 등을 통해 해당 지역이 이집트 문명임을 알 수 있다. 이집트 문명은 A이다. 세 번째 장면에서 모헨조다로 유적을 통해 해당 지역이 인도 문명임을 알 수 있다. 인도 문명은 C이다.

## 02 그리스·페르시아 전쟁

그리스·페르시아 전쟁은 발칸반도로 진출하려는 아케메네스 왕조 페르시아의 다리우스 1세와 그리스의 폴리스 연합이 벌인 전쟁으로, 총 3차례에 걸쳐 진행되었다. 그리스·페르시아 전쟁은 아테네를 중심으로 하는 그리스의 폴리스 연합이 승리하며 끝이 났다. 그리스인들은 페르시아의 재침입에 대비하기 위해 아테네를 중심으로 델로스 동맹을 맺었고, 아테네는 이 동맹을 기반으로 지중해 무역을 독점하고 직접 민주 정치를 발전시키는 등 전성기를 누렸다. 한편 전쟁에서 패배한 아케메네스 왕조 페르시아는 점차 쇠약해져 기원전 4세기 말 알렉산드로스에 의해 멸망하였다.

### 더 알아보기  그리스·페르시아 전쟁

| 배경 | 아케메네스 왕조 페르시아가 지중해로 세력 확대 → 그리스 세계와 충돌 |
|---|---|
| 경과 | • 3차례에 걸쳐 진행<br>• 아테네와 스파르타가 중심이 된 그리스 세계가 마라톤 전투, 살라미스 해전 등에서 페르시아군 격퇴 |
| 영향 | 아테네는 델로스 동맹의 맹주가 되어 강력한 해상 국가로 발전 |

### 신경향 전략

## 03 종교 개혁

신이 구제하려는 자와 파멸에 빠뜨리려는 자를 일찍이 결정했다는 내용을 통해 칼뱅의 예정설임을 알 수 있다. 칼뱅은 인간의 구원은 신의 의지로써 미리 예정되어 있으며, 인간은 신의 구원을 믿고 성서에 나온 대로 경건하고 검소한 삶을 살며 자신의 직업에 근면하고 성실히 임해야 한다고 주장하며 종교 개혁에 나섰다. 그는 경제적 이윤 추구를 정당화하여 신흥 상공업자들에게 지지를 받았다.

### 선택지 바로 보기

① 근면하고 검소한 직업 생활을 강조하였다. (○)
② 자신의 이혼 문제를 계기로 교황과 대립하였다. (×)
  → 영국의 헨리 8세
③ 『신학대전』을 저술하여 스콜라 철학을 집대성하였다. (×)
  → 토마스 아퀴나스
④ 「95개조 반박문」을 발표하여 당시 교황과 교회를 비판하였다. (×)
  → 루터
⑤ 성지 회복을 위해 셀주크 튀르크를 상대로 전쟁할 것을 호소하였다.
  (×) → 교황 우르바누스 2세

## 04 오스만 제국의 술레이만 1세

오스만 제국의 전성기를 이끌었다는 점, 오스트리아의 수도 빈을 포위 공격하고 대제국을 건설했다는 점 등을 통해 해당 인물이 술레이만 1세임을 알 수 있다. 술레이만 1세는 재위 46년 동안 13차례의 원정을 통해 헝가리를 정복하고 오스트리아의 수도 빈을 공격하였으며, 유럽의 연합 함대를 물리치고 지중해의 패권을 장악하였다. 내치에도 힘써 체계적이고 보편적인 법전을 편찬하고, 이를 바탕으로 오스만 제국의 정부 조직과 행정 제도를 정비하였다.

### 서술형 전략

## 01 신석기 시대의 생활 모습

(1) 신석기인
(2) **모범 답안** 신석기 시대부터 농경이 시작되었는데, 그림에서 농사짓는 모습이 보이므로 신석기인의 생활을 상상한 것이다. 또한 신석기 시대부터 정착 생활이 시작되고 움집에서 거주하였는데, 그림에서 움집이 보이므로 신석기인의 생활을 상상한 것이다.

**핵심 단어** 움집, 농경, 목축, 간석기 제작, 토기 제작

| 채점 기준 | 구분 |
|---|---|
| 핵심 단어 중 두 가지 이상을 포함하여 근거를 두 가지 이상 서술한 경우 | 상 |
| 핵심 단어 중 한 가지만 포함하여 근거를 두 가지 이상 서술한 경우 | 중 |
| 핵심 단어 중 한 가지만 포함하여 근거를 한 가지만 서술한 경우 | 하 |

## 02 로마 공화정의 위기

**모범 답안** 티베리우스 그라쿠스 / 정복지의 값싼 곡물이 대량으로 로마에 들어오고, 소수의 귀족이 노예를 바탕으로 대농장(라티푼디움)을 경영하면서 자영농이 몰락하였기 때문이다.

**핵심 단어** 값싼 곡물 유입, 귀족, 노예 바탕, 대농장(라티푼디움), 자영 농민 몰락

| 채점 기준 | 구분 |
|---|---|
| 핵심 단어를 모두 사용하여 포에니 전쟁 이후 자영농의 몰락 배경을 서술한 경우 | 상 |
| 핵심 단어 중 두 가지만 사용하여 포에니 전쟁 이후 자영농의 몰락 배경을 서술한 경우 | 중 |
| 핵심 단어 중 한 가지만 사용하여 포에니 전쟁 이후 자영농의 몰락 배경을 서술한 경우 | 하 |

## 03 대승 불교와 상좌부 불교

**모범 답안** (가) 대승 불교 (나) 상좌부 불교 / 대승 불교는 중생의 구제를 강조하였고, 상좌부 불교는 개인의 해탈을 강조하였다.

| 채점 기준 | 구분 |
|---|---|
| (가)가 대승 불교이고 (나)가 상좌부 불교임을 명시하고, 두 불교 종파의 차이점을 서술한 경우 | 상 |
| (가)가 대승 불교이고 (나)가 상좌부 불교임을 언급하였으나, 두 불교 종파의 차이점을 정확하게 서술하지 못한 경우 | 하 |

## 04 이슬람 제국의 발전

(1) ㉠ 우마이야 왕조 ㉡ 아바스 왕조

(2) 모범 답안 우마이야 왕조는 아랍인 중심 정책을 펼쳐 비아랍인에게는 세금을 더 걷고 관직 진출도 막는 차별 대우를 하였다. 반면 아바스 왕조는 비아랍인에 대한 세금 차별을 폐지하고 관직 진출을 허용하였다.

핵심 단어 우마이야 왕조, 아바스 왕조, 비아랍인, 세금, 관직 진출, 차별

| 채점 기준 | 구분 |
| --- | --- |
| 핵심 단어를 모두 사용하여 우마이야 왕조와 아바스 왕조의 비아랍인 통치 정책을 비교하여 서술한 경우 | 상 |
| 핵심 단어 중 두 가지를 사용하여 우마이야 왕조와 아바스 왕조의 비아랍인 통치 정책을 비교하여 서술한 경우 | 중 |
| 핵심 단어 중 한 가지만 사용하여 우마이야 왕조와 아바스 왕조의 비아랍인 통치 정책을 비교하여 서술한 경우 | 하 |

## 05 흑사병이 유럽 사회에 미친 영향

모범 답안 흑사병 / 흑사병이 유럽에 유행하면서 인구가 급격히 줄어들어 노동력이 부족해지자 영주들은 농노(농민)의 처우를 개선해 주었다. 그러나 일부 영주들은 농민을 억압하여 농민 봉기로 이어졌고, 결국 장원이 해체되었다.

핵심 단어 흑사병, 인구, 영주, 농노(또는 농민), 봉기, 장원

| 채점 기준 | 구분 |
| --- | --- |
| (가)가 흑사병임을 명시하고, 핵심 단어를 모두 사용하여 흑사병의 영향을 설명한 경우 | 상 |
| (가)가 흑사병임을 명시하고, 핵심 단어 중 네 가지를 사용하여 흑사병의 영향을 설명한 경우 | 중 |
| (가)가 흑사병임을 명시하였으나 핵심 단어를 세 가지 이하로 사용하여 흑사병의 영향을 설명한 경우 | 하 |

## 06 원의 중국 지배 정책

(1) 모범 답안 정복 과정에서 자신들에게 얼마나 협조적이었는지에 따라(또는 항복한 순서에 따라) 정복민을 차별 대우하였다.

| 채점 기준 | 구분 |
| --- | --- |
| 정복 과정에서 협조적이었던 정도나 항복한 순서임을 명시하여 서술한 경우 | 상 |
| 정복 과정에서 협조적이었던 정도나 항복한 순서를 언급하지 않고 출신 성분 등 밑줄 친 부분과 관련 없는 기준을 서술한 경우 | 하 |

(2) 모범 답안 문화적으로 뒤떨어진 소수의 몽골족이 다수의 다양한 민족을 다스리기 위해서는 몽골 제일주의를 바탕으로 한 철저한 민족 차별 정책이 필요하였다.

핵심 단어 문화적 후진성, 소수의 몽골족, 다수의 다양한 민족(또는 한족), 몽골 제

일주의

| 채점 기준 | 구분 |
| --- | --- |
| 핵심 단어를 모두 사용하여 원이 민족 차별 정책을 실시한 이유를 서술한 경우 | 상 |
| 핵심 단어 중 두세 가지만 사용하여 원이 민족 차별 정책을 실시한 이유를 서술한 경우 | 중 |
| 핵심 단어 중 한 가지만 사용하여 원이 민족 차별 정책을 실시한 이유를 서술한 경우 | 하 |

## 07 산킨코타이 제도의 목적과 영향

모범 답안 에도 막부가 지방의 다이묘에 대한 통제력을 강화하려고 산킨코타이 제도를 실시하였다. 이 제도의 영향으로 상업과 교통이 더욱 발달하였으며, 중앙과 지방의 교류가 활성화되어 지방 문화가 발달하였다.

| 채점 기준 | 구분 |
| --- | --- |
| 산킨코타이 제도의 목적을 바르게 서술하고 경제·문화적 변화를 두 가지 이상 서술한 경우 | 상 |
| 산킨코타이 제도의 목적을 바르게 서술하였으나 경제·문화적 변화를 한 가지만 서술한 경우 | 중 |
| 산킨코타이 제도의 목적을 명확하게 서술하지 못하고 경제·문화적 변화를 한 가지만 서술한 경우 | 하 |

## 01 상 왕조의 특징

(가) 왕조에 대한 설명으로 옳은 것은?

> • 점을 치는 사람이 "올해 왕이 오천의 병사를 모아 토방( (가) 의 북쪽에 있던 제후국)을 정벌하고자 하는데 신의 가호를 받을 수 있겠습니까?"라고 물었다.
>
> • (가) 의 왕이 친히 점을 쳤다. 왕이 "올해 우리 나라에 풍년이 들겠습니까?"라고 물으니 복조를 본 후에 길하다고 여겼다.

① 중국 문헌 기록상 최초의 나라이다.
② 봉건제를 시행하여 나라를 통치하였다.
③ 법가 사상을 바탕으로 중국 전체를 통일하였다.
④ 나라의 중요한 결정 사항을 갑골문으로 기록하였다.
⑤ 진승·오광의 난을 계기로 각지에서 농민 반란이 일어나 멸망하였다.

**출제 의도 파악하기**

자료를 보고 (가)에 해당하는 왕조가 상 왕조인지 파악하고, 상 왕조의 특징을 이해한다.

★★ **문제 해결 Point 쏙쏙**
• 상 왕조 : 왕이 점을 쳐서 국가의 중요 사항 결정(제정일치 사회) → 갑골문으로 기록

**선택지 바로 알기**

① 중국 문헌 기록상 최초의 나라이다.
  ㄴ 하
② 봉건제를 시행하여 나라를 통치하였다.
  ㄴ 주
③ 법가 사상을 바탕으로 중국 전체를 통일하였다.
  ㄴ 진
⑤ 진승·오광의 난을 계기로 각지에서 농민 반란이 일어나 멸망하였다.
  ㄴ 진

## 02 사산 왕조 페르시아

지도의 (가) 왕조에 대한 설명으로 옳은 것을 | 보기 |에서 모두 고르면?

| 보기 |
ㄱ. 조로아스터교를 국교로 삼았다.
ㄴ. 비잔티움 제국과의 계속된 전쟁으로 점차 쇠퇴하였다.
ㄷ. 로마와 지중해 패권을 두고 포에니 전쟁을 벌였으나 패배하였다.
ㄹ. '왕의 눈', '왕의 귀'라고 불리는 감찰관을 통해 총독을 감시하였다.

① ㄱ, ㄴ     ② ㄱ, ㄷ     ③ ㄴ, ㄷ
④ ㄴ, ㄹ     ⑤ ㄷ, ㄹ

**출제 의도 파악하기**

사산 왕조 페르시아의 영역을 파악하고, 사산 왕조 페르시아의 특징을 이해한다.

★★ **문제 해결 Point 쏙쏙**
• 사산 왕조 페르시아의 영역 : 메소포타미아 지역에서 인더스강에 이르는 대제국, 수도는 크테시폰
• 사산 왕조 페르시아의 특징 : 중계 무역으로 번영, 조로아스터교 국교화, 비잔티움 제국과의 오랜 전쟁으로 쇠퇴

**개념 +**

사산 왕조 페르시아는 조로아스터교를 국교로 삼았고, 동서 교통의 중심지를 차지하여 동서 무역을 독점하였다. 그러나 내부 반란과 비잔티움 제국과의 잦은 전쟁으로 쇠약해져 7세기 이슬람 세력에 의해 멸망하였다.

**용어 +**

• **왕의 눈, 왕의 귀** : 아케메네스 왕조 페르시아의 다리우스 1세가 보낸 감찰관, 지방의 총독 감시

# 정답과 해설

## 03 로마의 황제

㉠과 ㉡ 인물에 대한 설명을 옳게 짝지은 것은?

> • ㉠ 그는 부친을 살해한 이들에 대한 복수를 위해 안토니우스와 레피두스에게 많이 양보해야 하였다. 레피두스가 늙고 게을러졌을 때, 그리고 안토니우스가 방종에 빠졌을 때 국가의 혼란을 치유할 유일한 방법은 단일 지배 체제의 구축뿐이었다. 그러나 ㉠ 그는 자신이 왕이나 독재관이 됨으로써가 아니라 원수정을 수립함으로써 국가의 질서를 회복하였다.
>
> — 타키투스, 『연대기』 —
>
> • 일찍이 ㉡ 나와 리키니우스 황제가 길조 속에서 밀라노에서 회동하고 공익과 안전에 관한 모든 현안을 토의하였다. 그 결과 우리가 보기에 대다수 사람에게 이익이 될 수단 중에서 무엇보다도 신에 대한 존경을 확실히 하기 위한 규정을 만들어야 한다고 생각하였다. …… 즉 어떤 사람이든 크리스트교인의 예배 또는 자신에게 가장 적합한 것으로 여기는 종교에 헌신할 자유가 부인되어서는 안 된다고 생각하였다.
>
> — 에우세비오스, 『교회사』 —

① ㉠ : 자영농의 몰락을 막기 위해 농지법 등의 개혁을 시도하였다.
② ㉠ : 제국을 네 부분으로 나누어 네 명의 통치자가 다스리도록 하였다.
③ ㉠ : 강력한 군사력을 기반으로 정권을 장악하였으나 반대파에게 암살당하였다.
④ ㉡ : 수도를 콘스탄티노폴리스로 옮겼다.
⑤ ㉡ : 크리스트교를 국교로 선포하였다.

### 출제 의도 파악하기

옥타비아누스와 콘스탄티누스 대제의 업적을 파악한다.

 **문제 해결 Point 쏙쏙**
- 옥타비아누스 : 원수정(1인자에 의해 이루어지는 정치) 수립, 사실상 황제로 등극
- 콘스탄티누스 대제 : 크리스트교 공인, 밀라노 칙령

### 선택지 바로 알기

① ㉠ : 자영농의 몰락을 막기 위해 농지법 등의 개혁을 시도하였다.
ㄴ 그라쿠스 형제
② ㉠ : 제국을 네 부분으로 나누어 네 명의 통치자가 다스리도록 하였다.
ㄴ 디오클레티아누스
③ ㉠ : 강력한 군사력을 기반으로 정권을 장악하였으나 반대파에게 암살당하였다.
ㄴ 카이사르
⑤ ㉡ : 크리스트교를 국교로 선포하였다.
ㄴ 테오도시우스 1세

## 04 불교 및 힌두교 문화의 형성과 확산

다음은 천재가 작성한 역사 OX 퀴즈의 답안지이다. 천재가 받게 될 점수로 옳은 것은?

| 형성<br>평가 | 불교 및 힌두교 문화의<br>형성과 확산 | 학번 | 20130 |
|---|---|---|---|
| | | 이름 | 정천재 |

※ 각 문항의 내용이 맞으면 답란에 O표, 틀리면 X표 하세요.

(각 문항당 25점, 총 100점 만점)

| 번호 | 문항 | 답란 |
|---|---|---|
| 1 | 마우리아 왕조는 아소카왕 때 전성기를 맞이하였다. | O |
| 2 | 쿠샨 왕조의 간다라 지역에서 등장한 간다라 양식은 인도 고유의 특징이 잘 표현되었다. 아잔타 석굴 사원과 엘로라 석굴 사원의 불상과 벽화에서 확인할 수 있다. | X |
| 3 | 대승 불교는 카니슈카왕의 전파 노력에 힘입어 실론과 동남아시아 등지로 전파되었다. | O |
| 4 | 굽타 왕조 시대에는 브라만교와 불교, 인도의 민간 신앙이 융합되면서 힌두교로 발전하였다. | O |

① 0점　　　　② 25점　　　　③ 50점
④ 75점　　　　⑤ 100점

### 출제 의도 파악하기

불교 및 힌두교 문화의 형성과 확산 과정을 파악한다.

★★ 문제 해결 Point 쏙쏙

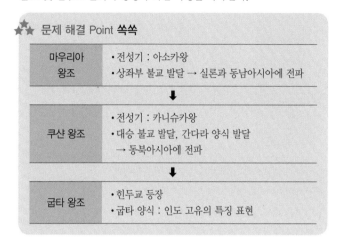

### 선택지 바로 알기

(1) 마우리아 왕조는 아소카왕 때 전성기를 맞이하였다. (O)

(2) 쿠샨 왕조의 간다라 지역에서 등장한 간다라 양식은 인도 고유의 특징이 잘 표현되었다. 아잔타 석굴 사원과 엘로라 석굴 사원의 불상과 벽화에서 확인할 수 있다. (×)

└ 굽타 양식에 대한 설명이며, 간다라 양식은 인도의 불교 문화에 헬레니즘 문화가 융합되었음

(3) 대승 불교는 카니슈카왕의 전파 노력에 힘입어 실론과 동남아시아 등지로 전파되었다. (×)

└ 대승 불교는 동북아시아 방면으로 전파되었음

(4) 굽타 왕조 시대에는 브라만교와 불교, 인도의 민간 신앙이 융합되면서 힌두교로 발전하였다. (O)

## 05 당의 국제적 문화

다음 비석을 세운 왕조에 대한 설명으로 옳은 것은?

대진국에 아라본이라는 높은 덕을 가진 분이 있었다. …… 아라본이 멀리 이곳까지 와서 경전과 성상을 바쳤는데, 그 교리가 헤아릴 수 없이 미묘하여 …… 마땅히 천하에 행해지도록 해야 할 것이다. 담당 관청이 곧 장안의 서북쪽 구역에 대진사를 세우고 21명의 승려를 인가해 주었다.

① 한화 정책을 추진하여 민족 융합을 시도하였다.
② 안사의 난 이후 절도사가 독자적 세력을 키웠다.
③ 장건을 대월지로 보내 흉노를 견제하고자 하였다.
④ 화북과 강남을 잇는 대운하를 만들기 시작하였다.
⑤ 능력을 중심으로 인재를 등용하여 제자백가가 출현하였다.

**출제 의도 파악하기**
자료가 당대의「대진 경교 유행 중국비」에 실린 내용임을 파악한다.

★★ **문제 해결 Point 쏙쏙**
- 대진국 : 로마
- 아라본 : 네스토리우스교(경교)를 중국에 전한 사제
- 대진사 : 당에 처음 세워진 네스토리우스교 교당

**선택지 바로 알기**
① 한화 정책을 추진하여 민족 융합을 시도하였다.
　ㄴ 북위
③ 장건을 대월지로 보내 흉노를 견제하고자 하였다.
　ㄴ 한
④ 화북과 강남을 잇는 대운하를 만들기 시작하였다.
　ㄴ 수
⑤ 능력을 중심으로 인재를 등용하여 제자백가가 출현하였다.
　→ 춘추·전국 시대

**개념 +**
당대에는 수도 장안을 중심으로 서역에서 온 조로아스터교, 이슬람교 등 다양한 종교가 성행하였다. 특히 네스토리우스교(경교, 크리스트교 이단의 일파)가 들어와 신앙 활동을 하였는데, 이들이 중국에서 150여 년 동안 활동한 역사가「대진 경교 유행 중국비」에 담겨 있다.

## 06 아바스 왕조의 특징

(가) 왕조에 대한 설명으로 옳은 것을 ㅣ보기ㅣ에서 모두 고르면?

정통 칼리프 시대
(632~661)
↓
우마이야 왕조
(661~750)
후우마이야 왕조 (756~1031) / (가) / 파티마 왕조 (909~1171)

ㅣ보기ㅣ
ㄱ. 정치적 지배자를 술탄이라고 불렀다.
ㄴ. 비아랍인도 군인이나 관료로 등용하였다.
ㄷ. 귀족들의 탄압을 피해 메카에서 메디나로 중심지를 옮겼다.
ㄹ. 당과 중앙아시아의 패권을 둘러싸고 전쟁을 벌여 승리하였다.

① ㄱ, ㄴ　　　② ㄱ, ㄷ　　　③ ㄴ, ㄷ
④ ㄴ, ㄹ　　　⑤ ㄷ, ㄹ

**출제 의도 파악하기**
이슬람 왕조의 변천 과정을 파악하고, 아바스 왕조의 특징을 이해한다.

★★ **문제 해결 Point 쏙쏙**
- 우마이야 왕조 이후의 이슬람 세계 : 아바스 왕조, 후우마이야 왕조, 파티마 왕조 등장
- 아바스 왕조 : 비아랍인에 대한 차별 철폐
- 후우마이야 왕조 : 우마이야 왕조를 추종한 세력, 이베리아반도에 수립
- 파티마 왕조 : 북아프리카에 수립

**용어 +**
- 술탄 : 이슬람교의 종교적 최고 권위자인 칼리프가 수여한 정치적 지배자의 칭호로, 셀주크 튀르크가 바그다드를 점령하고 아바스 왕조로부터 술탄의 칭호를 받은 사례가 대표적이다.

## 07 중세 서유럽의 봉건제

교사의 질문에 대한 학생의 답면으로 옳지 <u>않은</u> 것은?

국왕
충성, 군역
보호, 봉토 수여

수도원장  대주교  제후

세금 납부  보호

기사  기사

농노  농노

그림에 나타난 중세 서유럽의 정치 구조를 설명해 볼까요?

① 왕실과 제후의 혈연관계를 바탕으로 성립되었습니다.
② 봉신은 주군의 간섭 없이 독자적으로 장원을 다스렸습니다.
③ 봉신이 주군에게 받은 봉토는 장원의 형태로 운영되었습니다.
④ 프랑크 왕국이 분열된 이후 이민족 침입으로 혼란한 상황에서 성립되었습니다.
⑤ 주군이 봉신에게 땅을 주는 대가로 봉신은 주군에게 충성과 봉사를 맹세하였습니다.

### 출제 의도 파악하기

중세 서유럽의 봉건제가 갖는 특징을 주의 봉건제와 비교하여 파악한다.

★★ 문제 해결 Point 쏙쏙

• 왕−제후−기사·성직자 등 지배 계층의 관계 : 서유럽 봉건제의 주종 관계
• 기사−농노의 관계 : 서유럽 봉건제의 장원제
• 주의 봉건제와 서유럽 봉건제의 차이
  − 주의 봉건제 : 왕실과 제후 간 혈연관계를 바탕으로 함
  − 서유럽의 봉건제 : 기사 간 쌍무적 계약 관계를 바탕으로 함

### 개념 +

중세 서유럽의 봉건제는 주종 관계와 장원제를 바탕으로 성립되었다. 서유럽은 프랑크 왕국이 분열된 이후 이민족의 침입으로 혼란에 빠졌다. 이러한 상황에서 힘을 가진 사람들이 스스로를 지키기 위해 성을 쌓고 무장을 하며 기사층을 형성하였다. 기사들은 자기보다 강한 기사를 주군으로 섬기고 충성과 봉사를 맹세하였으며, 주군은 그 기사에게 땅을 주고 봉신으로 삼았다. 이와 같은 주군과 봉신의 관계를 주종 관계라고 하며, 이는 쌍무적 계약으로 맺어져 둘 중 누구라도 의무를 이행하지 않으면 파기할 수 있었다. 주군은 봉신의 영토에 간섭할 수 없었으며, 봉신은 독자적으로 장원을 다스려 장원 내 재판이나 세금 징수를 모두 관할하였다. 이에 따라 지방 분권적인 정치 체제가 확립되었다.

## 08 카노사의 굴욕

다음 조치가 가져온 결과로 가장 적절한 것은?

> 내 권위와 온전함을 확신하니, 이제 나는 전능한 신, 성부, 성자, 성령의 이름으로 황제 하인리히(하인리히 3세)의 아들 하인리히(하인리히 4세)가 독일과 이탈리아에 있는 그의 왕국을 상실하였음을 선언하노라. 나는 이것을 당신의 권위에 따라서, 그리고 당신의 교회의 명예를 지키기 위해 하였노라. 그가 반역하였기 때문에 …… 그는 교회로부터 스스로를 잘라 내었으며, 교회를 조각내고자 하였도다. 그러므로 당신의 권위에 따라서 그를 저주하에 놓노라.

① 십자군 전쟁이 일어났다.
② 성상 숭배 금지령이 내려졌다.
③ 루터가 「95개조 반박문」을 발표하였다.
④ 황제가 카노사로 교황을 찾아가 사죄하였다.
⑤ 그리스 정교회와 로마 가톨릭 교회가 분리되었다.

### 출제 의도 파악하기

자료가 그레고리우스 7세가 하인리히 4세를 파문하는 내용을 담은 것임을 이해하고, 그 결과 카노사의 굴욕이 일어났음을 파악한다.

★★ 문제 해결 Point 쏙쏙
- 하인리히 4세 : 교황 그레고리우스 7세와 성직자 서임권을 둘러싸고 대립함 → 교황에게 파문당하고 교황이 있는 카노사성에 찾아가 사죄함(카노사의 굴욕)

개념 +
중세 서유럽 사회에 봉건제가 확대되면서 교회의 성직자도 군주나 제후를 주군으로 섬기는 경우가 많아졌고, 이에 따라 국왕이나 제후가 성직자 임명권을 행사하였다. 교황 그레고리우스 7세는 교회의 부패를 바로잡고 세속 권력의 성직자 서임 금지를 선포하였다. 그러나 신성 로마 제국의 황제 하인리히 4세는 이를 무시하였고, 교황은 황제를 파문하였다. 하인리히 4세는 제후와 주교의 지지마저 잃게 되었고, 결국 카노사로 교황을 찾아가 사죄하였다.

## 09 송의 발전과 북방 민족의 성장

다음은 역사 신문의 기사 제목이다. (가)~(마) 중 순서상 세 번째에 해당하는 것은?

> (가) 「사람을 만나다」, 성리학을 집대성한 주희와의 인터뷰!
> (나) 완안부의 추장 아구다, 금을 건국하다
> (다) 왕안석, 민생 안정과 부국강병을 목표로 개혁의 뜻을 밝히다
> (라) 송과 요가 화친을 맺다, 송이 요에 매해 비단과 은을 제공하기로 해!
> (마) 서아시아의 아바스 왕조, 몽골에 의해 무너지다

① (가)　　　　② (나)　　　　③ (다)
④ (라)　　　　⑤ (마)

### 출제 의도 파악하기

송의 정치적 변천과 북방 민족의 침입 과정을 파악한다.

★★ 문제 해결 Point 쏙쏙

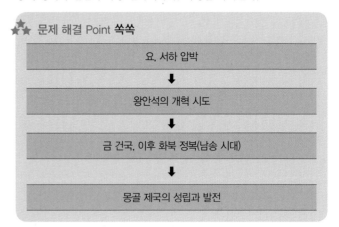

개념 +
(라) 송과 요의 화친(전연의 맹, 1004) → 이후 국가 재정 궁핍 → (다) 왕안석의 개혁(1068년부터) → (나) 금 건국(1115) → 금의 영토 확장, 화북 지방을 점령하며 송이 강남으로 쫓겨남(남송 시대) → (가) 남송 시대 주희(1130~1200)가 성리학 집대성 → 칭기즈 칸이 몽골 부족 통일(1206), 이후 영토 확장 → (마) 몽골이 아바스 왕조를 멸망시킴(1258)

## 10 임진왜란의 결과

밑줄 친 '전쟁'의 결과로 옳은 것을 | 보기 |에서 모두 고르면?

> 적이 전쟁을 일으켜 지나가는 곳마다 사람을 죽이고 해쳐, 조선 백성들의 처지가 차마 말할 수 없이 비참합니다. 조선의 국왕은 평양을 떠나 다시 피신하였습니다. 사납고 모진 적이 조선을 차지하면 분명 요동을 침범할 것입니다. 우리 영토에 적이 들어온 뒤 방어하면 이미 늦을 것입니다.
>
> – 만력 20년 6월 –

┌─ 보기 ─────────────────────────────
ㄱ. 여진의 누르하치가 후금을 세웠다.

ㄴ. 명의 재정이 급격히 악화되고 국력이 쇠퇴하였다.

ㄷ. 영락제가 정화가 이끄는 함대를 해외로 파견하였다.

ㄹ. 도요토미 히데요시가 오랫동안 분열된 일본을 통일하였다.
└──────────────────────────────────

① ㄱ, ㄴ     ② ㄱ, ㄷ     ③ ㄴ, ㄷ

④ ㄴ, ㄹ     ⑤ ㄷ, ㄹ

### 출제 의도 파악하기

자료가 임진왜란에 관한 것임을 파악하고, 임진왜란이 동아시아 삼국에 미친 영향을 이해한다.

★★ 문제 해결 Point 쏙쏙

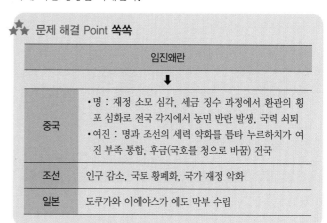

| | 임진왜란 |
|---|---|
| 중국 | • 명 : 재정 소모 심각, 세금 징수 과정에서 환관의 횡포 심화로 전국 각지에서 농민 반란 발생, 국력 쇠퇴<br>• 여진 : 명과 조선의 세력 약화를 틈타 누르하치가 여진 부족 통합, 후금(국호를 청으로 바꿈) 건국 |
| 조선 | 인구 감소, 국토 황폐화, 국가 재정 악화 |
| 일본 | 도쿠가와 이에야스가 에도 막부 수립 |

### 개념 +

임진왜란은 동아시아 전반에 큰 영향을 미쳤다. 먼저 중국에서는 명이 조선에 무리하게 지원군을 보낸 탓에 급격히 쇠약해졌으며, 전쟁 중 북방에서 성장하는 여진족을 견제하지 못하였다. 이러한 혼란을 틈타 여진족이 후금을 세우고 성장하였다. 조선은 명과 청(후금이 국호를 바꿈) 사이에서 외교적 갈등을 겪어 전쟁의 주 무대가 되어 인명 피해가 속출하고 토지가 황폐해졌으며, 신분 제도가 흔들리게 되었다. 일본은 임진왜란을 주도한 도요토미 히데요시가 죽고 난 이후 도쿠가와 이에야스가 에도에 막부를 열었으며, 조선의 문물과 기술자를 통해 문화적 발전을 이루게 되었다.

## 11 오스만 제국의 특징

**(가) 나라에 대한 설명으로 옳은 것은?**

그림은 [ (가) ]의 커피 하우스를 묘사한 것입니다. 지금의 카페와 유사한 커피 하우스에서 커피를 마시는 생활 습관은 [ (가) ]에서 유행하여 유럽으로 번져 나갔습니다.

① 돔과 연꽃 문양이 특징인 타지마할을 건축하였다.
② 이스파한을 수도로 삼고 이맘 모스크를 건설하였다.
③ 지즈야만 납부하면 비이슬람교도에게도 자치를 허용해 주었다.
④ 수도 바그다드는 세계적인 교역과 문화의 중심지로 성장하였다.
⑤ 비잔티움 제국을 위협하여 서유럽 세계와 십자군 전쟁을 벌였다.

### 출제 의도 파악하기

오스만 제국의 특징을 파악한다.

#### ★★ 문제 해결 Point 쏙쏙

- 오스만 제국에서는 커피를 마시는 장소인 커피 하우스(카웨)가 유행함 → 이후 유럽으로 전해져 카페가 등장함
- 오스만 제국의 이민족 통치 정책 : 관용 정책, 지즈야만 납부하면 그들의 신앙을 인정하고 자치 공동체를 허용함

### 선택지 바로 알기

① 돔과 연꽃 문양이 특징인 타지마할을 건축하였다.
   ㄴ 무굴 제국
② 이스파한을 수도로 삼고 이맘 모스크를 건설하였다.
   ㄴ 사파비 왕조
④ 수도 바그다드는 세계적인 교역과 문화의 중심지로 성장하였다.
   ㄴ 아바스 왕조
⑤ 비잔티움 제국을 위협하여 서유럽 세계와 십자군 전쟁을 벌였다.
   ㄴ 셀주크 튀르크

**01** ④ **02** ① **03** ③ **04** ④ **05** ① **06** ② **07** ④ **08** ②
**09** ① **10** ① **11** ②

## 01 페니키아의 특징

**(가) 나라에 대한 설명으로 옳은 것은?**

> 지중해 동남 연안에서는 [ (가) ]이/가 성장하였다. B.C. 1250년경 이들은 동지중해 연안과 에게해 연안을 장악하고 뛰어난 항해술을 바탕으로 지중해 무역을 독점해 나갔다. 또 지중해 연안의 넓은 지역에 카르타고를 비롯한 식민지를 건설하였다.

① 엄격한 신분제인 카스트제를 만들었다.
② 유일신 신앙이 특징인 유대교를 믿었다.
③ 지구라트라는 신전을 세우고 수호신을 모셨다.
④ 알파벳의 기원이 되는 표음 문자를 고안하였다.
⑤ 영혼 불멸을 믿어 피라미드, 스핑크스 등을 조성하였다.

### 출제 의도 파악하기

페니키아에 대한 자료임을 파악하고, 페니키아의 특징을 이해한다.

⭐⭐ **문제 해결 Point 쏙쏙**
- 페니키아 : 활발한 해상 활동(지중해 무역), 카르타고를 비롯한 식민지 건설, 표음 문자 고안(알파벳의 기원)

### 선택지 바로 알기

① 엄격한 신분제인 카스트제를 만들었다.
　ㄴ 인도 문명
② 유일신 신앙이 특징인 유대교를 믿었다.
　ㄴ 헤브라이
③ 지구라트라는 신전을 세우고 수호신을 모셨다.
　ㄴ 메소포타미아 문명
⑤ 영혼 불멸을 믿어 피라미드, 스핑크스 등을 조성하였다.
　ㄴ 이집트 문명

## 02 한 무제의 업적

**(가) 인물에 대한 설명으로 옳은 것을 |보기|에서 모두 고르면?**

> 『사기』는 사마천이 중국의 신화 시대부터 [ (가) ] 때까지의 역사를 편찬한 책이다. 중국을 대표하는 역사책으로, 황제들의 업적과 각종 제도 및 인물들의 활동을 서술하여 동아시아 역사 서술의 모범이 되었다.

┌ 보기 ┐
ㄱ. 유가 사상을 통치 이념으로 정하였다.
ㄴ. 고조선을 멸망시킨 후 군을 설치하였다.
ㄷ. 봉건제와 군현제를 절충한 군국제를 시행하였다.
ㄹ. 500여 년간 혼란스러웠던 중국을 최초로 통일하였다.

① ㄱ, ㄴ　　② ㄱ, ㄷ　　③ ㄴ, ㄷ
④ ㄴ, ㄹ　　⑤ ㄷ, ㄹ

### 출제 의도 파악하기

『사기』가 한 무제 때까지의 역사를 편찬하였음을 파악하고, 한 무제의 업적을 이해한다.

⭐⭐ **문제 해결 Point 쏙쏙**
- 『사기』 : 중국의 신화 시대부터 한 무제 때까지의 역사를 다룸
- 한 무제 : 유가 사상의 통치 이념화, 활발한 대외 원정(고조선 멸망, 흉노 정벌, 베트남 북부 공격)

### 선택지 바로 알기

ㄷ. 봉건제와 군현제를 절충한 군국제를 시행하였다.
　ㄴ 한 고조
ㄹ. 500여 년간 혼란스러웠던 중국을 최초로 통일하였다.
　ㄴ 진 시황제

## 03 페리클레스의 민주 정치

**(가) 인물이 집권한 시기 아테네에서 볼 수 있었던 모습으로 가장 적절한 것은?**

> • 참주 정치를 펼쳤던 페이시스트라토스의 외모와 화술이 비슷하다
> 는 이야기를 들었던 ___(가)___ 은/는 젊었을 때에는 민중을 몹시
> 경계하였다. 그는 부자에다 명문가 출신이고 친구들도 큰 영향력을
> 행사하였던 까닭에 혹시 도편 추방을 당하지나 않을까 하는 염려를
> 하였다. 그래서 처음에는 정치를 멀리하여 전쟁터에서 유능하고 용
> 감한 군인이 되었다. 그러나 민중의 편에 서기로 결심한 그는 ……
> 해외 국유지를 분배하였고, 축제 참가 보조금을 지원해 주었으며,
> 공공 봉사에 수당을 지출하게 하였다.
>
> — 플루타르코스, 『영웅전』 —
>
> • "우리의 정치 체제는 이웃 나라의 관행과는 전혀 다릅니다. 남의 것
> 을 본뜬 것이 아니고 오히려 남들이 우리의 체제를 본뜹니다. 몇몇
> 사람이 통치의 책임을 맡는 게 아니라 모두 골고루 나누어 맡으므
> 로, 이를 데모크라티아(민주주의)라고 부릅니다."
>
> — ___(가)___ 의 펠로폰네소스 전쟁 전몰자 추도 연설 중 일부 —

① 세계 시민주의와 개인주의가 동시에 발달하였다.
② 이집트, 페르시아를 아우르는 대제국이 건설되었다.
③ 민회가 입법, 행정, 사법의 주요 권한을 장악하였다.
④ 재산에 따라 정치에 참여할 수 있는 권한을 부여하였다.
⑤ 자영농의 몰락을 막고자 농지법 등의 개혁이 시행되었다.

**출제 의도 파악하기**

자료가 페리클레스에 관한 것임을 파악하고, 페리클레스 시기 아테네
의 상황을 이해한다.

★★ **문제 해결 Point 쏙쏙**
- 공공 봉사에 수당 지출 : 수당제, 페리클레스의 업적 중 하나
- 페리클레스 시기는 아테네 민주 정치의 전성기 : 펠로폰네소
  스 전쟁 전몰자 추도 연설에서 아테네의 민주 정치 체제 찬양

**선택지 바로 알기**
① 세계 시민주의와 개인주의가 동시에 발달하였다.
  └ 헬레니즘 시대
② 이집트, 페르시아를 아우르는 대제국이 건설되었다.
  └ 알렉산드로스
④ 재산에 따라 정치에 참여할 수 있는 권한을 부여하였다.
  └ 솔론
⑤ 자영농의 몰락을 막고자 농지법 등의 개혁이 시행되었다.
  └ 로마의 그라쿠스 형제

---

## 04 북위 효문제의 업적

**(가) 인물에 대한 설명으로 옳은 것은?**

> ___(가)___ 이/가 말하기를, "…… 이제 북방의 언어(선비어)를
> 금지하고 오로지 올바른 중원의 언어만 사용하기로 한다. 서른 살 이
> 상인 사람은 습관이 굳어져 갑자기 말을 바꾸기 어렵기에 어쩔 수 없
> 지만 서른 살 이하의 사람은 예전처럼 말해서는 안 된다. 만약 고의로
> 북방의 언어를 쓴다면 관직을 박탈할 것이다. …… 올바른 언어에 익
> 숙해지면 풍속이 새롭게 교화될 것이다. ……"라고 하였다.
>
> — 『위서』 —

① 과거제를 시행하였다.
② 남북조를 통일하였다.
③ 문자, 화폐, 도량형을 통일하였다.
④ 수도를 평성에서 뤄양으로 옮겼다.
⑤ 소금, 철, 술에 대한 전매 제도를 시행하였다.

**출제 의도 파악하기**

북위 효문제가 실시한 한화 정책의 주요 내용을 파악한다.

★★ **문제 해결 Point 쏙쏙**
- 효문제의 한화 정책 : 북방의 언어(선비어) 사용 금지, 한족의
  언어와 풍속 강요

**선택지 바로 알기**
① 과거제를 시행하였다.
  └ 수 문제
② 남북조를 통일하였다.
  └ 수 문제
③ 문자, 화폐, 도량형을 통일하였다.
  └ 진 시황제
⑤ 소금, 철, 술에 대한 전매 제도를 시행하였다.
  └ 한 무제

(가)~(다) 왕조에 대한 설명으로 옳은 것은?

① (가) : 상좌부 불교가 발전하였다.
② (가) : 간다라 양식이 발달하였다.
③ (나) : 산치 대답을 건립하였다.
④ (나) : 『마하바라타』와 같은 산스크리트어 문학이 발달하였다.
⑤ (다) : 알렉산드로스의 원정으로 멸망하였다.

## 출제 의도 파악하기

고대 인도 왕조의 영역을 구분한다.

### ★★ 문제 해결 Point 쏙쏙

• 마우리아 왕조 : 수도 파탈리푸트라, 남인도 일부 지역을 제외한 인도 대부분 차지, 산치 대탑 건립
• 쿠샨 왕조 : 수도 푸르샤푸라, 간다라 지역을 포함하여 인도 서북부에서 중앙아시아에 걸친 영역 차지
• 굽타 왕조 : 수도 파탈리푸트라, 인도 서북부 지방 장악, 아잔타 석굴 사원과 엘로라 석굴 사원 건립

### 선택지 바로 알기

② (가) : 간다라 양식이 발달하였다.
 ㄴ 쿠샨 왕조
③ (나) : 산치 대답을 건립하였다.
 ㄴ 마우리아 왕조
④ (나) : 『마하바리타』와 같은 산스크리트어 문학이 발달하였다.
 ㄴ 굽타 왕조
⑤ (다) : 알렉산드로스의 원정으로 멸망하였다.
 ㄴ 마우리아 왕조가 세워지기 이전의 일

## 06 이슬람 제국의 팽창 과정

**(가), (나) 사이에 일어난 역사적 사실로 옳은 것은?**

> (가) 신 앞에 모든 인간이 평등하다는 무함마드의 교리는 많은 사람에게
> 호응을 얻었지만 메카의 귀족들로부터는 박해를 받았다. 결국 무함
> 마드는 탄압을 피해 신자들을 이끌고 메디나로 이동하였다.
>
> (나) 제4대 칼리프 알리가 암살된 후 시리아 총독 무아위야가 칼리프
> 가 되었다. 그는 칼리프 자리를 세습하도록 하였다. 그는 "나는
> 이슬람 최초의 왕이다."라는 말을 남기기도 하였다.

① 셀주크 튀르크가 예루살렘을 점령하였다.

② 이슬람 세력이 사산 왕조 페르시아를 정복하였다.

③ 시아파의 도움을 받아 아바스 왕조가 개창되었다.

④ 바그다드가 세계의 학술, 문화, 경제적 중심지로 성장하였다.

⑤ 코르도바를 수도로 하는 후우마이야 왕조가 이베리아반도에 세워
졌다.

**출제 의도 파악하기**

이슬람 제국의 팽창 과정을 파악한다.

⭐⭐ 문제 해결 Point 쏙쏙

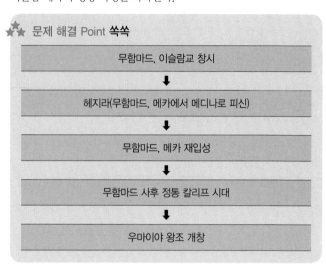

**개념 +**

무함마드가 죽은 후 그의 후계자이자 이슬람 세계의 지도자를 선출하
여 칼리프라고 불렀다. 무함마드 사후 4대에 이르는 칼리프가 합의를
통해 선출된 시대를 정통 칼리프 시대라고 한다. 아랍인은 칼리프를
중심으로 결집하여 왕성한 정복 활동을 벌였다. 그 결과 사산 왕조 페
르시아를 멸망시키고 비잔티움 제국을 위협하였다.

## 07 십자군 전쟁

㉠과 ㉡에 해당하는 나라에 대한 설명으로 옳은 것은?

> 예루살렘 성지와 콘스탄티노폴리스로부터 끔찍한 이야기가 나돌아 자주 우리의 귀에 들려옵니다. …… ㉠ 하느님을 신봉하지 않는 민족이 크리스트교도의 영토를 침범하여 무력, 약탈 및 방화로써 그들을 절멸하게 하였습니다. …… ㉡ 그리스 제국은 이제 그들에 의해 해체되었으며, 방대한 영토를 빼앗겼습니다. …… 부정한 국가들에 의해 점령된 우리 구세주 주님의 성스러운 묘지가 그대들을 일으키도록 합시다. …… 그 사악한 종족으로부터 그 땅을 빼앗고 그것을 그대들이 받으십시오. 성서에 말씀한 바 '젖과 꿀이 흐르는 그 땅'은 하느님께서 이스라엘 백성들의 소유로 주신 것입니다.
> – 클레르몽 공의회에서 발표한 로베르 수도사의 보고 –

① ㉠ : 서로마 제국을 멸망시켰다.
② ㉠ : 최고 지배자를 술탄·칼리프라고 불렀다.
③ ㉡ : 카롤루스 대제 시기에 전성기를 맞았다.
④ ㉡ : 황제가 교회에도 강한 영향력을 행사하였다.
⑤ ㉡ : 그리스어를 바탕으로 만든 키릴 문자를 사용하였다.

**출제 의도 파악하기**

십자군 전쟁이 일어난 배경을 파악한다.

⭐⭐ **문제 해결 Point 쏙쏙**
• 하나님을 신봉하지 않는 민족 : 크리스트교를 믿지 않는 민족
• 예루살렘, 콘스탄티노폴리스에 위협을 가하는 민족 : 셀주크 튀르크
• 그리스 제국 : 비잔티움 제국
• 비잔티움 제국을 도와 셀주크 튀르크가 빼앗은 영토(예루살렘 포함)를 되찾으려는 전쟁 : 십자군 전쟁

**선택지 바로 알기**
① ㉠ : 서로마 제국을 멸망시켰다.
　ㄴ 게르만 용병 출신 오도아케르
② ㉠ : 최고 지배자를 술탄·칼리프라고 불렀다.
　ㄴ 오스만 제국
③ ㉡ : 카롤루스 대제 시기에 전성기를 맞았다.
　ㄴ 프랑크 왕국
⑤ ㉡ : 그리스어를 바탕으로 만든 키릴 문자를 사용하였다.
　ㄴ 키예프 공국

---

## 08 요의 특징

교사의 질문에 대한 학생의 답변으로 적절한 것을 | 보기 |에서 모두 고르면?

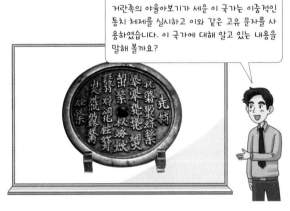

> 거란족의 야율아보기가 세운 이 국가는 이중적인 통치 체제를 실시하고 이와 같은 고유 문자를 사용하였습니다. 이 국가에 대해 알고 있는 내용을 말해 볼까요?

┌─ 보기 ┐
ㄱ. 발해를 멸망시킨 나라예요.
ㄴ. 화북 지방 전체를 지배했어요.
ㄷ. 연운 16주를 차지하고 송을 압박했어요.
ㄹ. 재정과 경제 분야의 실무는 색목인에게 맡겼어요.
└─────┘

① ㄱ, ㄴ　　　② ㄱ, ㄷ　　　③ ㄴ, ㄷ
④ ㄴ, ㄹ　　　⑤ ㄷ, ㄹ

**출제 의도 파악하기**

북방 민족이 세운 요의 특징을 파악한다.

⭐⭐ **문제 해결 Point 쏙쏙**
• 요의 이중 통치 체제 : 남면관제(한족), 북면관제(유목민)
• 요의 고유 문자 : 거란 문자

**선택지 바로 알기**
ㄴ. 화북 지방 전체를 지배했어요.
　ㄴ 금 또는 북위
ㄹ. 재정과 경제 분야의 실무는 색목인에게 맡겼어요.
　ㄴ 원

## 09 후금의 건국

다음과 같은 상황이 나타난 시기를 연표에서 옳게 고른 것은?

> 만주에서 누르하치가 만주족을 통일하고 후금을 세웠다.

| (가) | (나) | (다) | (라) | (마) |
|---|---|---|---|---|
| 임진왜란<br>발발 | 병자호란<br>발발 | 이자성의 난<br>발생 | 삼번의 난<br>발생 | 네르친스크<br>조약 체결 | 옹정제<br>즉위 |

① (가)  　　② (나)  　　③ (다)

④ (라)  　　⑤ (마)

### 출제 의도 파악하기

명·청 교체기에 일어난 사건의 순서를 파악한다.

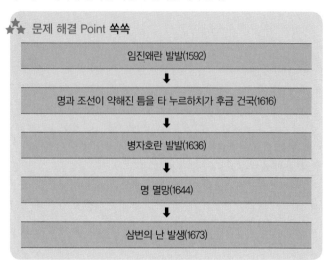

★★ 문제 해결 Point 쏙쏙

- 임진왜란 발발(1592)
- 명과 조선이 약해진 틈을 타 누르하치가 후금 건국(1616)
- 병자호란 발발(1636)
- 명 멸망(1644)
- 삼번의 난 발생(1673)

### 개념 +

명은 관료들의 권력 다툼과 외적의 침입으로 국력이 약화되었음에도 무리하게 임진왜란 당시 조선에 지원군을 보냈고, 그 결과 군사비 지출이 증가하여 재정난에 빠졌다. 이 틈을 타 여진의 누르하치는 후금을 건국하였다. 이후 후금은 청으로 국호를 바꾸고 명과 제휴할 수 있는 조선을 침략하였다(병자호란). 한편 명은 재정난을 극복하기 위해 가혹하게 세금을 징수하여 각지에서 농민 봉기가 일어났는데, 대표적으로 이자성의 난을 꼽을 수 있다. 이자성의 농민군은 베이징을 점령하는 데 성공하여 명을 멸망시켰으나 곧 청에 패배하였다.

## 10 무굴 제국의 아우랑제브 황제

지도에 표시된 영역을 확보한 무굴 제국의 황제에 대한 설명으로 옳은 것은?

① 지즈야를 부활시켰다.
② 힌두교도 왕비와 결혼하였다.
③ 유럽의 연합 함대를 격퇴하였다.
④ 술탄 아흐메드 사원을 건립하였다.
⑤ 탈라스에서 당의 군대를 격퇴하였다.

### 출제 의도 파악하기

무굴 제국의 전성기인 아우랑제브 황제 시기의 영역을 파악하고, 아우랑제브 황제의 통치 방식을 이해한다.

**★★ 문제 해결 Point 쏙쏙**
- 아우랑제브 황제 시기의 영역 : 데칸고원을 넘어 인도 남부까지 차지
- 아우랑제브 황제의 정책 : 비이슬람교에 대한 탄압

### 선택지 바로 알기

② 힌두교도 왕비와 결혼하였다.
 ㄴ 아크바르
③ 유럽의 연합 함대를 격퇴하였다.
 ㄴ 오스만 제국의 술레이만 1세
④ 술탄 아흐메드 사원을 건립하였다.
 ㄴ 오스만 제국의 아흐메드 1세
⑤ 탈라스에서 당의 군대를 격퇴하였다.
 ㄴ 아바스 왕조

---

## 11 절대 왕정의 특징

(가) 정치 체제에 대한 설명으로 옳은 것을 | 보기 | 에서 모두 고르면?

(가) 은/는 관료제와 상비군을 유지하기 위해 막대한 비용이 필요했습니다. 따라서 이와 같은 경제 정책으로 국내의 상업 활동을 지원하고 국가의 부를 증대시켰습니다.

모든 무역에서 국내 제조 공업에 도움이 되는 상품을 수입할 때에는 세금을 면제해 주고 (국외에서) 제조되어 들어오는 상품에는 세금을 부과하며, 국내 공업 제품의 출국세를 경감하는 일이 중요합니다.

– 콜베르의 의견서(1664) –

┌ 보기 ┐
ㄱ. 왕권신수설을 사상적 기반으로 삼았다.
ㄴ. 주종 관계와 장원제를 바탕으로 성립되었다.
ㄷ. 16~18세기 유럽에서 등장한 국가 형태이다.
ㄹ. 왕권은 약하고 지방 영주의 권한은 강하였다.

① ㄱ, ㄴ　　　② ㄱ, ㄷ　　　③ ㄴ, ㄷ
④ ㄴ, ㄹ　　　⑤ ㄷ, ㄹ

### 출제 의도 파악하기

자료가 절대 왕정 시기의 중상주의 정책임을 파악하고, 절대 왕정의 특징을 이해한다.

**★★ 문제 해결 Point 쏙쏙**
- 콜베르 : 루이 14세가 등용한 재무 장관, 중상주의 정책을 주도한 인물
- 중상주의 : 수출을 장려하고 관세를 높여 수입을 줄임으로써 국내 산업 보호·육성

### 선택지 바로 알기

ㄴ. 주종 관계와 장원제를 바탕으로 성립되었다.
 ㄴ 중세 서유럽의 봉건제
ㄹ. 왕권은 약하고 지방 영주의 권한은 강하였다.
 ㄴ 지방 분권적인 중세 서유럽 봉건제

memo

# 정답과 해설

# 정답과 해설

**1일** 개념 돌파 전략❶  확인 문제   8~11쪽

### 1강_유럽과 아메리카의 시민 혁명~유럽의 산업화와 제국주의

01 입헌 군주제  02 국민 의회  03 민주 공화정  04 7월 혁명
05 철혈 정책  06 공장제 기계 공업  07 크리오요  08 제국주의

### 2강_서아시아와 인도의 국민 국가 건설 운동~일본과 조선의 국민 국가 건설 운동

01 탄지마트  02 벵골 분할령  03 난징 조약  04 양무운동
05 메이지 유신  06 청일 전쟁  07 삼민주의  08 갑오개혁

**1일** 개념 돌파 전략❷   12~13쪽

01 ②  02 ⑤  03 ①  04 ⑤

### 01 프랑스 혁명 – 국민 의회

자료는 인권 선언, 즉 인간과 시민의 권리선언이다. 인권 선언을 발표한 (가) 의회는 국민 의회이다. 당시 프랑스 사회에서 귀족이 가진 봉건적 특권은 농민을 억압하는 수단이었기 때문에 국민 의회는 이를 폐지하였다.

### 02 산업 혁명의 문제점

노동 문제를 해결하기 위해 노동조합을 결성하기도 하였고, 마르크스 등은 자본주의의 대안으로 사유 재산을 부정한 사회주의 사상을 제시하였다.

오답 피하기 ⑤ 애덤 스미스가 내세운 자유방임주의는 국가의 시장 개입을 최소화하고 수요와 공급의 법칙으로 시장을 운영해야 한다는 경제 사상이다.

### 03 벵골 분할령과 인도 국민 회의

(가)는 벵골 분할령이다. 벵골 분할령이 발표된 이후 인도 국민 회의는 반영 운동을 주도하였으며, 콜카타 대회에서 4대 강령을 제시하고 영국에 본격적으로 저항하였다.

선택지 바로 보기

① 인도 국민 회의가 반영 운동을 전개하였다. ( ○ )
② 세포이가 벵골 지역의 지배권을 획득하였다. ( × )
　→ 영국이 프랑스·벵골 연합군을 몰아내고 지배권을 차지함
③ 영국에 저항하여 담배 불매 운동을 전개하였다. ( × )
　→ 이란(페르시아)의 민족 운동임

④ 청년 튀르크당이 봉기를 일으켜 헌법을 부활시켰다. ( × )
　→ 오스만 제국에서 일어남
⑤ 유럽식 제도의 도입을 추구하는 탄지마트를 실시하였다. ( × )
　→ 오스만 제국의 근대화 개혁임

### 04 아편 전쟁의 배경

자료에서 (가)는 삼각, (나)는 공행, (다)는 청, (라)는 아편이다. 삼각 무역과 아편 밀무역 단속이 배경이 되어 일어난 사건은 제1차 아편 전쟁이며, 그 결과 맺은 조약은 난징 조약이다.

오답 피하기 ⑤ 청이 베이징 조약을 체결한 계기는 제2차 아편 전쟁이다.

**2일** 필수 체크 전략❶  확인 문제   14~17쪽

| 1-1 ③ | 2-1 ③ |
|---|---|
| 3-1 ② | 4-1 ⑤ |
| 5-1 ③ | 6-1 ① |
| 7-1 ③ | 8-1 ⑤ |

### 1-1 청교도 혁명

자료는 크롬웰의 독재 정치에 대한 것이다. 크롬웰의 독재 정치는 찰스 1세의 처형 이후 (다) 공화정 시기에 이루어졌다. 크롬웰은 네덜란드가 주도하던 해상 무역권을 장악하기 위해 항해법을 제정하였다. 크롬웰이 죽은 후 찰스 2세가 즉위하면서 왕정복고가 이루어졌다.

### 2-1 나폴레옹의 통령 정부

쿠데타를 일으켜 통령 정부를 세운 (가)는 나폴레옹이다. 나폴레옹은 정복 전쟁 과정에서 영국을 약화시키기 위해 유럽 지역과 영국의 통상을 차단하는 대륙 봉쇄령을 내렸다.

### 3-1 남북 전쟁

산업 구조, 노예 제도 등의 입장 차이를 배경으로 링컨의 대통령 당선이 결정적인 계기가 되어 발생한 사건은 미국의 남북 전쟁이다. 산업 구조와 관련하여 북부는 상공업이 발달하였으며, 남부는 목화 농업 중심의 대농장 경영이 이루어졌다.

### 4-1 프랑스 2월 혁명

산업화로 등장한 노동자 계급의 선거권 확대 요구를 루이 필리프의 7월 왕정이 수용하지 않으면서 일어난 사건이 프랑스 2월 혁명이다. 2월 혁명이 일어난 시기는 (마)이다.

### 5-1 독일의 통일

프로이센을 중심으로 통일 운동이 진행된 (가)는 독일이다.

오답 피하기 ③ 카보우르는 사르데냐의 재상으로, 이탈리아의 통일 운동을 주도한 인물이다.

## 6-1 산업 혁명의 영향
산업 혁명은 가내 수공업, 공장제 수공업에서 공장제 기계 공업으로 생산 방식이 변화한 사건이다. 산업 혁명으로 교통 수단과 통신 수단이 발달하였으며, 이 현상을 교통 혁명, 통신 혁명이라고 한다. 이에 따라 먼 곳과의 교류가 활발해졌다.

## 7-1 라틴아메리카의 독립
브라질은 포르투갈의 식민지였으며, 포르투갈 왕의 아들이 독립을 선언함으로써 독립이 이루어졌다.

**더 알아보기** 라틴아메리카의 독립

| | |
|---|---|
| 아이티 | 프랑스로부터 독립 → 라틴아메리카 최초의 독립국(1804) |
| 볼리바르 | 베네수엘라, 콜롬비아, 볼리비아 등의 독립운동 주도 → 에스파냐로부터 독립 |
| 산마르틴 | 페루, 아르헨티나 지역의 독립운동 주도 → 에스파냐로부터 독립 |
| 멕시코 | 이달고 신부의 민중 봉기 → 에스파냐로부터 독립(1821) |
| 브라질 | 포르투갈의 식민지 → 포르투갈 왕의 아들이 포르투갈로부터의 독립 선언 |

## 8-1 제국주의 국가의 아프리카 침략
밑줄 친 '사건'은 파쇼다 사건으로, 영국의 종단 정책과 프랑스의 횡단 정책이 수단의 파쇼다 지역에서 충돌하여 벌어졌다.

오답 피하기 ㄴ. 3B 정책은 독일의 제국주의 팽창 정책이다.

---

**2일 필수 체크 전략 2 확인 문제** 18~19쪽

| | | | |
|---|---|---|---|
| 1 ⑤ | 2 ③ | 3 ⑤ | 4 ② |
| 5 ① | 6 ② | | |

## 1 영국 혁명
권리 장전은 명예혁명 과정에서 승인된 문서이다. 권리 장전의 승인 이전에 벌어진 사건을 순서대로 나열하면 ㅁ. 찰스 1세의 전제 정치 → ㄴ. 권리 청원 제출 → ㄷ. 크롬웰의 독재 정치 → ㄱ. 왕정복고 순이다.

오답 피하기 ㄹ. 독립 선언 발표는 미국 혁명의 과정 중 초기에 있었던 일이다. ㅂ. 내각 책임제는 명예혁명 이후 조지 1세 때 확립된 것으로, 의회의 다수당 대표가 국정을 책임지는 정치 형태이다.

---

**자료 분석** 권리 장전

• 국왕은 의회의 동의 없이 법의 효력과 집행을 정지할 수 없다.
• 국왕은 의회의 승인 없이 과세할 수 없다.
• 국왕은 의회의 동의 없이 평상시에 군대를 징집·유지할 수 없다.

제임스 2세는 의회를 무시하고 의회가 제정한 법을 의회의 동의 없이 폐지하는 조치를 취하는 전제 정치를 실시하였다. 권리 장전 첫 번째 조항에서는 제임스 2세의 전제 정치를 거울 삼아 법의 정지와 관련하여 의회의 동의를 받게 하였다.

### 쌍둥이 문제 1

다음 내용과 관련된 혁명의 결과로 옳은 것은?

• 권리 장전          • 메리와 윌리엄 공동 왕

① 공화정이 수립되었다.
② 항해법이 제정되었다.
③ 독재 정치가 실시되었다.
④ 의원 내각제가 성립되었다.
⑤ 입헌 군주제의 토대가 마련되었다.

**해설** 제시된 내용은 명예혁명과 관련 있다. 명예혁명의 결과 입헌 군주제의 기틀이 마련되었다.
**답** ⑤

## 2 자유주의 운동
(가)는 프랑스의 2월 혁명, (나)는 영국의 차티스트 운동에 대한 설명이다. (나) 영국은 항해법, 곡물법 등을 폐지하고 자유주의 경제 정책을 실시하였다.

### 쌍둥이 문제 2

(가)에 들어갈 내용으로 가장 적절한 것은?

| 공장제 수공업 | → | (가) | → | 공장제 기계 공업 |

① 교통 혁명이 일어났다.
② 전선, 전신 등이 개발되었다.
③ 사회주의 사상이 등장하였다.
④ 자본주의 경제 체제가 발달하였다.
⑤ 기계가 발명되고 증기 기관이 개량되었다.

**해설** 산업 혁명은 공장제 수공업에서 공장제 기계 공업으로 생산 방식이 변화한 현상을 말한다. 공장제 기계 공업은 방적기, 방직기 등의 기계가 발명되고, 동력으로 증기 기관이 개량된 것을 바탕으로 이루어졌다.
**답** ⑤

## 3 이탈리아의 통일

(가) 이태리는 이탈리아를 말한다. 마치니, 카보우르, 가리발디는 모두 이탈리아의 통일 운동을 주도한 인물이다. 카보우르는 프랑스의 도움을 받아 오스트리아와의 전쟁에서 승리하여 이탈리아 중부와 북부를 통합하였다.

### 선택지 바로 보기

① 철혈 정책으로 군사력을 강화하였다. (×)
→ 독일, 비스마르크
② 관세 동맹으로 경제적 통합을 이루었다. (×)
→ 독일
③ 프랑스와의 전쟁 이후 제국을 수립하였다. (×)
→ 독일, 프로이센·프랑스 전쟁 이후 독일 제국 수립
④ 프랑크푸르트 의회에서 통일 방안을 논의하였다. (×)
→ 독일
⑤ 프랑스의 도움으로 오스트리아와 벌인 전쟁에서 승리하였다. (○)

### 쌍둥이 문제 3

다음 연설과 관련된 국가의 통일 운동으로 옳은 것은?

> 지금의 문제 앞에 이루어져야 할 결단은 연설과 다수결이 아닌 철과 피로써 이루어져야 할 것입니다.

① 먼로 선언이 발표되었다.
② 관세 동맹이 체결되었다.
③ 차티스트 운동이 전개되었다.
④ 가리발디가 의용군을 조직하였다.
⑤ 카보우르가 중부와 북부를 통일하였다.

**해설** 자료는 비스마르크의 철혈 정책과 관련된 연설이다. 독일은 관세 동맹을 통해 경제적 통일 기반을 마련하였다.
**답** ②

## 4 산업 혁명

산업 혁명의 과정에서 나타난 문제점을 해결하기 위해 사회주의가 제시되고 노동조합이 만들어졌다.

**오답 피하기** ㄴ. 봉건적 특권의 폐지 선언은 프랑스 혁명 중 국민 의회 시기에 이루어졌다. ㄹ. 끊임없는 노력으로 하층 시민과 노동자들도 선거권을 획득하였다.

## 5 라틴아메리카의 독립

영국의 독립 지지와 미국의 먼로 선언 등은 라틴아메리카 지역의 독립과 관련 있다. 라틴아메리카 지역의 독립운동은 이 지역 출신의 백인인 크리오요가 주도하였다.

### 쌍둥이 문제 5

다음 인물들의 공통점으로 옳은 것은?

> • 산마르틴     • 볼리바르

① 인민 헌장을 발표하였다.
② 독일 제국을 수립하였다.
③ 먼로 선언을 발표하였다.
④ 노예 해방령을 발표하였다.
⑤ 라틴아메리카의 독립을 주도하였다.

**해설** 산마르틴, 볼리바르는 라틴아메리카의 독립운동가이다. 먼로 선언은 라틴아메리카의 독립을 지지한 미국의 선언이다.
**답** ⑤

## 6 제국주의

세실 로즈는 영국의 대표적인 제국주의자이다. 식민지를 확보하여 과잉 인구를 이주시키고, 상품 판매 시장으로 삼고자 한 점에서 (가)가 제국주의임을 알 수 있다.

### 쌍둥이 문제 6

다음 사상들을 바탕으로 정당화된 정책으로 옳은 것은?

> • 인종주의     • 사회 진화론

① 사회주의          ② 민주주의
③ 전체주의          ④ 제국주의
⑤ 자본주의

**해설** 제시된 사상들은 유럽 열강의 제국주의를 뒷받침하였다.
**답** ④

| | |
|---|---|
| 1-1 ① | 2-1 ① |
| 3-1 ① | 4-1 ③ |
| 5-1 ③ | 6-1 ④ |
| 7-1 ④ | 8-1 ① |

### 1-1 서아시아의 민족 운동

무함마드 알리는 오스만 제국 지배 아래에 있는 이집트의 총독이었다. (가) 이집트는 프랑스의 도움을 받아 서구식 개혁을 실시하였고, 오스만 제국에 저항하여 자치권을 얻었다.

### 2-1 인도 국민 회의

인도 국민 회의는 영국에 협력함으로써 인도인의 권리를 인정받고자 하였다. 그러나 벵골 분할령을 통해 이슬람교도와 힌두교도를 분열시키려는 영국의 의도를 알고 반영의 입장을 취하였다.

### 3-1 일본의 개항

미일 수호 통상 조약은 에도 막부와 미국 사이에서 체결된 것이다.

**더 알아보기**   일본의 개항

| 미일 화친 조약 (1854) | • 시모다, 하코다테 2개 항구 개항<br>• 최혜국 대우(다른 국가와 맺은 가장 유리한 조약을 이미 조약을 체결한 나라에도 적용하는 것) |
|---|---|
| 미일 수호 통상 조약 (1858) | • 가나가와(요코하마), 나가사키, 니가타, 효고(고베) 등 개항<br>• 협정 관세(관세에 대해 상대 국가와 협의해야 한다는 내용, 관세 자주권 상실)<br>• 영사 재판권(치외법권) 적용 |

### 4-1 양무운동

금릉 기기국은 이홍장이 양무운동 당시에 세운 군수 공장이다. (가)는 양무운동으로, 서양의 군사 기술만을 수용하고자 한 근대화 운동이다. 청이 청일 전쟁에서 패배한 것을 계기로 지방 관료 중심의 제한된 영향력 안에서 추진되고 일관성이 없다는 한계점을 드러냈다.

### 5-1 자유 민권 운동

(가)는 자유 민권 운동으로, 헌법 제정 및 의회 설립을 주장하였다. 메이지 정부는 자유 민권 운동을 진압하였으나 헌법 제정의 필요성을 인정하여 천황 중심의 입헌 군주제를 규정한 일본 제국 헌법을 제정하였다.

### 6-1 일본의 제국주의화

(가)는 러일 전쟁이다. 연표에서 포츠머스 조약은 러일 전쟁의 결과 미국의 중재로 러시아와 일본이 맺은 조약이다. 이 조약으로 러시아는 한반도와 만주에서 일본이 우위권을 가지는 것을 인정하였다.

### 7-1 신해혁명

밑줄 친 '혁명'은 신해혁명이다. 신해혁명은 철도 국유화 반대 운동을 계기로 우창의 신식 군대가 청에 저항하고, 이에 호응하여 각 성이 독립한 것으로 시작되었다. 신해혁명의 과정에서 쑨원은 위안스카이에게 대총통의 자리를 넘겨주었다.

### 8-1 조선의 근대 국가 수립 운동

군국기무처를 중심으로 추진한 개혁은 갑오개혁이다. 갑오개혁으로 신분제와 과거제가 폐지되었다.

**오답 피하기**  ㄷ. 대한국 국제는 광무개혁 당시에 발표되었다. ㄹ. 만민 공동회 개최는 독립 협회의 대표적인 활동이다.

| | | | |
|---|---|---|---|
| 1 ③ | 2 ① | 3 ③ | 4 ④ |
| 5 ① | 6 ③ | | |

### 1 서아시아 지역의 민족 운동

(가)는 오스만 제국, (나)는 이집트, (다)는 와하브 운동 세력권, (라)는 이란이다. 와하브 운동은 이슬람교 초기의 순수성을 되찾자는 운동이며, 오스만 제국에 저항하는 운동으로 발전하였다.

**선택지 바로 보기**

① (가) : 무함마드 알리가 근대화 개혁을 추진하였다. (×) → 이집트
② (나) : 영국이 가져간 담배 독점 판매권을 되찾고자 하였다. (×) → 이란
③ (다) : 이슬람교 초기의 순수성을 되찾자는 운동이 전개되었다. (○)
④ (라) : 오스만 제국으로부터 자치권을 획득하였다. (×) → 이집트
⑤ (나), (다) : 영국과 러시아에 의해 영토가 분할되었다. (×) → 이란

## 쌍둥이 문제 **1**

**다음 설명에 해당하는 국가의 민족 운동으로 옳은 것은?**

> • 카자르 왕조가 영국과 러시아의 대립 속에서 이권과 영토를 빼앗겼다.
> • 의회 개설과 헌법 제정을 요구하는 입헌 운동이 일어났으나 러시아의 군사 개입으로 실패하였다.

① 와하브 운동을 벌였다.

② 세포이의 항쟁이 발생하였다.

③ 담배 불매 운동을 전개하였다.

④ 탄지마트로 근대화를 추진하였다.

⑤ 오스만 제국으로부터 자치권을 얻었다.

**해설** 카자르 왕조, 입헌 운동, 영국·러시아의 대립 등을 통해 이란의 상황임을 유추할 수 있다. 이란에서는 영국이 담배 독점 판매권을 가진 것에 저항하여 담배 불매 운동이 일어났다.

**답** ③

## 2 동아시아의 개항

(가)는 난징 조약, (나)는 강화도 조약이다. 제1차 아편 전쟁의 결과 맺은 난징 조약에서 청은 영국에 홍콩을 할양하였다.

**자료 분석** 난징 조약

제2조 영국 국민은 광저우, 상하이 등 5개 항구에 거주할 수 있으며, 방해받지 않고 무역에 종사할 수 있다.

제5조 앞으로는 공행하고만 거래하는 제도를 폐지한다.

제2조는 중국의 5개 항구 개항과 관련된 조항이며, 제5조는 공행 무역의 폐지와 관련된 조항이다. 이외에 난징 조약에서는 영국에 홍콩을 할양하는 조건도 포함되었다.

### 쌍둥이 문제 **2**

**두 조약의 공통점으로 가장 적절한 것은?**

• 난징 조약          • 미일 화친 조약

① 불평등한 성격을 띤 조약이다.

② 운요호 사건을 계기로 맺은 조약이다.

③ 제1차 아편 전쟁의 결과로 체결되었다.

④ 페리 함대의 무력 시위를 계기로 체결되었다.

⑤ 영·프 연합군과의 전투 결과로 맺은 조약이다.

**해설** 난징 조약은 청과 영국, 미일 화친 조약은 미국과 일본이 맺은 불평등 조약이다.

**답** ①

## 3 메이지 정부의 근대화 운동

에도 막부가 무너지고 들어선 새로운 정부는 메이지 정부이다. 따라서 (가)는 메이지이다.

**오답 피하기** 미일 화친 조약, 미일 수호 통상 조약은 에도 막부 시대에 페리 함대의 포함 외교를 계기로 개항하면서 맺은 조약이다.

### 쌍둥이 문제 **3**

**다음 사건 이후 추진된 개혁의 내용으로 옳지 않은 것은?**

개항에 불만을 품은 하급 무사들이 중심이 되어 막부 타도 운동을 전개하였다. 그 결과 에도 막부는 무너지고 메이지 정부가 수립되었다.

① 공행을 폐지하였다.

② 관민 공동회를 개최하였다.

③ 천조전무 제도를 발표하였다.

④ 지방 분권 제도를 마련하였다.

⑤ 번을 폐지하고 현을 설치하였다.

**해설** 자료는 일본의 메이지 정부의 수립에 대한 내용이다. 메이지 정부는 번을 폐지하고 현을 설치하여 지방관을 보내 다스림으로써 중앙 집권 체제를 강화하였다.

**답** ⑤

## 4 일본의 제국주의화

일본이 대한 제국에 통감부를 설치할 수 있는 근거가 된 조약은 을사늑약이다. 또한 대한 제국은 일본에 외교권을 빼앗기게 되었다.

### 쌍둥이 문제 **4**

**| 보기 |의 사건들을 일어난 순서대로 옳게 나열한 것은?**

| 보기 |
ㄱ. 을사늑약          ㄴ. 포츠머스 조약
ㄷ. 가쓰라·태프트 밀약   ㄹ. 제2차 영일 동맹

① ㄱ－ㄴ－ㄷ－ㄹ        ② ㄴ－ㄱ－ㄷ－ㄹ

③ ㄴ－ㄷ－ㄱ－ㄹ        ④ ㄷ－ㄴ－ㄱ－ㄹ

⑤ ㄷ－ㄹ－ㄴ－ㄱ

**해설** | 보기 |는 일본 제국이 한반도에 대한 우위권을 확보하기 위한 과정에서 맺은 것으로, 가쓰라·태프트 밀약(1905. 7.) → 제2차 영일 동맹(1905. 8.) → 포츠머스 조약(1905. 9.) → 을사늑약(1905. 11.) 순이다.

**답** ⑤

## 5 중국 동맹회

쑨원, 청 왕조 타도 등의 내용을 통해 (가)가 중국 동맹회임을 알 수 있다. 중국 동맹회는 삼민주의를 행동 강령으로 삼았다.

**더 알아보기** 삼민주의

| | |
|---|---|
| 민족주의 | 만주족이 세운 청을 없애고 한족의 국가를 세우는 것 |
| 민권주의 | 공화제 국가를 수립하는 것 |
| 민생주의 | 토지의 균등 분배를 통해 민생 안정을 도모하는 것 |

### 쌍둥이 문제 5

**다음 내용과 관련된 사건의 결과로 옳은 것은?**

- 철도 국유화 반대 운동 · 우창 신군의 무장봉기

① 중화민국이 수립되었다.
② 공행 무역이 폐지되었다.
③ 홍콩이 영국에 할양되었다.
④ 외국 상인의 내지 통상이 허용되었다.
⑤ 베이징에 외국 군대가 주둔하게 되었다.

**해설** 제시된 내용은 신해혁명의 시작과 관련 있다. 신해혁명의 결과 청 왕조가 무너지고 중화민국이 수립되었다.
**답** ①

## 6 광무개혁

(가)는 대한 제국이다. 고종이 경운궁(덕수궁)으로 환궁한 이후 대한 제국을 수립하였고, 광무개혁을 추진하면서 양전·지계 사업을 실시하고 군사 제도를 개편하였다.

| 1주차 마무리 | 누구나 합격 전략 | 26~27쪽 |
|---|---|---|
| 01 ② | 02 ② | 03 ⑤ |
| 04 (가) 인종주의 (나) 사회 진화론 | | 05 ③ |
| 06 ① | 07 (1) 양무운동 (2) 메이지 유신 | 08 ④ |

## 01 시민 혁명

(가)는 미국의 보스턴 차 사건, (나)는 프랑스 왕 루이 16세의 삼부회 소집을 설명한 것이다. 보스턴 차 사건은 미국 혁명, 루이 16세의 삼부회 소집은 프랑스 혁명의 발단이 된 사건이다. 미국 혁명의 결과 아메리카 식민지는 영국으로부터 독립을 승인받았고, 연방 헌법을 제정하여 삼권 분립에 기초한 민주 공화정 체제를 수립하였다.

## 02 자유주의와 민족주의

(가)는 자유주의, (나)는 민족주의이다. 루이 필리프를 추방하고 공화정을 수립한 사건인 프랑스의 2월 혁명은 자유주의 운동의 사례이다.

**선택지 바로 보기**

① (가) : 프로이센 중심의 관세 동맹이 결성되었다. (×)
　→ 독일의 통일, 민족주의 운동
② (가) : 루이 필리프를 추방하고 공화정을 수립하였다. (○)
③ (나) : 곡물법과 항해법을 폐지하였다. (×)
　→ 자유주의 경제 체제의 확립, 영국의 자유주의 운동
④ (나) : 인민헌장을 발표하여 선거권을 요구하였다. (×)
　→ 차티스트 운동, 영국의 자유주의 운동
⑤ (가), (나) : 비스마르크는 철혈 정책을 펼쳐 군사력을 강화하였다. (×)
　→ 독일의 통일, 민족주의 운동

## 03 산업 혁명

(가)는 산업 혁명이다. 산업 혁명의 영향으로 산업 자본가, 노동자와 같은 새로운 계층이 등장하였다. 증기 기관이 교통수단에 활용되어 증기 기관차, 증기선 등이 등장하였다.

## 04 제국주의

(가)는 백인이 유색 인종보다 우월하다고 한 인종주의, 다윈의 진화론에서 나온 적자생존을 사회와 국가에 적용한 (나)는 사회 진화론이다.

## 05 서아시아의 민족 운동

(가)는 아라비아 지역, (나)는 이란이다. 아라비아 지역에서는 19세기에 이슬람교 초기의 순수성을 되찾고 『쿠란』의 가르침에 따라 생활하자는 와하브 운동이 전개되었다. 이란에서는 왕실이 담배 독점 판매권을 영국에 넘긴 것에 대한 저항으로 담배 불매 운동이 일어났다.

**오답 피하기** ㄱ. 탄지마트는 오스만 제국의 근대화 개혁이다. ㄹ. 세포이는 영국 동인도 회사의 용병이며, 세포이의 항쟁은 영국에 저항한 인도의 민족 운동이다.

**자료 분석** 와하브 운동 세력권과 이란의 상황

(가) 지역은 와하브 운동의 세력권이다.
(나) 지역은 러시아 세력권과 영국 세력권으로 분할된 이란이다.

## 06 동아시아의 개항

영국에 홍콩 할양, 공행 무역의 폐지 등을 통해 (가) 조약이 난징 조약임을 알 수 있다. 난징 조약은 제1차 아편 전쟁의 결과 청이 영국과 맺은 불평등 조약이다.

**선택지 바로 보기**

① 제1차 아편 전쟁이 일어났다. (○)

② 페리 함대가 무력 시위를 벌였다 (×)

　→ 일본의 개항

③ 애로호 사건을 계기로 전쟁이 일어났다. (×)

　→ 제2차 아편 전쟁

④ 영·프 연합군에 의해 베이징이 함락되었다. (×)

　→ 제2차 아편 전쟁

⑤ 흥선 대원군이 통상 수교 거부 정책을 추진하였다. (×)

　→ 조선의 개항 이전 상황

## 07 중국의 근대화 운동

양무운동은 중체서용론을 바탕으로 추진된 근대화 운동이다. 중체서용론은 중국의 전통을 유지하면서 서양의 기술만 받아들인다는 의미이다. 변법자강 운동은 의회제를 도입하여 입헌 군주제를 수립하고자 한 운동이며, 일본의 메이지 유신을 모델로 삼았다.

## 08 일본의 근대화 운동과 제국주의화

포츠머스 조약은 러일 전쟁의 결과 러시아와 일본이 맺은 조약이다. 포츠머스 조약에는 러시아가 조선에 대해 일본이 가지는 우위권을 인정해 준다는 내용이 담겨 있다. 이후 일본은 대한 제국을 강제로 병합하여 식민지로 삼았다.

| 1주차 마무리 | 창의·융합·코딩 전략 | | 28~31쪽 |
|---|---|---|---|
| 1 ③ | 2 ② | 3 ④ | 4 ④ |
| 5 ② | 6 ② | 7 ⑤ | 8 ⑤ |

## 1 자유주의

프랑스의 7월 혁명과 2월 혁명, 영국의 차티스트 운동은 모두 정치적 자유를 획득하기 위해 전개된 자유주의 운동이다. 이 중 노동자들이 선거권 확대를 요구한 운동은 2월 혁명과 차티스트 운동이다. 2월 혁명은 입헌 군주제에서 공화정으로 정치 체제의 변화가 나타났으나 차티스트 운동은 정치 체제의 변화가 없었다.

## 2 제국주의

파쇼다 사건은 영국의 종단 정책과 프랑스의 횡단 정책이 충돌한 사

건이다. 따라서 (가)는 영국, (나)는 프랑스이다. 영국은 세포이의 항쟁 이후 동인도 회사를 해체하고 무굴 제국을 멸망시켰다. 그리고 영국 국왕이 직접 통치하는 영국령 인도 제국을 수립하였다.

## 3 인도의 민족 운동

영국 상품 불매, 민족 교육 실시, 스와라지, 스와데시의 강령을 강조하며 반영 운동을 전개한 (가) 단체는 인도 국민 회의이다. 인도 국민 회의는 벵골 분할령을 계기로 친영 단체에서 반영 단체로 성격이 변화하였다.

## 4 중국의 근대화 운동

가상의 SNS 프로필에서 이홍장, 증국번 등이 추진하였고, 군수 공장인 금릉 기기국을 건설하였다는 정보를 통해 (가) 운동이 양무운동임을 파악할 수 있다. 양무운동은 중국의 전통을 유지하며 서양의 기술만을 받아들이고자 하였으며(중체서용론), 청일 전쟁에서 패배하면서 한계점을 드러냈다.

오답 피하기 ㄱ. 천조전무 제도는 태평천국 운동을 주도한 세력이 발표하였다. ㄷ. 의회제 도입을 목표로 추진된 중국의 근대화 운동은 변법 자강 운동이다.

## 5 프랑스 혁명

국민 공회 시기에는 루이 16세를 처형하고 공화정을 선포하였다. 또한 로베스피에르의 주도로 공안 위원회, 혁명 재판소를 설치하여 공포 정치를 실시하였다.

## 6 독일의 통일

관세 동맹 – 프랑크푸르트 의회 – 비스마르크의 철혈 정책 – 독일 제국 수립 순으로 독일 통일이 이루어졌다.

## 7 일본의 근대화 개혁

첫 번째 자료는 에도 막부 시기 일본의 개항(1854년)에 대한 것이고, 세 번째 자료는 청일 전쟁(1894년)을 다루고 있다. 따라서 (가)에는 일본의 개항과 청일 전쟁 사이에 벌어진 사건인 메이지 유신이 들어가야 한다.

**선택지 바로 보기**

① 신해혁명이 발생하였다. (×)

　→ 1911년, 청일 전쟁 이후

② 중국 동맹회가 결성되었다. (×)

　→ 1905년, 청일 전쟁 이후

③ 가쓰라·태프트 밀약이 체결되었다. (×)

　→ 1905년, 청일 전쟁 이후

④ 독립 협회가 헌의 6조를 발표하였다. (×)

　→ 1898년, 청일 전쟁 이후

⑤ 신분제가 폐지되고 징병제가 실시되었다. (○)

**8  서아시아의 근대화 운동**

오스만 제국이 추진한 근대화 개혁인 탄지마트를 지우고 남는 글자를 조합하여 만들 수 있는 (가)는 와하브 운동이다. 와하브 운동은 『쿠란』의 가르침에 따라 생활하고 이슬람교 초기의 순수성을 되찾자고 주장한 운동이다.

**선택지 바로 보기**

① 아랍 고전을 연구하였다. (×)

　→ 아랍 문화 부흥 운동

② 청년 튀르크당이 헌법을 부활시켰다. (×)

　→ 오스만 제국의 청년 튀르크당 혁명

③ 영국이 독점한 담배 판매권을 회수하였다. (×)

　→ 이란의 담배 불매 운동

④ 오스만 제국으로부터 자치권을 획득하였다. (×)

　→ 이집트

⑤ 이슬람교 본래의 순수성을 되찾고자 하였다. (○)

---

**2주** Ⅴ. 세계 대전과 사회 변동 ~
Ⅵ. 현대 세계의 전개와 과제

**1일  개념 돌파 전략❶  확인 문제**  34~37쪽

**3강_세계 대전과 사회 변동**

01 무제한 잠수함 작전  02 10월 혁명  03 파리 강화 회의
04 제1차 국공 합작  05 공화정  06 무솔리니  07 독소 불가침 조약
08 난징 대학살

**4강_현대 세계의 전개와 과제**

01 쿠바 미사일 위기  02 제3 세계  03 탈냉전  04 페레스트로이카
05 개혁·개방 정책  06 유럽 연합(EU)  07 마틴 루서 킹  08 세계화

**1일  개념 돌파 전략❷**  38~39쪽

01 ②　　　02 ④　　　03 ⑤　　　04 ⑤

**01 제1차 세계 대전의 배경**

3국 협상과 3국 동맹의 대립, 범게르만주의와 범슬라브주의의 대립은 제1차 세계 대전의 배경이다. 제1차 세계 대전은 사라예보 사건 이후 오스트리아·헝가리 제국의 선전 포고로 시작되었다.

**02 베르사유 체제**

제1차 세계 대전 이후 연합국과 독일 사이에 맺은 조약은 베르사유 조약이다. 베르사유 조약의 결과 독일은 해외 식민지와 국내 영토의 일부를 상실하였으며, 군대가 축소되고 막대한 배상금을 물게 되었다.

**선택지 바로 보기**

① 독일은 한국의 독립을 약속되었다. (×)

　→ 카이로 회담에서 미국, 영국, 중화민국의 지도자가 약속함(제2차 세계 대전)

② 독일은 일본, 이탈리아와 추축국을 형성하였다. (×)

　→ 독일 나치 정부(제2차 세계 대전)

③ 독일은 소련과 서로 침략하지 않을 것을 약속하였다. (×)

　→ 독소 불가침 조약(제2차 세계 대전)

④ 독일은 해외 식민지와 국내 영토의 일부를 상실하였다. (○)

⑤ 독일은 국제 분쟁을 평화적 수단으로 해결하기로 합의하였다. (×)

　→ 부전 조약(1928)

**03 톈안먼 사건**

중국식 사회주의 경제 정책에 자본주의 시장 경제 요소 일부를 도입

한 개혁·개방 정책은 덩샤오핑이 추진하였다. 그는 1989년 톈안먼 광장에서 일어난 민주화 요구 시위를 무력으로 진압하였다.

## 04 지역화

세계화에 대한 대응으로 인접 지역 간의 경제 공동체를 형성하는 현상은 지역화이다. 동남아시아 국가 연합(ASEAN), 아시아·태평양 경제 협력체(APEC) 등이 대표적이다.

| **2일** 필수 체크 전략❶ 확인 문제 | 40~43쪽 |
|---|---|
| 1-1 ④ | 2-1 ③ |
| 3-1 ② | 4-1 ⑤ |
| 5-1 ④ | 6-1 ④ |
| 7-1 ⑤ | 8-1 ④ |

## 1-1 제1차 세계 대전

사라예보 사건으로 발발하였으며, 독일이 무제한 잠수함 작전을 펼친 전쟁은 제1차 세계 대전이다. 제1차 세계 대전은 이전 전쟁과 다르게 참호전, 총력전, 신무기 사용 등의 특징을 보였다.

**오답 피하기** ㄹ. 전체주의의 등장은 제2차 세계 대전의 배경이다.

## 2-1 레닌의 정책

코민테른은 레닌 통치 시기에 만들어진 국제 조직이다. 따라서 (가)는 레닌으로, 사회주의 경제 정책으로 인한 문제점을 해결하기 위해 자본주의 경제 요소의 일부를 도입한 신경제 정책을 추진하였다.

## 3-1 제1차 세계 대전 이후 전후 처리

해군의 주력함 비율 조정과 군비 축소를 논의한 (가)는 워싱턴 회의이다. 국제 분쟁을 평화적 수단으로 해결하기로 합의한 (나)는 부전 조약이다.

**더 알아보기** 제1차 세계 대전 이후 평화 체제 형성 노력

| 워싱턴 회의 (1921~22) | • 제1차 세계 대전 이후 중국과 태평양에 대한 열강의 이해관계 조정<br>• 해군의 주력함 비율 조정, 군비 축소 |
|---|---|
| 로카르노 조약 (1925) | 패전국인 독일을 유럽의 일원으로 인정 → 독일의 국제 연맹 가입 |
| 부전 조약 (1928) | • 켈로그·브리앙 조약이라고도 함<br>• 국제 분쟁의 평화적 해결 합의 |
| 독일의 배상금 조정 노력 | • 배경 : 독일의 배상금에 대한 불만, 배상금 지급 불이행에 대한 주변국의 불만 → 배상금으로 인한 분쟁 가능성 해소 필요성<br>• 과정 : 도스안(1924) → 영안(1929) → 로잔 회의(1932) |

## 4-1 제1차 세계 대전 이후 인도의 민족 운동

(가)는 네루이다. 네루는 무력 시위를 통한 완전 독립을 추구하였다. 네루가 속한 국가는 인도로, 비폭력·불복종 운동을 전개하기도 하였다.

## 5-1 전체주의

전체(국가)의 번영을 위해 국가 권력이 개인의 생활에 개입한 (가)는 전체주의이다. 독일, 이탈리아, 일본과 같이 식민지가 적고 경제 기반이 약한 국가에서 전체주의가 나타났다.

**오답 피하기** ㄱ. 독일, ㄷ. 이탈리아가 한 일이다.

## 6-1 제2차 세계 대전의 과정

(가)는 제2차 세계 대전이 일어나기 전 독일의 침략 과정을 설명하였고, (나)는 독일의 항복으로 유럽에서 제2차 세계 대전이 종전되었음을 보여 준다. 따라서 (가)와 (나) 사이에는 제2차 세계 대전 중에 있었던 사건이 포함되어야 한다.

**오답 피하기** ④ 킬 군항 수병들이 반란을 일으킨 것은 제1차 세계 대전 중에 있었던 사실이다.

## 7-1 노동자의 권리 보장

대공황으로 실업이 발생하고 구매력이 감소하는 문제를 해결하기 위해 미국에서는 뉴딜 정책을 추진하였다. 공공 일자리의 제공으로 노동자의 구매력을 회복시키고자 하였으며, 노동자의 권리를 보장해 주기 위한 방법으로 사회 보장제, 최저 임금제, 단체 교섭권 인정, 부당 노동 금지 등의 조치를 취하였다.

**오답 피하기** ⑤ 블록 경제는 노동자의 권리 보장과는 거리가 멀다.

## 8-1 제2차 세계 대전 중 전쟁 범죄와 전후 처리

유대인에 대한 대규모 학살(홀로코스트), 폴란드와 동유럽 지역에서의 민간인 학살은 모두 제2차 세계 대전 중 나치 독일이 저지른 전쟁 범죄이다. 독일의 전쟁 범죄자들에게 책임을 묻기 위해 뉘른베르크 재판이 열렸다.

**선택지 바로 보기**

① 미군정을 실시하였다. (×)
  → 제2차 세계 대전 이후 일본의 전후 처리와 관련된 내용임

② 국제 연합을 창설하였다. (×)
  → 제2차 세계 대전 이후 국제 평화 유지 목적에서 창설된 단체임

③ 대서양 헌장을 발표하였다. (×)
  → 제2차 세계 대전 이후 평화 유지 원칙에 대한 합의가 이루어짐

④ 뉘른베르크 재판에서 전범을 처리하였다. (○)

⑤ 샌프란시스코 회의에서 주권을 회복시켰다. (×)
  → 유엔군 연합 사령부(미군정)의 지배를 받던 일본의 주권 회복과 관련된 내용임

| | | | |
|---|---|---|---|
| 1 ① | 2 ① | 3 ④ | 4 ⑤ |
| 5 ③ | 6 ④ | | |

## 1 제1차 세계 대전의 과정

풍자화는 (가) 제1차 세계 대전에 범게르만주의와 범슬라브주의, 3국 동맹과 3국 협상이 복잡하게 얽혀 있는 상황을 묘사하였다.

오답 피하기 ① 3국 동맹의 형성은 제1차 세계 대전의 발발 이전에 이루어진 것으로 전쟁의 배경 중 하나이다.

---

자료 분석 제1차 세계 대전의 풍자화

세르비아와 오스트리아의 싸움에 러시아와 독일이 연쇄적으로 참여한 까닭은 각각 발칸반도에서 범슬라브주의와 범게르만주의로 엮여 있었기 때문이다. 여기에 더해 프랑스, 영국이 들어온 이유는 러시아와 3국 협상으로 엮여 있었기 때문이다.

---

### 쌍둥이 문제 1

**다음 단어들과 관련된 전쟁의 배경으로 옳은 것은?**

- 참호전  · 총력전  · 무제한 잠수함 작전

① 베르사유 조약이 체결되었다.
② 바이마르 공화국이 수립되었다.
③ 3국 동맹과 3국 협상이 대립하였다.
④ 볼셰비키 중심의 무장봉기가 일어났다.
⑤ 러시아에서 제정이 무너지고 임시 정부가 수립되었다.

해설 참호전, 총력전은 제1차 세계 대전의 특징이며, 무제한 잠수함 작전은 제1차 세계 대전의 과정 중에 전개된 사건이다. 제1차 세계 대전은 3국 동맹과 3국 협상이 대립하고 있는 당시 유럽의 국제 정세가 배경으로 작용하였다.

답 ③

## 2 스탈린의 사회주의 국가 건설

군수 공업, 중공업 중심의 경제 개발 5개년 계획을 추진한 소련의 (가) 인물은 스탈린이다. 스탈린은 자신의 정치적 입장에 반대하는 세력을 숙청함으로써 독재 정치 체제를 강화하였으며, 집단 농장을 추진하여 사회주의 경제 정책을 농업에 적용하고자 하였다.

오답 피하기 신경제 정책, 독일과 강화 조약 체결은 레닌의 집권 시기에 이루어졌다.

---

### 쌍둥이 문제 2

**다음 설명과 관련된 인물에 대한 설명으로 옳은 것은?**

- 제1차 세계 대전에서 독일과 강화 조약을 맺었다.
- 신경제 정책을 실시하였다.

① 코민테른을 조직하였다.
② 집단 농장을 설치하였다.
③ 베르사유 조약을 체결하였다.
④ 민족 자결주의를 발표하였다.
⑤ 경제 개발 5개년 계획을 추진하였다.

해설 제시된 설명과 관련된 인물은 레닌이다. 레닌은 국제 공산당 조직인 코민테른을 결성하고 유럽과 아시아에서 일어난 독립운동, 사회주의 운동을 지원하였다.

답 ①

## 3 파리 강화 회의

(가)는 킬 군항 수병의 반란과 바이마르 공화국의 수립으로 이어지는 과정을 다룬 신문 기사로, 제1차 세계 대전의 종전을 보여 준다. (나)는 국제 연맹의 결성과 국제 연맹의 한계점을 다루었다. (가)와 (나) 사이는 독일의 항복부터 국제 연맹 결성까지의 시기로, 파리 강화 회의가 개최되었다.

선택지 바로 보기

① 부전 조약이 체결되었다. (×)
  → (나) 이후. 1928년
② 러시아 혁명이 발생하였다. (×)
  → (가) 이전. 1917년
③ 워싱턴 회의가 개최되었다. (×)
  → (나) 이후. 1921년
④ 파리 강화 회의가 개최되었다. (○)

⑤ 무제한 잠수함 작전이 전개되었다. (×)

→ (가) 이전, 제1차 세계 대전 중

## 쌍둥이 문제 3

**다음 설명에 해당하는 단체로 옳은 것은?**

- 제1차 세계 대전의 종전 이후 세계 평화 유지를 목적으로 미국이 제안하여 만든 단체이다.
- 미국을 비롯한 강대국이 불참하고 군사적 강제력이 없었던 한계를 지녔다.

① 코민테른     ② 소비에트
③ 국제 연합     ④ 국제 연맹
⑤ 북대서양 조약 기구

해설 자료는 국제 연맹에 대한 설명이다. ③ 국제 연합은 제2차 세계 대전 이후 창설된 국제 기구이다.

답 ④

## 4 제1차 세계 대전 이후 아시아 지역의 민족 운동

제1차 세계 대전이 끝나고 (라) 중화민국에서는 5·4 운동 이후 쑨원 중심의 중국 국민당이 결성되었고, 중국 공산당 또한 결성된 상황이었다. 중국 국민당을 중심으로 제국주의 세력 타도, 군벌 타도를 목적으로 중국 공산당이 참여하는 제1차 국공 합작이 이루어졌다.

오답 피하기 ① 21개조 요구는 일본이 중국에 권익을 요구한 것이다. ② 수카르노의 국민당은 인도네시아의 독립운동과 관련 있다. ③ 네루는 인도의 민족 운동가이다. ④ 호찌민은 베트남을 중심으로 활동하였다.

더 알아보기 제1차 세계 대전 이후 아시아·아프리카의 민족 운동

| | |
|---|---|
| 베트남 | • 제1차 세계 대전에서 프랑스를 지원하는 조건으로 독립을 약속받음 → 프랑스가 약속을 이행하지 않음<br>• 호찌민이 베트남 공산당 조직 → 프랑스에 저항 |
| 인도<br>네시아 | 수카르노의 인도네시아 국민당, 이슬람 동맹 → 네덜란드의 지배에 저항 |
| 인도 | • 제1차 세계 대전 당시 영국에 협력하는 조건으로 자치권을 약속받음 → 영국이 약속을 이행하지 않음<br>• 간디(비폭력·불복종 운동), 네루(무장 투쟁) |
| 이집트 | • 제1차 세계 대전 이후 영국에 저항<br>• 영국의 수에즈 운하 군대 주둔을 조건으로 독립 인정(1922) |

## 쌍둥이 문제 4

**다음과 같은 사건이 일어나기 이전에 있었던 사실로 옳은 것은?**

- 중국 국민당과 중국 공산당의 연합 운동이다.
- 제국주의와 군벌 타도를 목표로 하였다.

① 북벌이 시작되었다.
② 5·4 운동이 전개되었다.
③ 만주 사변이 발발하였다.
④ 난징 대학살이 이루어졌다.
⑤ 장제스의 국민당이 중국을 통일하였다.

해설 자료는 제1차 국공 합작(1924)에 대한 설명이다. 5·4 운동은 1919년, 북벌 시작은 1926년, 장제스의 중국 통일은 1928년, 만주 사변은 1931년, 난징 대학살은 1937년이므로 제1차 국공 합작 이전에 일어난 사건은 5·4 운동이다.

답 ②

## 5 제2차 세계 대전의 과정

자료는 독일의 재무장과 침략 과정을 보여 주고 있다. 독일의 재무장과 주변 지역의 침략은 제2차 세계 대전의 배경이 되었다. 따라서 자료 이후에 전개된 사건은 제2차 세계 대전의 과정 중 일어난 사건이다. ㄷ. 독소 불가침 조약 → ㅁ. 독일의 폴란드 침공 → ㄴ. 스탈린그라드 전투 → ㄹ. 노르망디 상륙 작전 순으로 정리할 수 있다.

오답 피하기 ㄱ. 사라예보 사건은 제1차 세계 대전의 발단이 되었다. ㅂ. 무제한 잠수함 작전은 제1차 세계 대전 중에 전개되었다.

## 쌍둥이 문제 5

**(가), (나) 사이에 들어갈 사건으로 옳은 것은?**

(가) 독소 불가침 조약을 체결하였다.
(나) 스탈린그라드 전투에서 독일이 패배하였다.

① 국제 연맹이 결성되었다.
② 독일이 폴란드를 침공하였다.
③ 베르사유 체제가 형성되었다.
④ 노르망디 상륙 작전이 전개되었다.
⑤ 오스트리아 제국이 보스니아를 병합하였다.

(가)의 독소 불가침 조약, (나)의 스탈린그라드 전투는 모두 제2차 세계 대전과 관련 있다. ④ 노르망디 상륙 작전은 (나) 이후에 전개되었다.

②

### 6 제2차 세계 대전의 전후 처리

(가)는 독일, (나)는 일본의 전후 처리를 설명한 것이다. 일본은 중일 전쟁 중 난징에서 중국 군인과 민간인을 학살한 난징 대학살을 벌였다.

#### 선택지 바로 보기

① (가) : 진주만을 공습하였다. (×)
　→ 일본, 태평양 전쟁의 발발

② (가) : 스탈린그라드 전투에서 승리하였다. (×)
　→ 제2차 세계 대전 중 소련

③ (나) : 홀로코스트를 자행하였다. (×)
　→ 제2차 세계 대전 중 나치 독일의 유대인 학살

④ (나) : 난징에서 중국인을 학살하였다. (○)

⑤ (가), (나) : 미국이 원자 폭탄을 투하하였다. (×)
　→ 제2차 세계 대전 중 일본, 원폭 투하 이후 무조건 항복

---

#### 3일　필수 체크 전략 ❶　확인 문제　46~49쪽

| | |
|---|---|
| 1-1 ④ | 2-1 ④ |
| 3-1 ③ | 4-1 ⑤ |
| 5-1 ⑤ | 6-1 ① |
| 7-1 ③ | 8-1 ② |

### 1-1 마셜 계획

자료는 미국 대통령 트루먼의 의회 연설로, 트루먼 독트린이라고 한다. 트루먼 독트린은 동유럽의 공산화에 대응하여 서유럽에 경제적 지원을 한다는 내용을 포함하고 있으며, 이후 서유럽의 재건 비용을 지원하기 위해 마셜 계획을 추진하였다.

### 2-1 제3 세계

(가) 제3 세계는 제1 세계인 자본주의 진영, 제2 세계인 공산주의 진영 그 어느 쪽에도 속하지 않은 비동맹 노선 국가를 가리킨다. 아시아, 아프리카의 국가들은 1955년 아시아·아프리카 회의(반둥 회의)에서 냉전 체제에 속하지 않는 평화 공존을 선언하고 평화 10원칙을 발표하였다.

### 3-1 닉슨 독트린

자료는 닉슨 독트린의 내용이다. 미국 대통령 닉슨은 아시아에서의

전쟁 개입을 최소화하겠다는 선언을 하였다. 이 발표가 있기 전 쿠바 미사일 기지 문제로 위기 상황이 발생하였고, 이를 계기로 탈냉전을 모색하여 닉슨 독트린이 발표되었다. 탈냉전의 분위기에서 미국은 사회주의 국가인 중국과 국교를 수립하였다. 따라서 닉슨 독트린의 발표는 쿠바 미사일 위기와 미중 국교 수립 사이인 (다) 시기이다.

### 4-1 동유럽의 민주화

자료는 폴란드의 민주 정권 수립에 대한 것이다. 폴란드에서는 바웬사의 자유 노조가 정권을 장악하면서 공산당 일당 독재가 끝났다. 폴란드 민주화의 배경에는 소련의 고르바초프가 동유럽에 대해 간섭하지 않겠다고 선언한 것이 있다.

### 5-1 중국의 경제 성장

1960년대와 현재의 상하이 모습을 통해 경제 성장이 이루어졌음을 읽어 낼 수 있다. 중국의 경제 성장이 이루어질 수 있었던 배경에는 덩샤오핑의 개혁·개방 정책이 있다. 개혁·개방 정책은 경제특구를 지정하고 외국 회사와 자본을 유치하는 것을 내용으로 한다.

### 6-1 유럽 연합의 형성

자료의 마스트리흐트 조약은 유럽 연합 창설의 근거가 되는 조약이다. 더불어 단일 통화로 유로화를 사용하기 시작하였다.

### 7-1 68 운동

(가)는 68 운동으로, 프랑스에서 권위주의적 대학 교육에 반대하여 일어난 학생 운동이다. 이 운동은 베트남 전쟁 반대 운동, 총파업과 연계하여 대규모로 발전하였으며, 미국과 일본 등 다른 국가의 운동에도 영향을 미쳤다.

### 8-1 세계화

(가)는 세계화로, 세계가 하나의 공간으로 통합되어 상호 의존성이 심화되는 현상을 말한다. 사회주의권이 붕괴된 이후 자유 무역이 확대되었으며, 기존의 GATT를 대신하기 위해 무역과 투자의 자유를 보장하는 기구인 (나) 세계 무역 기구(WTO)를 설치하였다. (다)는 자유 무역 협정(FTA)으로, 해당 국가 간의 관세를 폐지하는 협정이다.

---

#### 3일　필수 체크 전략 ❷　확인 문제　50~51쪽

| | | | |
|---|---|---|---|
| 1 ⑤ | 2 ② | 3 ④ | 4 ③ |

### 1 제3 세계의 형성

(가) 회의는 아시아·아프리카 회의(반둥 회의)이며, 평화 10원칙을 채택하였다. 아시아·아프리카 회의가 열리기 전 중국의 저우언라이와 인도의 네루 등이 콜롬보 회의에서 평화 5원칙을 채택하였다. 이

평화 5원칙을 바탕으로 아시아·아프리카 회의가 개최되었다.

### 쌍둥이 문제 1

**다음 원칙이 가져온 결과로 옳은 것은?**

> • 평화 5원칙　　　• 평화 10원칙

① 제3 세계가 형성되었다.
② 냉전 체제가 성립되었다.
③ 국제 연맹이 창설되었다.
④ 자유 무역 체제가 형성되었다.
⑤ 독립 국가 연합이 결성되었다.

**해설** 평화 5원칙은 콜롬보 회의(1954), 평화 10원칙은 아시아·아프리카 회의(1955)에서 합의된 것이다. 이 원칙들을 바탕으로 비동맹주의 노선을 내세운 제3 세계가 형성되었다.

**답** ①

### 2 소련의 해체

해체 이후 독립 국가 연합(CIS)을 결성한 (가)는 소련이다. 소련의 해체 이전 고르바초프는 개혁(페레스트로이카)·개방(글라스노스트) 정책을 추진하였다.

**오답 피하기** 소련이 아닌 폴란드의 사례이다.

### 쌍둥이 문제 2

**(가), (나)에 들어갈 용어를 옳게 짝지은 것은?**

> • 고르바초프는 자본주의 시장 경제 요소를 받아들이는 개혁 정책인 　(가)　를 실시하였다.
> • 옐친은 소련을 해체하고 러시아 공화국과 구 소련 국가들을 중심으로 　(나)　을/를 결성하였다.

| | (가) | (나) |
|---|---|---|
| ① | 글라스노스트 | 코민포름 |
| ② | 글라스노스트 | 바르샤바 조약 기구 |
| ③ | 글라스노스트 | 독립 국가 연합 |
| ④ | 페레스트로이카 | 바르샤바 조약 기구 |
| ⑤ | 페레스트로이카 | 독립 국가 연합 |

**해설** 고르바초프가 추진한 경제 분야의 개혁 정책은 페레스트로이카이며, 구 소련 국가들이 결성한 조직은 독립 국가 연합(CIS)이다.

**답** ⑤

### 3 덩샤오핑의 개혁·개방 정책

자료는 톈안먼 광장에서 벌어진 민주화 요구 시위에 대한 것이다. 보통 선거 실시와 복수 정당제 시행은 중국의 공산당 일당 독재 체제에 대한 저항이었다. 덩샤오핑은 무력을 동원하여 시위대를 강제로 진압하였다. 따라서 (가)는 덩샤오핑으로, 자본주의 시장 경제 요소를 일부 도입한 개혁·개방 정책을 추진하였다.

### 쌍둥이 문제 3

**다음과 같이 주장한 인물에 대한 설명으로 옳은 것은?**

> "흰 고양이든 검은 고양이든 쥐만 잘 잡으면 된다."

① 문화 대혁명을 일으켰다.
② 대약진 운동을 추진하였다.
③ 개혁·개방 정책을 추진하였다.
④ 6·25 전쟁 당시 북한을 지원하였다.
⑤ 소련과 사회주의 노선을 두고 갈등을 겪었다.

**해설** 제시된 주장은 덩샤오핑의 흑묘백묘론이다. 덩샤오핑은 개혁·개방 정책을 펼쳐 중국의 경제 성장을 이루었다.

**답** ③

### 4 민권 운동

자료에서는 흑인의 생명, 자유, 재산에 대한 권리가 백인에 의해 결정된다는 점을 비판하고 있다. 또한 흑인과 백인의 권리가 동등하지 못하다는 문제점을 밝히고 있다. 탈권위주의 운동 중 인종 간 불평등 문제를 해결하기 위해 전개된 운동은 민권 운동이다. 민권 운동을 주도한 인물로는 미국의 마틴 루서 킹, 남아프리카 공화국의 넬슨 만델라 등이 있다.

**더 알아보기** 민권 운동

| 링컨 | 노예 해방령 발표 → 노예 제도의 폐지 |
|---|---|
| 민권법(1964) | 공무와 직장에서의 인종 차별 금지 |
| 투표권법(1965) | 모든 흑인에 대한 완전한 참정권 보장 |

## 쌍둥이 문제 **4**

두 인물의 공통점으로 옳은 것은?

> • 마틴 루서 킹     • 넬슨 만델라

① 흑인 민권 운동을 주도하였다.
② 신체적 자기 결정권을 주장하였다.
③ 아파르트헤이트 반대 운동을 벌였다.
④ 권위주의적 대학 교육에 반대하였다.
⑤ 가사 노동과 육아 문제를 공론화하였다.

**해설** 마틴 루서 킹과 넬슨 만델라는 흑인 민권 운동을 주도한 인물이다. ③ 넬슨 만델라에만 해당된다.
**답** ①

| **2주차** 마무리 | **누구나 합격 전략** | | **52~53쪽** |
|---|---|---|---|
| 01 ③ | 02 (1) 2월 혁명 (2) 소비에트 | | 03 ③ |
| 04 ② | 05 ④ | 06 ① | 07 ④ |
| 08 ⑤ | | | |

### 01 제1차 세계 대전

(가)는 사라예보 사건, (나)는 독일과 러시아의 강화 조약 체결을 설명한 것이다. (가) 사라예보 사건이 발단이 되어 제1차 세계 대전이 시작되었고, 전쟁 도중 러시아에서 혁명이 일어나자 독일과 단독 강화를 맺었다. (가), (나) 사이에는 독일이 무제한 잠수함 작전이 들어갈 수 있다.

**선택지 바로 보기**

① 국제 연맹이 창설되었다. (×)
　→ (나) 이후
② 독일이 해외 식민지를 상실하였다. (×)
　→ (나) 이후, 베르사유 조약의 체결 결과 독일에 내려진 조치
③ 독일이 무제한 잠수함 작전을 펼쳤다. (○)
④ 연합국이 노르망디 상륙 작전을 전개하였다. (×)
　→ (나) 이후, 제2차 세계 대전
⑤ 미국 대통령 윌슨이 14개조 평화 원칙을 발표하였다. (×)
　→ (나) 이후, 14개조 평화 원칙을 바탕으로 파리 강화 회의 개최

### 02 러시아 혁명

로마노프 왕조의 제정이 붕괴되고 임시 정부가 수립된 사건은 러시아

2월 혁명이다. 2월 혁명의 전개 과정에서는 노동자, 농민, 군인 등이 평의회에 해당하는 소비에트를 조직하였다. 이후 소비에트가 중심이 되어 혁명을 일으켰고, 그 결과 임시 정부가 무너지고 소비에트 정부가 수립되었다.

### 03 국제 연맹

자료의 그림은 제1차 세계 대전 이후 미국이 제안한 국제 연맹에 미국이 참여하지 않는 모습을 보여 준다. 이를 통해 국제 연맹의 한계점으로 미국을 비롯한 강대국이 참여하지 않았다는 점을 파악할 수 있다. 따라서 밑줄 친 '조직'은 국제 연맹이다. 국제 연맹의 성립(1920)은 베르사유 조약 체결(1919)과 워싱턴 회의 개최(1921) 사이인 (다) 시기에 이루어졌다.

### 04 제2차 세계 대전

홀로코스트는 나치 독일이 제2차 세계 대전 도중 저지른 유대인 대학살을 말한다.

**오답 피하기** ② 베르사유 조약은 제1차 세계 대전 이후 전승국인 연합국과 독일 사이에 맺은 조약으로, 독일에 전쟁의 책임을 지우도록 하는 것을 핵심 내용으로 한다.

### 05 냉전 체제

자료의 첫 번째 사례는 베를린 봉쇄, 두 번째 사례는 한국의 6·25 전쟁이다. 베를린 봉쇄와 6·25 전쟁은 모두 냉전 체제 아래에서 자본주의 진영과 공산주의 진영이 충돌한 사건이다. 따라서 두 사건의 배경은 자본주의 진영과 사회주의 진영의 대립으로 정리할 수 있다.

**오답 피하기** ③ 국민당과 공산당 사이에 벌어진 내전은 중국의 국공 내전이다. 국공 내전도 냉전 질서 속 하나의 사례에 해당한다. 따라서 두 사건의 배경으로 보기 어렵다.

**더 알아보기** 베를린 봉쇄

영국, 프랑스, 미국의 서독 지구가 공동 화폐를 발행한 것을 계기로 소련이 베를린으로 향하는 교통로를 차단한 사건이다. 베를린 봉쇄의 목적은 미국, 영국, 프랑스가 장악한 서베를린에 대한 관할권을 포기하게 하는 것이었다. 그러나 미국이 수송기를 이용하여 식량과 연료 등을 공수하면서 소련의 베를린 봉쇄는 실패로 끝났다.

### 06 제3 세계

자본주의 진영과 공산주의 진영 그 어디에도 포함되지 않은 독자 세력인 (가)는 제3 세계이다. 제3 세계의 형성은 미국과 소련 중심의 양극 체제에 균열을 가하였으며, 이후 탈냉전 흐름의 배경으로 자리 잡았

다. 따라서 제3 세계의 형성이 미친 영향으로는 냉전 체제 완화이다.

## 07 탈냉전

자료는 미국 대통령 닉슨의 중국 방문에 대한 설명이다. 자본주의 진영의 미국 대통령인 닉슨이 사회주의 진영인 중국에 직접 방문한 일은 탈냉전의 흐름을 보여 준다. 닉슨의 중국 방문 이후 자료와 관련하여 발생한 사건으로 가장 적합한 것은 미국과 중국의 정식 국교 수립이다.

## 08 신자유주의

자료는 1970년대 석유 파동에 대한 설명이다. 석유 파동으로 경제 불황을 맞은 영국과 미국은 복지 중심의 정책에서 경제 성장 중심의 정책으로 방향을 수정하였다. 국가의 지출을 줄이고 공기업의 민영화를 추진하였다. 이는 신자유주의 정책에 해당한다. 이외에도 복지 비용의 지출을 줄이고 세금을 감면하였다.

| 2주차 마무리 | 창의·융합·코딩 전략 | | 54~57쪽 |
|---|---|---|---|
| 1 ③ | 2 ② | 3 ④ | 4 ④ |
| 5 ① | 6 ① | 7 ④ | 8 ③ |
| 9 ① | | | |

## 1 제2차 세계 대전

온라인 수업 화면에 있는 상징은 나치 독일의 하켄크로이츠이다. 교사의 말풍선에서 독일의 폴란드 침공을 통해 말풍선 안의 밑줄 친 '전쟁'이 제2차 세계 대전임을 유추할 수 있다.

오답 피하기 ① 바이마르 공화국의 붕괴는 히틀러의 나치당이 집권한 것과 관련 있으며, 제2차 세계 대전 이전에 일어났다. ②, ④, ⑤는 제1차 세계 대전과 관련 있다.

## 2 평화를 위한 노력

1번 문제 : 제1차 세계 대전의 결과 국제 평화 유지를 목적으로 국제 연맹을 창설할 것에 합의하였고, 이에 따라 국제 연맹이 조직되었다. 따라서 맞는 설명이다.
2번 문제 : 국제 분쟁을 평화적 수단으로 해결하는 것에 합의한 것은 부전 조약이다. 워싱턴 회의는 군비 축소 회의이므로 틀린 설명이다.
3번 문제 : 제2차 세계 대전 중 대서양 헌장이 발표되어 평화 수립 원칙에 합의하였으므로 맞는 설명이다.

## 3 신자유주의 정책

제시어 신자유주의를 보고 (가)의 질문을 했을 때 "네, 그렇습니다."라는 대답이 나오려면 신자유주의에 대한 옳은 설명이 질문으로 제시되어야 한다.

오답 피하기 ④ 정부가 시장 경제에 개입한 정책에는 대공황 이후 미국이 실시한 뉴딜 정책이 있다. 신자유주의 정책은 국가가 시장 경제에 개입하는 것을 지양한다.

## 4 탈냉전의 과정

탈냉전의 사례에 해당하는 내용이 (가)에 포함되어야 한다. 전략 무기 제한 협정의 체결은 미국과 소련 양국이 핵무기를 두고 전개되는 군사력 경쟁과 긴장 상태를 완화하고자 이루어졌다. 전략 무기 제한 협정의 체결로 냉전 체제의 대립 분위기는 완화되었으며, 이는 탈냉전의 사례에 해당한다.

## 5 러시아 혁명

소련(소비에트 사회주의 공화국 연방)을 수립하고 독일과 강화 조약을 체결한 인물은 레닌이다.

오답 피하기 ㄷ, ㄹ은 스탈린의 통치 시기에 이루어졌다.

## 6 중국의 민족 운동

첫 번째 스토리 장면은 5·4 운동이다. 세 번째 스토리 장면은 장제스의 중국 통일을 보여 준다. (가)는 5·4 운동과 장제스의 중국 통일(국민 혁명) 사이 시기로, 쑨원의 주도 아래 제1차 국공 합작이 이루어졌다.

선택지 바로 보기
① 국공 합작을 추진하는 쑨원 (○)
② 교회를 공격하는 의화단 단원 (×)
  → 의화단 운동(1900), 5·4 운동 이전
③ 소비에트 정부를 세우는 레닌 (×)
  → 러시아 10월 혁명, 5·4 운동 이전
④ 민족 자결주의를 발표하는 윌슨 (×)
  → 5·4 운동의 배경이 되는 사건
⑤ 난징 대학살을 일으키는 일본군 (×)
  → 중일 전쟁 시기(1937), 장제스의 중국 통일 이후

## 7 민주주의의 확산

제1차 세계 대전 이후 모든 인원이 전쟁에 참여하는 총력전이 이루어지면서 보통 선거권이 확산되었다. 또한 총력전의 상황에서 여성도 지원하면서 여성 참정권 운동이 일어나 여성의 투표권을 획득하였다.

## 8 냉전 체제

자본주의 진영의 마셜 계획, 북대서양 조약 기구에 맞서 공산주의 진영에서는 코민포름, 코메콘, 바르샤바 조약 기구를 조직하였다. 한편 미국, 영국, 프랑스가 서독 지역에서 공동 화폐를 발행하려는 움직임을 보이자 소련은 베를린을 봉쇄하는 조치를 취하였다. 공산주의 진

영과 관련된 내용은 1, 3, 4, 5이므로 비밀번호는 1345가 된다.

## 9 중국의 개혁·개방

대약진 운동의 실패 이후 마오쩌둥은 자신의 권력을 강화하기 위한 목적으로 문화 대혁명을 추진하였다. 문화 대혁명의 중심 세력은 청소년을 중심으로 한 홍위병이었다.

---

| BOOK 2 마무리 | 신유형·신경향·서술형 전략 | 60~63쪽 |
|---|---|---|

| 1 ① | 2 ② | 3 ⑤ | 4 ③ |
|---|---|---|---|

신유형 전략

## 01 동아시아의 개항

(가)는 난징 조약(1840)으로, 광저우 등의 항구를 개항하고 공행 무역을 폐지하도록 한 조항을 통해 알 수 있다. (나)는 미일 수호 통상 조약(1858)으로, 미일 화친 조약(1854) 이후 추가 개항, 협정 관세, 영사 재판권 등의 조항을 담아 체결한 조약이다. A는 난징 조약의 특징, B는 미일 수호 통상 조약의 특징, C는 두 조약의 공통점이다. 두 조약의 공통점 C는 서양 국가와 맺은 불평등 조약이라는 점이다.

선택지 바로 보기

① A : 영국에 홍콩을 할양하였다. ( ○ )
② A : 베이징에 외국 군대가 주둔하게 되었다. ( × )
  → 의화단 운동 이후 맺은 신축조약
③ B : 최혜국 대우를 인정하였다. ( × )
  → 미일 화친 조약
④ B : 한반도 지배권을 인정하였다. ( × )
  → 가쓰라·태프트 밀약(미국), 제2차 영·일 동맹(영국), 포츠머스 조약(러시아)
⑤ C : 외교권을 박탈하고 통감부를 설치하였다. ( × )
  → 일본이 대한 제국에 강요한 을사늑약

---

## 02 제1차 세계 대전

(가)는 총력전이다. 국가의 주도로 활용할 수 있는 인적·물적 자원을 모두 동원한 점은 제1차 세계 대전의 특징 중 하나이다. (나)는 제1차 세계 대전 사상자 그래프를 선택하는 것이 적절하다. 신무기의 사용으로 사상자가 크게 늘어났다는 탐구 내용을 고려할 때 사상자의 규모를 파악할 수 있는 자료가 필요하다.

오답 피하기 ① 사라예보 사건을 알리는 신문 기사는 제1차 세계 대전의 시작에 대한 정보를 파악할 수 있는 자료이다.

신경향 전략

## 03 산업 혁명

젠트리와 노동자의 등장은 산업 혁명과 관련된 것으로, (가)는 산업 혁명이다. 산업 혁명은 기계의 발명과 증기 기관의 개량을 통한 동력 혁명으로 공장에서 대규모로 물건을 생산하는 공장제 기계 공업의 생산 방식이 나타난 현상을 의미한다.

선택지 바로 보기

① 항해법을 제정하여 대외 무역을 확대하였다. ( × )
  → 영국 혁명 중 크롬웰의 독재 정치 시기
② 부패 선거구를 폐지하는 선거법 개정을 하였다. ( × )
  → 영국의 제1차 선거법 개정(1832)
③ 인민헌장을 발표하고 차티스트 운동을 전개하였다. ( × )
  → 제1차 선거법 개정 이후 노동자들의 보통 선거권 요구
④ 곡물법을 폐지하고 자유주의 경제 체제를 확립하였다. ( × )
  → 19세기 영국의 자유주의 경제 정책
⑤ 생산 방식이 공장제 수공업에서 공장제 기계 공업으로 바뀌었다. ( ○ )

---

## 04 제2차 세계 대전

제시된 가상 카드 뉴스는 독소 불가침 조약의 체결을 다루고 있다. 독소 불가침 조약은 제2차 세계 대전이 발발하기 직전에 맺어졌다. 파리 강화 회의는 1919년, 워싱턴 회의는 1921~22년, 노르망디 상륙 작전은 1944년, 베를린 봉쇄는 1948~49년이며, 독소 불가침 조약은 1939년이므로 연표에서 (다) 시기에 해당한다.

서술형 전략

## 01 미국 연방 헌법

(1) 연방 헌법
(2) 모범 답안 삼권 분립 체제이다. 연방주의에 입각한 체제이다. 국민의 대표인 대통령을 선출하는 공화정 체제이다.

핵심 단어 삼권 분립, 연방, 공화정

| 채점 기준 | 구분 |
|---|---|
| 핵심 단어를 모두 사용하여 미국 연방 헌법의 특징을 서술한 경우 | 상 |
| 핵심 단어를 두 가지만 사용하여 미국 연방 헌법의 특징을 서술한 경우 | 중 |
| 핵심 단어를 한 가지만 사용하여 미국 연방 헌법의 특징을 서술한 경우 | 하 |

## 02 프랑스 2월 혁명

(1) (프랑스) 2월 혁명
(2) 모범 답안 중하층 시민과 노동자 계층의 투표권 확대 요구가 배경이 되어 2월 혁명이 일어났다. 그 결과 루이 필리프를 추방하고 공화

정을 수립하였다. 2월 혁명의 영향으로 빈 체제가 붕괴되었다.

핵심 단어 투표권, 공화정, 빈 체제 붕괴

| 채점 기준 | 구분 |
|---|---|
| 핵심 단어를 모두 사용하여 2월 혁명의 배경, 결과, 영향 세 가지를 서술한 경우 | 상 |
| 핵심 단어 중 두 가지만 사용하여 2월 혁명의 배경, 결과, 영향 중 두 가지를 서술한 경우 | 중 |
| 핵심 단어 중 한 가지만 사용하여 2월 혁명의 배경, 결과, 영향 중 한 가지를 서술한 경우 | 하 |

## 03 태평천국 운동

(1) 태평천국 운동

(2) 모범 답안 남녀평등을 주장하였다. 토지의 균등 분배를 주장하였다.

핵심 단어 남녀평등, 토지 균등 분배

| 채점 기준 | 구분 |
|---|---|
| 핵심 단어를 모두 사용하여 태평천국 운동 세력의 주장을 서술한 경우 | 상 |
| 핵심 단어 중 한 가지만 사용하여 태평천국 운동 세력의 주장을 서술한 경우 | 하 |

## 04 제국주의

(1) (가) 사회 진화론 (나) 인종주의

(2) 모범 답안 제국주의 / 군사적, 경제적으로 약소국을 침략하여 식민지로 삼은 팽창 정책이다.

핵심 단어 제국주의, 침략, 식민지, 팽창

| 채점 기준 | 구분 |
|---|---|
| 핵심 단어를 모두 사용하여 제국주의의 의미를 서술한 경우 | 상 |
| 핵심 단어 중 두 가지만 사용하여 제국주의의 의미를 서술한 경우 | 중 |
| 핵심 단어 중 한 가지만 사용하여 제국주의의 의미를 서술한 경우 | 하 |

## 05 국제 연맹

(1) 국제 연맹

(2) 모범 답안 미국을 비롯한 강대국이 불참하였다. 군사력을 보유하지 못했기 때문에 국제 연맹의 결정은 강제력이 없었다.

핵심 단어 강대국 불참, 강제력

| 채점 기준 | 구분 |
|---|---|
| 핵심 단어를 모두 사용하여 국제 연맹의 한계점을 서술한 경우 | 상 |
| 핵심 단어 중 한 가지만 사용하여 국제 연맹의 한계점을 서술한 경우 | 하 |

## 06 대공황

(1) 대공황

(2) 모범 답안 미국은 뉴딜 정책을 추진하여 국가가 시장 경제에 직접 개입하였다. 영국과 프랑스는 블록 경제를 실시하여 본국과 식민지를 하나의 경제권으로 묶었다. 독일, 이탈리아, 일본 등은 전체주의 세력이 정권을 잡고 주변 국가를 침략하였다.

핵심 단어 뉴딜 정책(미국), 블록 경제(영국 또는 프랑스), 전체주의, 침략 전쟁

| 채점 기준 | 구분 |
|---|---|
| 핵심 단어를 모두 사용하여 각 나라의 대공황 해결 방안을 서술한 경우 | 상 |
| 핵심 단어 중 두 가지만 사용하여 각 나라의 대공황 해결 방안을 서술한 경우 | 중 |
| 핵심 단어 중 한 가지만 사용하여 각 나라의 대공황 해결 방안을 서술한 경우 | 하 |

## 07 제2차 세계 대전의 전쟁 범죄와 전후 처리

(1) 홀로코스트

(2) 모범 답안 독일 / 전쟁 후 독일에 대해 연합국은 미국·영국·프랑스·소련 4개국이 영토를 분할 점령하였다. 뉘른베르크 재판을 통해 전범을 처벌하였다.

핵심 단어 독일, 영토 분할 점령, 뉘른베르크 재판, 전범 처리

| 채점 기준 | 구분 |
|---|---|
| 핵심 단어를 모두 사용하여 독일의 전후 처리 내용을 서술한 경우 | 상 |
| 핵심 단어 중 두 가지만 사용하여 독일의 전후 처리 내용을 서술한 경우 | 중 |
| 핵심 단어 중 한 가지만 사용하여 독일의 전후 처리 내용을 서술한 경우 | 하 |

## 01 프랑스 혁명의 전개 과정

(가)~(다)는 프랑스의 사건과 관련된 자료이다. 이를 일어난 순서대로 옳게 나열한 것은?

> (가) 프랑스 황제 나폴레옹은 …… 이에 우리는 다음의 결정을 공포하는 바이다.
>   1. 영국 모든 섬에 대한 봉쇄를 선포한다.
>   2. 영국과의 모든 교역과 서신 왕래를 금지한다.
> (나) 이 순간부터 적을 공화국의 땅에서 몰아낼 때까지, 모든 프랑스인은 군대 복무를 위해 영구 징병될 수 있다. ……
> (다) ○○○○은/는 봉건제를 완전히 폐지한다. …… 인신적·물적 양도 불능에 관련된 것들, 인신적 예속에 관련된 것들 그리고 그러한 권리와 의무를 대변하는 것들은 보상 없이 폐지될 것이다. ……

① (가) – (나) – (다)
② (나) – (가) – (다)
③ (나) – (다) – (가)
④ (다) – (가) – (나)
⑤ (다) – (나) – (가)

★★ 문제 해결 Point 쏙쏙
• 국민 의회 : 봉건적 특권 폐지 선언 발표
• 국민 공회 : 징병제 실시
• 제1 제정 : 대륙 봉쇄령 발표

**자료 바로 알기**
(가) : 나폴레옹이 영국에 대한 봉쇄를 선포함
  ↳ 영국의 세력 약화를 위해 대륙 봉쇄령을 발표함
(나) : 공화정이 선포된 상황이며, 징병제가 실시됨
  ↳ 국민 공회가 공화정을 선포하고 징병제를 실시함
(다) : 봉건제의 완전 폐지를 선언함
  ↳ 국민 의회가 봉건적 특권 폐지를 선언함
순서 : (다) 국민 의회 → (나) 국민 공회 → (가) 제1 제정

## 02 미국 혁명

밑줄 친 '우리'가 일으킨 사건에 대한 설명으로 가장 적절한 것은?

> 우선 의회에서 제정한 인지세법을 보자. 이 법으로 극히 파괴적으로 위헌적인 세금이 우리에게 부과된 것이다. …… 우리가 자유민인 이상, 스스로 또는 대리자를 통해 찬성한 것이 아니면 어떠한 세금도 부과할 수 없다고 늘 생각해 왔다. ……

① 권리 장전을 승인하였다.
② 내각 책임제를 실시하였다.
③ 링컨이 노예 해방 선언을 발표하였다.
④ 삼권 분립의 민주 공화정을 수립하였다.
⑤ 신분별 투표 대신 머릿수 투표를 요구하였다.

★★ 문제 해결 Point 쏙쏙

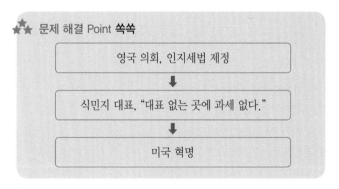

**용어 +**
• 인지 : 수수료, 세금 등을 낸 것을 증명하기 위한 종이 표. 영국은 아메리카 식민지의 신문, 페인트 등의 상품에 인지를 붙여 세금을 붙이는 인지세법을 도입하였다.

## 03 라틴아메리카의 독립

**자료와 관련된 지역에서 전개된 독립운동에 대한 설명으로 옳은 것은?**

> 미국의 권익과 관련된 원칙으로, 자유와 독립을 확보하고 유지해 온 아메리카 대륙은 향후 유럽 열강에 의해 식민의 대상으로 간주될 수 없음을 선언한다. …… 그리고 우리가 독립을 승인한 정부에 대해, 유럽 국가가 그들 정부를 억압하거나 그들의 운명을 통제하려는 간섭을 할 경우 미국에 대한 비우호적 의도를 드러낸 것으로 볼 것이다. ……

① 대륙 회의에서 독립 선언을 발표하였다.
② 루이 필리프를 몰아내고 공화정을 수립하였다.
③ 프로이센을 중심으로 관세 동맹을 결성하였다.
④ 크리오요가 중심이 되어 독립운동을 주도하였다.
⑤ 프랑스의 지원을 받아 오스트리아와의 전쟁에서 승리하였다.

★★ **문제 해결 Point 쏙쏙**
- 먼로 선언 : 미국, 유럽 국가의 아메리카에 대한 간섭 배제 선언 → 라틴아메리카에 대한 독립 지지
- 라틴아메리카의 독립 : 크리오요 주도

**선택지 바로 알기**
① 대륙 회의에서 독립 선언을 발표하였다.
  ㄴ 미국 혁명에 대한 설명임
⑤ 프랑스의 지원을 받아 오스트리아와의 전쟁에 승리하였다.
  ㄴ 사르데냐의 재상 카보우르가 중부와 북부 이탈리아를 통일한 과정임

**개념 +**
자료는 라틴아메리카의 통일에 영향을 미친 먼로 선언이다. 유럽의 보수 세력이 라틴아메리카를 식민지로 돌리려는 시도에 맞서 유럽의 간섭을 물리치기 위해 발표하였다.

## 04 프랑스의 자유주의 운동

**자료를 배경으로 일어난 사건의 결과로 옳은 것은?**

> 신의 은혜로 프랑스 왕인 샤를이 아래의 여러 조항을 너희 백성들에게 명한다.
> 정기 간행물 발행의 자유는 정지된다. …… 어떠한 신문, 정기 간행물, 준 정기 간행물도 …… 저작자와 인쇄자가 각각 따로 당국의 허가를 받지 않고는 발행될 수 없다.
> 하원은 해산한다. …… 향후 의회에서 하원 의원의 수를 줄인다. ……

① 공화정을 수립하였다.
② 통령 정부를 수립하였다.
③ 루이 필리프를 왕으로 추대하였다.
④ 크롬웰이 독재 정치를 실시하였다.
⑤ 로베스피에르가 공포 정치를 실시하였다.

★★ **문제 해결 Point 쏙쏙**
- 7월 혁명의 배경 : 샤를 10세의 전제 정치
- 샤를 10세의 전제 정치 : 언론 탄압, 의회 해산
- 7월 혁명의 결과 : 루이 필리프 추대, 입헌 군주제 수립

**선택지 바로 알기**
① 공화정을 수립하였다.
  ㄴ 프랑스 2월 혁명의 결과임
② 통령 정부를 수립하였다.
  ㄴ 나폴레옹의 쿠데타로 총재 정부가 붕괴되고 수립됨
⑤ 로베스피에르가 공포 정치를 실시하였다.
  ㄴ 프랑스 혁명 중 국민 공회 시기에 해당함

## 05 독일의 통일

**자료가 발표된 시기를 연표에서 옳게 고른 것은?**

> 비록 빈약한 우리 몸보다 군비가 너무 무겁다고 해도 그것이 우리에게 이롭다면 우리는 그것에 익숙해지려는 정열을 가져야 합니다. 독일이 당면 과제를 수행하기 위해 눈여겨보아야 할 것은 프로이센의 자유주의가 아니라 군비일 것입니다. …… 문제의 해결은 무엇보다도 '철과 피'를 통해 가능합니다.

| (가) | (나) | (다) | (라) | (마) |
|------|------|------|------|------|
| 관세 동맹 체결 | 프랑크푸르트 의회 개최 | 북독일 연방 결성 | 독일 제국 수립 | |

① (가)　　② (나)　　③ (다)　　④ (라)　　⑤ (마)

### ★★ 문제 해결 Point 쏙쏙
- **철혈 정책** : 비스마르크의 통일 정책
- 철혈 정책 연설 이후 오스트리아와의 전쟁에서 승리 → 북독일 연방 결성

### 연표 바로 알기
관세 동맹 체결(1834) → 프랑크푸르트 의회 개최(1848) → 북독일 연방 결성(1867) → 독일 제국 수립(1871)

### 개념 +
자료에서 말하는 프로이센의 자유주의는 독일의 통일 방안을 논의한 프랑크푸르트 의회에서 나온 것이다. 비스마르크는 이것보다는 '철과 피', 즉 군비 증강이라는 철혈 정책을 통해 통일을 이룰 수 있다고 생각하였다.

---

## 06 산업 혁명의 사회 문제 해결 노력

**대화는 19세기 영국 의회의 보고서 내용이다. 대화와 같은 종류의 문제를 해결하기 위한 노력을 l 보기 l에서 모두 고르면?**

> 의원 : 몇 살 때 공장 일을 시작하였나요?
> 노동자 : 6세 때입니다.
> 의원 : 작업 시간은 몇 시부터 몇 시까지였습니까?
> 노동자 : 일이 밀릴 때에는 새벽 다섯 시부터 저녁 아홉 시까지 일하였습니다.
> 의원 : 일을 잘못하거나 늦을 때 어떤 일을 당하였습니까?
> 노동자 : 허리띠로 맞았습니다.

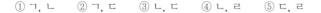

┌─ 보기 ┐
ㄱ. 공장법을 제정하였다.
ㄴ. 노동조합을 결성하였다.
ㄷ. 사회 진화론을 제시하였다.
ㄹ. 자유방임주의를 주장하였다.

① ㄱ, ㄴ　　② ㄱ, ㄷ　　③ ㄴ, ㄷ　　④ ㄴ, ㄹ　　⑤ ㄷ, ㄹ

### ★★ 문제 해결 Point 쏙쏙
- 산업 혁명 시기 노동 문제 : 아동 노동, 저임금, 장시간 노동
- 노동 문제 해결 노력 : 공장법 제정, 노동조합 결성

### 선택지 바로 알기
ㄱ. 공장법을 제정하였다.
　└ 영국에서 공장법을 제정하여 어린이와 부녀자의 노동 시간에 제한을 둠
ㄴ. 노동조합을 결성하였다.
　└ 노동자의 임금 인상과 지위 향상을 위해 노력함
ㄷ. 사회 진화론을 제시하였다.
　└ 제국주의를 뒷받침하는 사상임
ㄹ. 자유방임주의를 주장하였다.
　└ 노동자의 권리 보장 및 보호와는 거리가 멂

### 개념 +
- **자유방임주의** : 애덤 스미스의 이론으로, 국가(정부)의 간섭을 최소화하고 시장을 통한 자유로운 경제 활동을 보장하면 국가의 경제 성장이 이루어진다는 내용을 담고 있다.

## 07 서아시아의 민족 운동

**(가) 나라에 대한 설명으로 옳은 것은?**

> • 18세기 후반 아라비아반도에서는 이슬람교의 근본 교리와 경전인 『쿠란』으로 돌아가자는 운동이 일어났다. 이 운동은 아랍인의 민족 의식을 자극하여 (가) 에 저항하는 민족 운동으로 발전하였다.
> • (가) 의 지배를 받던 이집트에서는 나폴레옹의 침공을 계기로 독립의 움직임이 일어났다. 나폴레옹 군대가 물러나고 이집트 총독이 된 무함마드 알리는 근대화 정책을 추진하는 과정에서 (가) (으)로부터 자치권을 얻었다.

① 탄지마트를 추진하였다.
② 와하브 운동을 전개하였다.
③ 수에즈 운하를 건설하였다.
④ 담배 불매 운동을 전개하였다.
⑤ 영국, 러시아에 분할 통치되었다.

⭐⭐ **문제 해결 Point 쏙쏙**
> • 와하브 운동 : 아랍 민족주의와 결합, 오스만 제국에 저항하는 운동으로 발전
> • 이집트의 독립 : 오스만 제국으로부터 자치권 획득
> • 오스만 제국 : 유럽식 근대화 개혁인 탄지마트 추진

**선택지 바로 알기**
③ 수에즈 운하를 건설하였다.
    ∟ 이집트가 건설한 이후 영국, 프랑스의 내정 간섭을 받음
④ 담배 불매 운동을 전개하였다.
    ∟ 이란 카자르 왕조가 영국에 넘긴 이권을 되찾으려고 전개함
⑤ 영국, 러시아에 분할 통치되었다.
    ∟ 이란이 입헌 혁명 실패 이후 분할됨

## 08 중국의 양무운동

**자료와 관련된 근대화 운동에 대한 설명으로 옳은 것은?**

> 중국의 문물 제도는 해외 야만의 풍속과는 전혀 다르고, 세상을 잘 다스리고 나라를 유지하는 방법은 당연히 원래부터 존재하고 있습니다. 하지만 위기를 안정으로 돌리고 허약함을 강력함으로 바꾸는 길은 오로지 기계를 모방하여 만드는 데서 비롯됩니다. …… 외국인의 좋은 기술을 취하여 중국의 좋은 기술로 삼으면 서로 비교해 보아도 모자람이 없게 될 것입니다.

① 폐번치현을 단행하였다.
② 의회제를 도입하고자 하였다.
③ 양전·지계 사업을 실시하였다.
④ 일본의 메이지 유신을 모델로 하였다.
⑤ 중체서용론에 따라 개혁을 추진하였다.

⭐⭐ **문제 해결 Point 쏙쏙**
> • 양무운동 : 중체서용론에 따른 개혁
> • 중체서용론 : 중국의 제도 유지, 서양의 군사 기술 수용

**선택지 바로 알기**
① 폐번치현을 단행하였다.
    ∟ 일본 메이지 정부가 추진한 근대화 개혁의 내용임
③ 양전·지계 사업을 실시하였다.
    ∟ 대한 제국이 추진한 광무 개혁의 내용임
④ 일본의 메이지 유신을 모델로 하였다.
    ∟ 변법자강 운동이 메이지 유신을 모델로 삼아 의회제와 입헌 군주제를 도입하고자 함

## 09 인도 국민 회의

**자료와 관련된 민족 운동이 일어난 배경으로 가장 적절한 것은?**

> 1. 진정한 자치는 스스로를 다스리는 것 또는 스스로를 제어하는 것입니다.
> 2. 그렇게 하는 방법은 간접적인 저항이며, 곧 영혼의 힘 또는 사랑의 힘입니다.
> 3. 힘을 발휘하기 위해서는 모든 면에서의 스와데시가 필수입니다.
> 4. 우리가 하고자 하는 일은 성취되어야 합니다. …… 우리는 그들의 기계제 물건과 영어 그리고 많은 영국 물건을 사용해서는 안 됩니다. ……
>
> — 「○○의 스와라지」 —

① 벵골 분할령이 발표되었다.
② 수에즈 운하가 건설되었다.
③ 플라시 전투에서 영국이 승리하였다.
④ 청년 튀르크당이 헌법을 부활시켰다.
⑤ 세포이가 동인도 회사에 저항하였다.

## 10 일본의 메이지 유신

**자료가 발표된 이후 추진된 개혁의 내용으로 옳은 것을 I 보기 I에서 모두 고르면?**

> 도쿠가와 쇼군이 지금까지 위임받았던 정권을 반환하고 쇼군직을 사퇴하겠다는 두 안건을 (천황께서) 이번에 단호히 받아들이셨다. …… 지금부터 섭정, 관백, 막부 등을 폐지하고 우선 임시로 총재, 의정, 참여의 3직을 두어 (천황께서) 여러 가지 정치를 행하실 것이다.

┌─ 보기 ┐
ㄱ. 막부를 강화하였다.
ㄴ. 중등 교육을 의무화하였다.
ㄷ. 봉건적 신분제를 폐지하였다.
ㄹ. 번을 폐지하고 현을 설치하였다.
└──────┘

① ㄱ, ㄴ    ② ㄱ, ㄷ    ③ ㄴ, ㄷ    ④ ㄴ, ㄹ    ⑤ ㄷ, ㄹ

## 11 일본의 제국주의화

다음 조약이 맺어진 시기를 연표에서 옳게 고른 것은?

> 제2조 한국 정부는 지금부터 일본국 정부의 중개를 거치지 않고서는 국제적 성질을 가진 어떤 조약이나 약속을 맺지 않을 것을 서로 약속한다.
>
> 제3조 그 대표자로 한국 황제 폐하 밑에 1명의 통감을 두되, 오로지 외교에 관한 사항을 관리한다.

| (가) | (나) | (다) | (라) | (마) |
|------|------|------|------|------|
| 메이지 유신 | 청일 전쟁 | 가쓰라·태프트 밀약 | 포츠머스 조약 체결 | |

① (가)    ② (나)    ③ (다)    ④ (라)    ⑤ (마)

★★ 문제 해결 Point 쏙쏙
- 러일 전쟁의 결과 : 포츠머스 조약을 맺은 이후 일본이 대한 제국에 을사늑약을 강제함
- 을사늑약 : 대한 제국의 외교권 박탈, 통감부 설치

**연표 바로 알기**

메이지 유신(1868) → 청일 전쟁(1894~95) → 가쓰라·태프트 밀약(1905. 7.) → 포츠머스 조약 (1905. 9.) → 을사늑약(1905. 11.)

개념 +
- **가쓰라·태프트 밀약** : 일본이 필리핀을 미국의 식민지로, 미국이 한반도를 일본의 식민지로 삼는 것을 인정한 비밀 조약이다.

## 12 쑨원의 삼민주의

밑줄 친 '나'의 활동으로 옳은 것은?

> 나는 유럽과 미국의 진화가 3대 주의와 밀접한 관련이 있다고 생각한다. 로마가 멸망하자 민족주의가 일어나 유럽 각국이 독립하였다. 이후 각국이 제국으로 나아가 전제 정치를 행하자 백성이 그 고통을 견디지 못해 민권주의가 일어났다. …… 세계 문명이 개화하고 문물이 발달하면서 최근 백 년간이 지난 천 년간보다 훨씬 빠르게 진전되었다. 이에 경제 문제가 정치 문제의 뒤를 이어 일어나 민생주의가 두드러지게 되었다.
>
> – 「민보」 발간사 –

① 만민 공동회를 개최하였다.
② 중국 동맹회를 조직하였다.
③ 의회 설립과 입헌 군주제를 추진하였다.
④ 급진 개화파를 중심으로 갑신정변을 일으켰다.
⑤ 천조전무 제도를 발표하여 토지의 균등 분배를 주장하였다.

★★ 문제 해결 Point 쏙쏙
- 삼민주의 : 민족주의, 민권주의, 민생주의
- 쑨원 : 삼민주의를 중국 동맹회의 강령으로 삼음

**선택지 바로 알기**
① 만민 공동회를 개최하였다.
   └ 독립 협회가 신분에 상관없이 참여하는 토론회를 개최함
③ 의회 설립과 입헌 군주제를 추진하였다.
   └ 캉유웨이, 량치차오 등이 추진한 변법자강 운동임
④ 급진 개화파를 중심으로 갑신정변을 일으켰다.
   └ 김옥균, 박영효 등을 중심으로 추진된 조선의 근대 정치 개혁 운동임
⑤ 천조전무 제도를 발표하여 토지의 균등 분배를 주장하였다.
   └ 홍수전을 중심으로 한 태평천국 운동 세력이 주장함

| 01 ① | 02 ⑤ | 03 ④ | 04 ④ | 05 ① | 06 ③ | 07 ③ | 08 ① |
| 09 ⑤ | 10 ⑤ | 11 ④ | 12 ② | | | | |

## 01 제1차 세계 대전의 전개 과정

**자료가 발표되기 이전에 있었던 사실로 옳은 것은?**

> 지난 2월 1일을 기해 독일 정부는 법이나 인간애의 억제력을 깡그리 무시한 채, 잠수함을 동원하여 영국과 아일랜드, 유럽 서부 해안 또는 지중해에 있는 독일의 적들이 관할하는 항구에 접근하려는 모든 선박을 침몰시키는 것을 목표로 하고 있습니다. …… 현재 통상에 대한 독일 잠수함의 전투 행위는 인류에 대한 전투 행위입니다. 미국 선박이 침몰되고 미국 국민이 목숨을 잃었습니다. 중립국의 선박과 국민도 똑같이 바다에 가라앉고 있는 것입니다.

① 사라예보 사건이 일어났다.
② 베르사유 조약이 체결되었다.
③ 바이마르 공화국이 수립되었다.
④ 킬 군항에서 수병이 반란을 일으켰다.
⑤ 독일이 러시아와 강화 조약을 맺었다.

 **문제 해결 Point 쏙쏙**
- 독일의 무제한 잠수함 작전 : 제1차 세계 대전 중 전개
- 제1차 세계 대전 : 사라예보 사건을 계기로 발발

**선택지 바로 알기**
② 베르사유 조약이 체결되었다.
　ㄴ 제1차 세계 대전의 결과 전승국과 독일 사이에 맺음
③ 바이마르 공화국이 수립되었다.
　ㄴ 제1차 세계 대전의 막바지에 독일 혁명이 일어나 제정이 무너지고 들어선 공화국임
④ 킬 군항에서 수병이 반란을 일으켰다.
　ㄴ 독일 혁명의 발단이 된 사건으로, 이를 계기로 독일 황제가 물러남
⑤ 독일이 러시아와 강화 조약을 맺었다.
　ㄴ 제1차 세계 대전 중 러시아에서 일어난 혁명으로 들어선 소비에트 정부와 독일이 맺음

## 02 러시아의 10월 혁명

**밑줄 친 '혁명'에 대한 설명으로 옳은 것은?**

> 제1차 세계 대전 중 계속되는 전쟁에서 패배하고 경제적 어려움을 겪던 러시아에서는 사회주의 혁명이 발생하였다. 소비에트 정부는 독일과 단독으로 강화 조약을 맺고 전쟁에서 벗어났다.

① 루이 필리프를 추방하였다.
② 경제 개발 5개년 계획을 추진하였다.
③ 제정이 붕괴되고 임시 정부가 수립되었다.
④ 메테르니히가 쫓겨나고 빈 체제가 붕괴되었다.
⑤ 레닌이 이끄는 볼셰비키가 임시 정부를 무너뜨렸다.

 **문제 해결 Point 쏙쏙**
- 레닌 : 볼셰비키를 중심으로 소비에트 사회주의 정부를 수립함(10월 혁명)
- 소비에트 정부 : 독일과 강화 조약을 맺고 전쟁을 끝냄

**선택지 바로 알기**
② 경제 개발 5개년 계획을 추진하였다.
　ㄴ 소련의 스탈린이 중공업 중심의 경제 개발 계획을 추진함
③ 제정이 붕괴되고 임시 정부가 수립되었다.
　ㄴ 러시아의 2월 혁명에 대한 설명임
④ 메테르니히가 쫓겨나고 빈 체제가 붕괴되었다.
　ㄴ 프랑스 2월 혁명의 영향으로 오스트리아에서 3월 혁명이 발생하였고, 그 결과 메테르니히가 추방되고 빈 체제가 붕괴됨

## 03 중국의 5·4 운동

다음과 같은 요구가 배경이 되어 일어난 사건에 대한 설명으로 옳은 것은?

> 제1조 중국 정부는 앞으로 일본국 정부가 독일 정부를 향해 협정을 체결함으로써 독일이 산둥성에 관해 조약이나 기타 관계에 기초하여 중국 정부에 대해 누려 온 모든 권리와 이익을 양도 등의 처분을 하는 것에 대해 모두 승인한다.

① 일본이 중일 전쟁을 일으켰다.
② 제1차 국공 합작이 이루어졌다.
③ 군벌을 무너뜨리고 중국을 통일하였다.
④ 일본의 21개조 요구 철회를 주장하였다.
⑤ 일제에 저항하여 3·1 운동을 전개하였다.

### ★★ 문제 해결 Point 쏙쏙

• 일본의 21개조 요구 : 독일이 가진 산둥성에 대한 권리를 일본이 가질 것을 요구함
• 5·4 운동 : 일본의 21개조 요구를 승인한 파리 강화 회의의 결정에 반발함

### 선택지 바로 알기

② 제1차 국공 합작이 이루어졌다.
 ↳ 쑨원의 국민당과 공산당이 군벌, 제국주의 세력 타도를 목표로 추진함
③ 군벌을 무너뜨리고 중국을 통일하였다.
 ↳ 장제스의 국민당이 완수한 국민 혁명(북벌)에 대한 설명임
⑤ 일제에 저항하여 3·1 운동을 전개하였다.
 ↳ 5·4 운동에 영향을 미침

## 04 미국의 뉴딜 정책

자료와 연관된 정부가 실시한 정책으로 옳은 것을 I 보기 I에서 모두 고르면?

> 이번 법을 통해 하려고 하는 일은 모두를 위해 주당 근무 시간을 제한하고, 모두의 최저 임금을 보장하는 것입니다. 기업가는 애국심과 인류애의 이름으로 이를 지지해 주기를, 그리고 노동자들은 이해와 협조의 정신으로 우리와 함께하기를 부탁드립니다.
> – 미국 연방 공문서 보관소 –

> ┌ 보기 ┐
> ㄱ. 경제 블록 형성
> ㄴ. 대규모 공공사업 추진
> ㄷ. 경제 개발 5개년 계획 실시
> ㄹ. 노동자의 단결권, 단체 교섭권 인정

① ㄱ, ㄴ    ② ㄱ, ㄷ    ③ ㄴ, ㄷ    ④ ㄴ, ㄹ    ⑤ ㄷ, ㄹ

### ★★ 문제 해결 Point 쏙쏙

• 최저 임금제 : 미국의 루스벨트 정부가 대공황 극복을 위해 실시함
• 뉴딜 정책 : 국가가 시장 경제에 직접 개입함

### 선택지 바로 알기

ㄱ. 경제 블록 형성
 ↳ 영국, 프랑스의 경제 공황 극복 방법
ㄷ. 경제 개발 5개년 계획 실시
 ↳ 소련 스탈린의 경제 정책

### 개념 +

미국의 루스벨트 정부는 대규모 공공사업으로 실업자를 구제하고, 노동자의 권리를 보장하고자 하였다. 사회 보장제, 최저 임금제 등으로 구매력 향상을 도모하기도 하였다.

**자료와 관련된 전쟁에 대한 설명으로 가장 적절한 것은?**

> • 두 나라(독일과 소련)는 단독으로 또는 다른 나라와 연합해서 서로에게 어떠한 폭력 행위도, 어떠한 침략 행위도, 어떠한 공격도 하지 않을 의무를 진다.
> • 만약 두 나라 중 한쪽이 제3국으로부터 공격을 받게 되는 경우, 다른 한쪽이 어떠한 방식으로도 제3국에 원조를 하지 않는다.
> • 조약 체결국은 어느 쪽도 직접 또는 간접으로 다른 한쪽을 목표로 한 강대국의 결합에 참여하지 않는다.

① 독일이 폴란드를 침공하였다.
② 국제 연맹의 창설로 이어졌다.
③ 3국 협상과 3국 동맹이 충돌하였다.
④ 이탈리아가 연합국으로 참전하였다.
⑤ 러시아가 독일과 강화 조약을 체결하였다.

★★ **문제 해결 Point 쏙쏙**
• 독소 불가침 조약 : 이 조약의 체결 이후 독일이 폴란드를 침공함
• 제2차 세계 대전 : 독일의 폴란드 침공으로 시작됨

**선택지 바로 알기**
② 국제 연맹의 창설로 이어졌다.
  ㄴ 제1차 세계 대전 후 미국의 제안으로 창설된 국제 기구임
④ 이탈리아가 연합국으로 참전하였다.
  ㄴ 이탈리아는 제1차 세계 대전 이전 3국 동맹에 속하였으나 도중에 3국 협상 측인 연합국으로 참전함

---

**자료가 발표된 시기를 연표에서 옳게 고른 것은?**

> 일본의 해군과 공군은 미합중국을 용의주도하게 기습 공격하였습니다. …… 간밤에 일본군은 필리핀 제도와 웨이크 섬을 공격하였습니다. 오늘 아침에 일본군은 미드웨이 제도를 공격하였습니다. 일본은 태평양 전역을 기습 공격한 셈입니다.

| (가) | (나) | (다) | (라) | (마) |
|------|------|------|------|------|
| 만주 사변 발발 | 중일 전쟁 발발 | 포츠담 회담 개최 | 국제 연합 창설 | |

① (가)    ② (나)    ③ (다)    ④ (라)    ⑤ (마)

★★ **문제 해결 Point 쏙쏙**
• 일본의 미국 기습 : 태평양 전쟁 발발
• 미드웨이 해전 : 태평양 전쟁의 과정에서 일어난 전투

**연표 바로 알기**
만주 사변 발발(1931) → 중일 전쟁 발발(1937) → 포츠담 회담 개최(1945) → 국제 연합 창설(1946)

**개념 +**
중일 전쟁의 확대 과정에서 물자가 부족한 일본이 동남아시아를 침공하자 미국, 영국, 프랑스 등이 일본의 물자 공급을 중단하였다. 이에 일본이 미국을 공격하여 태평양 전쟁을 일으켰다.

## 07 냉전 체제의 성립

자료와 관련된 진영에 대한 설명으로 옳은 것은?

> 이 계획의 목표는 자유로운 제도가 들어설 수 있는 정치·사회적 환경을 조성하기 위해 세계 경제를 부흥하는 것입니다. …… 저는 미국 정부가 국가 경제를 재건하려는 의지를 지닌 모든 정부를 전폭적으로 지원할 것을 확신합니다. 그러나 다른 나라의 경제 회복을 방해하는 정부는 어떠한 지원도 기대할 수 없을 것입니다.
>
> – 조지 마셜 –

① 비동맹주의를 표방하였다.
② 평화 10원칙을 발표하였다.
③ 북대서양 조약 기구를 결성하였다.
④ 코메콘을 통해 경제 지원을 하였다.
⑤ 바르샤바 조약 기구를 통해 군사 지원을 하였다.

★★ 문제 해결 Point 쏙쏙
• 냉전 체제하 자본주의 진영 : 마셜 계획(경제 지원), 북대서양 조약 기구(군사 기구) 결성 → 소련에 대항
• 마셜 계획 : 미국 정부가 서유럽의 재건 비용 지원

선택지 바로 알기
② 평화 10원칙을 발표하였다.
　ㄴ 아시아·아프리카 회의에서 발표된 원칙으로, 이후 제3 세계의 형성이 본격화됨
④ 코메콘을 통해 경제 지원을 하였다.
　ㄴ 코메콘(경제 상호 원조 회의)은 소련이 공산주의권 국가를 경제적으로 지원한 기구로, 마셜 계획에 대항하여 만듦

## 08 닉슨 독트린

다음과 같은 협정을 이끌어 낸 배경으로 가장 적절한 것은?

> 제1조 미국과 다른 모든 나라들은 1954년 제네바 협정에서 승인된 베트남의 독립, 주권, 통일과 영토 보존을 존중한다.
> 제4조 미국은 남베트남의 내부 문제에 앞으로도 계속하여 군사 개입을 하지 않는다.
> 제6조 남베트남에 있는 미군과 다른 동맹국들의 군사 기지가 조약이 서명된 지 60일 이내에 철거되어야 한다.
>
> – 『파리 평화 협정』(1973) –

① 닉슨 독트린이 발표되었다.
② 독립 국가 연합이 결성되었다.
③ 쿠바 미사일 위기가 발생하였다.
④ 중국에서 국공 내전이 발생하였다.
⑤ 북대서양 조약 기구가 조직되었다.

★★ 문제 해결 Point 쏙쏙
• 베트남 전쟁에서 미군 철수 : 닉슨 독트린을 발표한 후 이루어짐
• 닉슨 독트린 : 아시아 지역에서의 직접적 군사 개입을 자제하겠다는 내용이 담김

선택지 바로 알기
② 독립 국가 연합이 결성되었다.
　ㄴ 소련의 붕괴 이후 러시아를 중심으로 한 구 소련 국가들이 결성한 기구임
③ 쿠바 미사일 위기가 발생하였다.
　ㄴ 소련이 쿠바에 미사일 기지를 건설하고자 시도한 사건으로, 미국과 소련의 대립이 극에 달함
④ 중국에서 국공 내전이 발생하였다.
　ㄴ 국공 내전의 결과 공산당이 승리하여 중화 인민 공화국을 수립함

## 09 탈냉전

(가)에서 (나)로 국제 질서가 변화하는 과정에서 나타난 현상으로 옳은 것을
| 보기 |에서 모두 고르면?

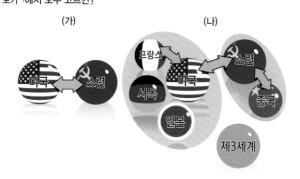

(가)                    (나)

┌ 보기 ┐
ㄱ. 베를린 장벽 건설
ㄴ. 트루먼 독트린 발표
ㄷ. 미국과 중국의 국교 수립
ㄹ. 미국과 소련의 전략 무기 제한 회담 개최

① ㄱ, ㄴ    ② ㄱ, ㄷ    ③ ㄴ, ㄷ    ④ ㄴ, ㄹ    ⑤ ㄷ, ㄹ

### ★★ 문제 해결 Point 쏙쏙

• 탈냉전의 배경 : 양극 체제에서 다극 체제로의 전환, 제3 세계
  의 등장, 서독과 일본의 경제 성장
• 자본주의 진영의 분열 : 프랑스의 북대서양 조약 기구 탈퇴
• 공산주의 진영의 분열 : 중국과 소련의 사회주의 노선을 둘러
  싼 갈등, 영토 분쟁

### 선택지 바로 알기

ㄱ. 베를린 장벽 건설(1961)
  ∟ 소련이 서베를린과 동베를린 사이의 왕래를 막기 위해 쌓은 장
  벽으로, 냉전 체제의 상징임
ㄴ. 트루먼 독트린 발표(1947)
  ∟ 동유럽의 공산화를 계기로 공산주의 세력의 확대를 막고자 미
  국 대통령 트루먼이 발표한 선언임

---

## 10 중국의 경제 성장

밑줄 친 '나'와 관련된 설명으로 옳은 것은?

> 1984년 나는 광둥에 와 본 적이 있습니다. 당시 농촌 개혁은 한 지
> 몇 년 되지 않았고, 경제특구도 이제 막 시작한 초보 단계였습니다.
> 이제 8년이 지났는데, 이번에 와 보니 선전과 주하이 특구, 기타 몇몇
> 지방은 내가 전혀 예상하지 못할 정도로 너무도 발전이 빠릅니다. 보
> 고 난 다음 나는 믿음이 더 늘었습니다.

① 평화 5원칙에 합의하였다.
② 대약진 운동을 전개하였다.
③ 중화 인민 공화국을 수립하였다.
④ 국영 기업의 민영화를 추진하였다.
⑤ 민주화 시위를 무력으로 진압하였다.

### ★★ 문제 해결 Point 쏙쏙

• 덩샤오핑 : 개혁·개방 정책, 톈안먼 사건
• 개혁·개방 정책 : 경제 특구 지정, 외국인의 투자 유치

### 선택지 바로 알기

② 대약진 운동을 전개하였다.
  ∟ 마오쩌둥이 인민 공사를 설립하고 추진한 농업과 공업 중심의
  사회주의 경제 정책임
④ 국영 기업의 민영화를 추진하였다.
  ∟ 신자유주의 정책에 대한 설명임

## 11 민권 운동

자료와 관련된 운동에 대한 설명으로 옳은 것을 l 보기 l에서 모두 고르면?

> 나에게는 꿈이 있습니다. …… 예전에 노예였던 부모의 자식과 그 노예의 주인이었던 부모의 자식들이 형제애의 식탁에 함께 둘러앉는 날이 오리라는 꿈입니다. …… 나의 자녀들이 피부색이 아니라 인격에 따라 평가받는 그런 나라에 살게 되는 날이 오리라는 꿈입니다.
> ― 마틴 루서 킹 ―

┌ 보기 ┐
ㄱ. 신체적 자기 결정권을 주장하였다.
ㄴ. 아파르트헤이트를 폐지하고자 하였다.
ㄷ. 미국의 베트남 전쟁 개입에 반대하였다.
ㄹ. 민권법을 통해 흑백 법적 차별을 폐지하였다.

① ㄱ, ㄴ    ② ㄱ, ㄷ    ③ ㄴ, ㄷ    ④ ㄴ, ㄹ    ⑤ ㄷ, ㄹ

★★ 문제 해결 Point 쏙쏙
• 마틴 루서 킹 : 미국의 민권 운동가
• 민권 운동 : 인종에 따른 차별 없이 사회적 권리를 동등하게 인정받고자 추진된 운동
• 넬슨 만델라 : 민권 운동인 아파르트헤이트 반대 운동 전개

선택지 바로 알기
ㄱ. 신체적 자기 결정권을 주장하였다.
   └ 여성 운동에 대한 설명임
ㄷ. 미국의 베트남 전쟁 개입에 반대하였다.
   └ 68 운동, 반전 운동에 대한 설명임

개념 +
미국의 민권 운동은 마틴 루서 킹, 말콤 X 등이 중심이 되어 추진되었다. 마틴 루서 킹의 운동과 케네디·존슨 정부의 호응으로 1964년 민권법이 제정되어 흑백 법적 차별이 철폐되었다. 그리고 1965년 투표권법이 제정되어 흑백 사이의 투표권 차별도 없어졌다.

## 12 유럽 통합

자료가 발표된 시기를 연표에서 옳게 고른 것은?

> 프랑스 정부는 프랑스와 독일의 석탄과 철강 생산을 공동의 기구 관리하에 둘 것을 제안한다. …… 석탄과 철강 생산의 공동화는 유럽 연방의 첫 단계인 경제 발전의 공통 토대를 즉각적으로 형성하는 것을 보장하는 것이고, 오랫동안 전쟁 무기 생산으로 계속해서 희생당했던 이 지역들의 운명을 바꾸어 놓을 것이다.

| (가) | (나) | (다) | (라) | (마) |
|---|---|---|---|---|
| 국제 연합 창설 | 유럽 공동체 형성 | 유럽 연합 창설 | 세계 무역 기구 창설 | |

① (가)    ② (나)    ③ (다)    ④ (라)    ⑤ (마)

★★ 문제 해결 Point 쏙쏙
• 유럽 석탄 철강 공동체 : 프랑스의 제안으로 설립됨

연표 바로 알기
국제 연합 창설(1946) → 유럽 석탄 철강 공동체 형성(1952) → 유럽 공동체 형성(1967) → 유럽 연합 창설(1992) → 세계 무역 기구 창설(1995)

개념 +
유럽 석탄 철강 공동체를 시작으로 유럽 경제 공동체, 유럽 원자력 공동체 등의 공동체가 통합되어 유럽 공동체를 형성하였으며, 마스트리흐트 조약을 조인하면서 유럽 연합으로 발전하였다.

정답은
이안에
있어 !